PHILIPPINES

par JIKA

Photo de couverture : Banaue (photo de l'auteur).

Déjà parus dans cette collection

Pays d'Amérique
>Californie, Côte Ouest, Nevada
>Floride, Louisiane et le Vieux Sud
>Far West et grands parcs nationaux
>New-York et le Nord-Est américain
>Alaska
>Le Québec et l'Est canadien
>L'Ouest canadien
>Mexique
>Guatemala - Belize - Copan

Pays d'Asie
>Inde du Nord
>Inde du Sud
>Népal
>Ceylan - Maldives
>Birmanie
>Thaïlande
>Indonésie
>Tokyo
>Philippines
>Malaisie - Singapour - Bornéo
>Vietnam

Pays de la Méditerranée
>Grèce
>Maroc

Hors collection
>Guide du voyage d'Affaires en Extrême-Orient

En préparation
>Chine
>Laos-Cambodge

© Editions JIKA, Paris, 2ème édition, 1994
ISSN : 0299-10-47
ISBN : 2-906061-35-2

VOTRE GUIDE A TRAVERS CE GUIDE

LES 7 000 PERLES DE L'ASIE

"Adieu Patrie adorée, région chérie du soleil, Perle de la mer d'Orient, notre Eden perdu." José Rizal

Ces mots, qui sont les premiers de l'"ultimos adios" du plus grand des Philippins, donneront le ton à toutes les exclamations des voyageurs qui visitent le pays des 7 000 îles. On a beau avoir pu s'émerveiller à Bali, à Sumatra, à Java, à Bornéo, en Malaisie, on trouve encore à s'enthousiasmer davantage en visitant les terrasses de riz du nord de Luzon, les jungles de Palawan, les îles du sud des Philippines. Ici, la nature est en folie. Volcans, lacs, chutes d'eau, jungle, rizières, plages, eaux coraliennes, palmiers, bananiers, fleurs, tout cela s'entremêle dans des tableaux que les peintres eux-mêmes n'oseraient imaginer.

"Il n'y a rien à voir aux Philippines". Seuls ceux qui n'ont vu que Manille peuvent proférer de telles sottises. Bien sûr, il n'y a pas d'aussi beaux temples qu'en Thaïlande, des quartiers chinois comme à Hong Kong, des cérémonies hindouistes comme à Bali, mais les paysages y sont parmi les plus beaux d'Asie, les peuples parmi les plus variés avec des tribus animistes et des minorités musulmanes. Les coupeurs de têtes de Luzon, les gitans de la mer des îles Sulu, les Tasadays de la préhistoire et des dizaines d'autres ethnies côtoient (sans toujours s'assimiler) leurs frères chrétiens, les Philippins des plaines, l'un des peuples les plus gentils et les plus tolérants du monde. Une preuve : les Philippins sont les seuls en Asie à aimer encore les Américains, c'est tout dire...

Mabuhay : c'est le salut des Philippins qui vous accueillent en vous souhaitant à la fois longue vie et bienvenue. On ne vous refusera jamais un mabuhay ou un collier de sampaguitas ou de coquillages, colliers de fantaisie pour un peuple fantaisiste qui met sa fantaisie dans l'art populaire, et un pays où les moyens de transports motorisés sont l'expression de cet art populaire. C'est plutôt rare.

Un peuple qui sait prendre le temps de vivre, une coutume qui arrive parfois à choquer un occidental, pour qui celui qui ne s'agite pas comme un fou est un attardé. Et pourtant, comme cela va bien au pays, ce temps que l'on n'essaie pas de rattraper ! Un peuple de musiciens. Le meilleur apport sans doute que les Espagnols aient jamais fait à une de leurs colonies. La musique philippine règlera le rythme de votre voyage. Un voyage que vous ne finirez jamais, car il y a tant à voir dans un pays dont toutes les îles ne sont pas complètement explorées, un pays où l'on découvre de nouvelles merveilles tous les jours, encore à l'aube de l'ère touristique, un pays où l'étranger n'est ni un touriste ni même un voyageur, mais un hôte à qui on se fera un plaisir d'offrir l'hospitalité, aussi humble qu'elle puisse être.

Beaucoup de voyageurs sont allés aux Philippines uniquement pour y passer. Ils se sont tous surpris à vouloir y rester pour les connaître plus complètement.

Plus vous resterez aux Philippines, plus vous voudrez les connaître.

PREMIERE PARTIE

DES COUPEURS
DE TETES
AUX GUERRIERS
DE LA FOI

LA TERRE DES HOMMES

7 000 - 7 100 îles (et pourquoi pas 7 107 ?) éparpillées sur quatre mers : l'océan Pacifique, la mer de Chine, la mer de Célèbes et la mer de Sulu. Entre le 21ème et le 4ème degré de latitude nord, près de deux mille kilomètres séparent l'île la plus septentrionale (à seulement 160 kilomètres de Taïwan) de l'île la plus méridionale (à seulement toute proche de Bornéo), tandis qu'entre les îles les plus orientales et les plus occidentales, il y a une distance d'environ mille kilomètres. 298 000 kilomètres carrés de terre, mais beaucoup plus d'eau et plus de côtes que les Etats-Unis (35 000 km), 7 000 îles qui sont d'importances diverses : une centaine environ sont habitées, moins de la moitié d'entre elles porteraient un nom, tandis qu'une dizaine représentent les neuf dizièmes de la surface :

La plus grande île, Luzon, mesure 105 700 km2 ; elle est suivie de Mindanao, presque aussi vaste (95 580 km2). Ces deux îles représentent 65 % des terres, mais aussi plus de 60 % de la population. Les autres îles d'importance sont :
- Samar : 14 900 km2.
- Negros : 13 000 km2.
- Palawan : 13 400 km2.
- Panay : 11 500 km2.
- Mindoro : 10 200 km2.
- Leyte : 7 155 km2.
- Cebu : 4 400 km2.
- Bohol : 4 000 km2.
- Masbate : 3 200 km2.

Quelle est l'origine de ces îles ? Selon la légende, vivait il y a bien longtemps, dans la province d'Ilocos, un couple de géants, Angala et Angarab. Ils étaient si grands que lorsqu'ils marchaient, leurs pas faisaient trembler l'île entière. Mais, à cette époque, il n'y avait qu'une immense île qui s'étendait jusqu'à Bornéo. Un jour, les deux géants allèrent ramasser des coquillages dans la région des actuelles Sulu ; dans les huîtres, ils découvrirent des perles étincelantes, qu'ils recueillirent. Cependant, sur le chemin du retour, ils commencèrent à se quereller pour le partage de ces perles. Ils crièrent, tapèrent du pied si fort, que cela eut pour effet de faire tomber les montagnes ; des morceaux de la terre furent projetés dans toutes les directions ; les plus gros constituèrent les îles des Visayas, tandis que les perles devinrent les milliers d'îlots. Pour moi, cette explication est amplement satisfaisante, mais pour des esprits moins simples, il est bon de préciser qu'un doute subsistera, car l'explication scientifique est basée sur une hypothèse : les Philippines se seraient détachées du continent asiatique à la suite d'un soulèvement puis d'une dépression. L'un des arguments en faveur de cette thèse est la présence de fosses marines très profondes à l'est (plus de 10 000 mètres pour la fosse de Mindanao), opposées à des fonds de quelques centaines de mètres entre l'Indochine et les Philippines.

Le relief

Formé de roches cristallines, le relief des Philippines est jeune, et les éléments volcaniques sont nombreux (près de 100 volcans, dont une vingtaine d'actifs). L'île de Luzon possède le système volcanique le plus actif avec le volcan Taal et le mont Mayon (2 462 m), qui sont en même temps des attractions touristiques de premier ordre.

Mais on retrouve des volcans dans presque toutes les îles importantes. C'est le cas de Mindanao où le mont Apo (volcan de 2 954 m), est le plus haut sommet des Philippines. Le mont Katanylad est presque aussi haut (2 896 m).

Il existe aussi quelques chaînes de montagne, telles la Sierra Madre, au nord-est de Luzon, qui s'étend sur près de 500 kilomètres de longueur ; la chaîne des Caraballos occidentales atteint environ 300 kilomètres de longueur, tandis qu'au milieu de Luzon se trouve un massif de taille moyenne. A Mindanao, la chaîne principale est la Divata à l'est de l'île, tandis que dans toute l'île des volcans ou des montagnes culminent entre 1 500 et 2 500 mètres.

De par le relief de l'île, les grands fleuves sont inexistants ; on trouve seulement des rivières (environ cinq cents) dont le débit varie énormément au moment des pluies. Les lacs sont pour la plupart d'origine volcanique comme le lac Taal, la Laguna de Bay (le plus grand lac du pays), ou le lac Buluan.

Le climat

L'archipel s'étend entre le quatrième et le vingt-et-unième degré de latitude nord, et du cent-seizième au cent-vingt- septième degré de longitude est. Nous sommes donc en plein sous les tropiques. Le climat est chaud et humide avec trois saisons plus ou moins marquées suivant les régions.

- Une saison chaude de mars à mai, appelée ici été.
- Une saison humide de juin à novembre (ou plus tard).
- Une saison fraîche (tout est relatif) et sèche de décembre à février : l'hiver philippin.

Les différences de température au cours de l'année sont plus accentuées au nord (25 à 32° à Laoag) qu'au sud (26 à 28° à Zamboanga). En hiver, la température des montagnes de Luzon descend autour de 15° (Baguio) ; de même, les régions les plus arrosées (4 à 5 mètres par an) sont Bicol, Samar, la région de Baguio et le nord-est de Mindanao. Les moins arrosées (moins d'un mètre) sont le sud de Mindanao (Davao, Zamboanga), le Negros Oriental, Palawan et le sud de Cebu.

Enfin, il y a également un décalage dans l'époque des pluies : Officiellement, il pleut à Manille jusqu'en novembre, mais il pleut sur Bicol jusqu'en mars. Ne vous fiez donc pas trop au calendrier officiel des pluies.

Comme vous le constaterez, les Philippines sont un pays où la végétation est luxuriante. C'est sans doute parce qu'il pleut un peu toute l'année.

Aux calamités naturelles que sont les éruptions volcaniques et les tremblements de terre, il faut ajouter les typhons, fréquents pendant la saison des pluies (de juillet à octobre) qui frappent surtout l'est des parties centrale et nord du pays (mais jamais, paraît-il, à Davao).

La flore

La terre fertile, l'eau partout abondante et la chaleur, font des Philippines un paradis tropical. La forêt primaire équatoriale est encore très répandue notamment à Luzon, Mindoro et Palawan ; c'est une cathédrale étayée d'arbres gigantesques abritant du soleil des fougères géantes, des orchidées, des buissons de lianes, bref une jungle superbe.

En altitude, vers Baguio, on trouve également de très belles forêts de pins, tandis que dans les régions côtières poussent les palmiers nipa, dont le feuillage sert à fabriquer les toitures des maisons traditionnelles.

La variété des plantes est infinie :

Les plantes pour la construction ou l'industrie
Ce sont le bambou (il en existe une trentaine de variétés, la plus grande pouvant atteindre 23 mètres) ou l'hévéa.

Les plantes pour le textile

La plus typique est l'abaca ou chanvre de Manille *(musa textilis),* une plante ressemblant au bananier comme deux gouttes d'eau, bien qu'un peu plus petite. Sa fibre est extrêmement solide. Les Philippins l'avaient découverte avant même l'arrivée des Européens. Les explorateurs s'en servirent pour fabriquer les cordages des galions espagnols. Aujourd'hui, elle fournit un matériau de premier choix dans l'artisanat et l'une des principales exportations. Les principales régions de pousse de l'abaca sont la péninsule de Bicol, la région de Davao et les Visayas orientales. L'abaca est prête à être coupée au bout de dix-huit mois.

Autres plantes de ce type : Le sisal *(agave sisalana)* et le maguey *(agave cantala).*

Les plantes pour le petit mobilier

Les principales sont le rotin *(calamus),* le *buri* ou le *pandan.*

Les plantes à fruits

Elles sont nombreuses et comptent notamment le cocotier, le riz, le bananier, la canne à sucre, le café, l'ananas, le papayer, le manguier, les fraisiers (sur les hauteurs), le ramboutan, la mangoustan et enfin le dourian à la puanteur épouvantable dans le sud.

- **Le riz**, apppelé ici "palay", est l'aliment principal de la majorité de la population philippine et occupe 40 % des terres cultivées. Selon les régions, l'abondance de l'eau et l'altitude, on fera de une à trois récoltes par an. Comme le riz supporte difficilement des températures inférieures à 24° Celsius, on le trouvera rarement au-dessus de 1 300 mètres.

- **Le cocotier** produisant le coprah est l'arbre le plus largement cultivé, chaque spécimen pouvant produire de 200 à 300 noix par an et pouvant vivre une centaine d'années, soit un excellent rendement. Le cocotier est synonyme d'arbre de vie, c'est pourquoi il est de tradition dans les campagnes d'en planter un à la naissance d'un bébé. On utilise le nectar de la fleur pour produire une boisson douceâtre, le "tuba". Le tuba peut être fermenté (bien que ce soit illégal) pour fournir une sorte de rhum, le "lambanog". La noix peut être cueillie à deux époques : Verte (c'est-à-dire vieille de moins de trente jours), elle sera vendue le long des routes pour étancher la soif du voyageur, tandis que sa chair fraîche et molle sera pressée pour fournir le lait de coco utilisé en cuisine. Si l'on attend une quarantaine de jours que la noix soit mûre, on utilisera le coir, qui s'est formé sur la coque et qui fournira une excellente fibre, pour la fabrication des filets de pêche par exemple. On ouvrira ensuite la noix pour faire sécher la chair blanche qui mérite maintenant le nom de coprah et qui sera transformé en huile. Le coprah écrasé en poudre fournit également un aliment riche pour le bétail.

- **Le sucre** est cultivé sur quelque 400 000 hectares, principalement dans les Visayas et dans le sud de l'île de Luzon. Ici, nous rencontrons les conditions idéales de la culture de la canne à sucre : Une température élevée de l'ordre de 30°, une sécheresse assez longue, permettant une maturation entre septembre et décembre et peu de grands vents (l'île de Negros est à ce titre particulièrement privilégiée).

Le tabac

Natif de l'Amérique, il fut introduit aux Philippines par les missionaires espagnols à la fin du XVIème siècle. Sa culture s'est rapidement développée, puis a de nouveau été encouragée du temps des Américains. Le tabac de Virginie est cultivé principalement sur l'île de Luzon (Vallée de Cagayan, provinces d'Ilocos, de La Union et de Pangasinan notamment).

Arbres exotiques

Parmi les arbres typiques des Philippines, il ne faut pas oublier de mentionner le Narra *(Pterocarpus indicus),* l'arbre national. Ce diptérocarpe peut atteindre une trentaine de mètres de hauteur ; son tronc est long et élancé, tandis que ses feuilles sont d'un vert foncé luisant. Il se recouvre de fleurs jaunes en mars et avril. Très commun dans les villes, on ne le trouve qu'au-dessous de 1 000 mètres.

Il n'est pas le seul arbre à fournir de jolies fleurs, puisqu'on rencontre aussi le frangipanier, ici appelé *Kalachuchi.*

Les fleurs

Elles sont magnifiques, citons seulement :
- Les orchidées. On en trouve paraît-il plusieurs centaines d'espèces, mais la *waling-waling (Vanda sanderiana)* en est la plus belle variété, avec ses grappes de douze à seize fleurs ; elle fleurit d'août à septembre à Mindanao.
- Il ne faut pas oublier non plus la *sampaguita (jasminum sambac),* une variété de jasmin devenue la fleur nationale.
- D'autres fleurs sont ici rares ou populaires, comme les "cloches jaunes" *(Allamanda cathartica)* décoratives ; elles sont originaires du Brésil et possèdent des vertus médicinales.
- Les *donas* sont appelées ainsi en honneur des premières dames du pays. Il s'agit en fait des *mussaendas hybrides.*
- Les *dama de noche (Cestrum nocturnum)* ne s'épanouissent que la nuit.
- Les *lys Imelda* (du prénom de l'épouse du président Marcos) furent découverts dans les années 70 dans le pays Tasaday.
- Les *niog niogan (Quisquales indica),* sont une sorte de vigne odorante, dont les fleurs changent de couleur chaque jour.
- Enfin, vous pourrez admirer de magnifiques bougainvilliers.

On a du mal à réaliser que la culture sur brûlis a amené la pousse du cognon, herbe silicifiée, sur des terres rendues stériles à l'agriculture, et pourtant 40 % des terres en seraient là.

La faune

Dans une telle végétation, les animaux n'ont aucun problème pour se cacher et se nourrir :

- A côté du carabao, le buffle d'eau asiatique, on trouve le rarissime tamarao (*Bubalus mindorensis*) qui serait un hybride de vache, de carabao et de daim.

- Le chat du Bengale, ou chat-tigre, est plus fréquent, de même que le tarsier de Bohol. Ce dernier est fort bizarre : son corps a la taille de celui d'une grosse grenouille, mais sa tête, par contre, est aussi grande que le corps ; ses yeux sont gigantesques, tandis que ses pattes ont de véritables doigts.

- L'aigle mangeur de singes *(Pithécophaga jefferyi),* qui hante le mont Apo, est un des plus grands aigles existants. Sachez que depuis 1978 il a été officiellement rebaptisé par le président Marcos par un décret qu'il m'a paru pittoresque de vous citer : "Moi, Ferdinand Marcos, président des Philippines, en vertu des pouvoirs qui me sont conférés par la loi, proclame et déclare que l'oiseau jusqu'ici appelé "aigle mangeur de singes" est rebaptisé et s'appellera désormais "aigle des Philippines". Comme il ne reste plus qu'une quarantaine de specimens, ce beau rapace est désormais protégé. Il faut dire qu'une circulaire de 1955, jamais modifiée depuis, imposait une taxe de 15 pesos seulement sur la capture ou la mort de l'un de ces aigles.

- Le chevrotin ou *mouse deer (Tragalus nigrieans),* le plus petit daim de la terre, se trouve encore à Mindoro et à Palawan.

- Citons encore la grue géante ou grue de Sharpe (Luzon central), ainsi que le paon de Palawan.

- Et puis il y a tous les animaux que l'on trouve dans les pays avoisinants : singes, serpents, oiseaux (plus de 700 espèces) et papillons.

La faune et la flore marines sont également très riches : Les Philippines sont le pays possédant la plus grande variété de coquillages au monde. Cela va du *pisidium* (le plus petit) au tridacna gigas ou bénitier géant (le plus gros).

Quant aux coraux, il y en a sur des centaines de kilomètres ; on trouve aussi bien les plus petits poissons du monde *(pandaka pigmea)* que les gros requins, dauphins, barracudas, garoupas (ici appelé *Lapu-lapu*), thons, maquereaux, etc. Les Philippines compteraient plus de 2 000 espèces d'animaux marins. A défaut de plonger vous-même, visitez au moins un des aquariums des Philippines...

Richesses économiques

Les mines d'or, d'argent, exploitées par les Espagnols puis les Américains, sont en perte de vitesse devant l'agriculture. Seul le cuivre est en expansion (environ 200 000 tonnes). Le riz est la principale culture, mais la production est insuffisante, malgré parfois trois récoltes par an, essentiellement à Luzon. Le sucre et le coprah (les Philippines sont le plus gros exporteur mondial de coprah) sont par contre exportés et posent parfois des problèmes de surproduction, donc de chômage.

Les principales exportations à la fin des années 80 étaient le bois, le sucre, le cuivre (les Philippines en sont le dizième producteur mondial avec 215 milliers de tonnes), le coprah brut et l'huile de coprah, mais ces exportations ont bien baissé au cours de la décennie.

LES HOMMES ET L'ETAT

Démographie galopante et économie fragile

Comme tous les pays en mal de développement, les Philippines ont une population qui connaît une croissance galopante. Les chiffres parlent d'eux-mêmes : 27 millions de Philippins en 1960, 47 millions en 1980, 62 millions en 1990, soit plus de 85 millions en l'an 2 000, si le rythme de 2,50 % de croissance se poursuit. La densité de population actuelle dépasse déjà les 200 habitants au kilomètre carré. Un problème que l'économie d'un pays du Tiers-Monde a du mal à résoudre.

La situation n'est pourtant pas totalement sans espoir : Malgré une motalité infantile passée en vingt ans de 66 % à 47 % et une espérance de vie passée de 57 ans à 63 ans, le taux de croissance annuelle est descendu de 2,8 % en 1970 à 2,5 %. Le problème le plus grave est l'évolution de la population urbaine, passée de 33 % à 40 % dans le même temps, alors que l'économie est loin de progresser de façon aussi spectaculaire.

Si du temps du président Marcos l'économie avait fait un grand bond en avant (il est vrai qu'elle partait d'un tel néant), depuis les années 80 (donc depuis la fin du "règne" Marcos), il y aurait plutôt détérioration. Ainsi, le produit national brut par habitant qui avait progressé de 240 dollars US en 1970 à 700 dollars en 1980, se retrouvait à à peine 700 dollars au début des années 90...

A titre de comparaison, le PNB par habitant des pays voisins était de 6 759 dollars à Hong Kong, 3 700 dollars à Taïwan et 7 400 dollars à Singapour. Seule, l'Indonésie faisait moins bien (500 dollars).

Par contre, le taux d'inflation avait fortement diminué et la population active était passée à plus de vingt millions de personnes.

Le pays est divisé en douze régions (plus Metro-Manille), comprenant 73 provinces, et avec comme métropole et capitale Manille (une agglomération d'une dizaine de millions d'habitants). Ces provinces recouvrent mal une multiplicité d'ethnies, liées au nom de l'unité que le drapeau national tente de proclamer : Trois étoiles pour les trois principales régions (Luzon, Visayas, Mindanao), les huit rayons de soleil pour les huit premières provinces qui se révoltèrent contre les Espagnols ; en temps de paix, une bande bleue au-dessus, une bande rouge au-dessous ; en temps de guerre, le contraire.

LES FAMILLES PHILIPPINES

La plus grande partie de la population est le résultat d'un brassage entre diverses ethnies. Le Philippin des plaines est le mélange de l'aborigène tagalog, pintado ou autres avec le Malais, parfois le Chinois, l'Espagnol ou même l'Américain.

Ne vous fiez cependant pas trop au nom de famille pour déceler une ascendance espagnole : Au XIXème siècle, les Philippins, qui voulaient accéder à la classe bourgeoise, étaient souvent obligés de prendre un nom espagnol. De même, plus tard, certains Igorots de Bontoc accepteront de voir leur nom américanisé.

Il existe près d'une centaine de "minorités" aux Philippines. Ce terme recouvre aussi bien les chrétiens ou les musulmans de souche malaise comme les Philippins des plaines, que les tribus animistes des montagnes ou des forêts, ou que les Chinois ou les Européens. Compte tenu de la pénétration difficile de certaines parties du pays, il n'est pas impossible que l'on découvre encore, comme ce fut le cas récemment avec les Tasadays, ou les Taot-Batos, d'autres minorités.

LES ETHNIES DE LUZON

Les Négritos

Luzon compte un peu plus de la moitié des quelque 40 000 Négritos vivant aux Philippines. Les Négritos ont longtemps été considérés comme les premiers aborigènes de l'archipel. Petits (1,50 m environ), crépus, à la peau brun foncé, d'origine proto-mongoloïde, les Négritos ont toujours été avides de liberté, ce qui leur a valu d'être en grande partie exterminés par les Espagnols. Seuls, les Américains ont entrepris de les protéger. Un Français, Paul Proust de la Gironière, qui introduisit la première plantation de café, faillit perdre la vie en voulant ramener un squelette de Négrito au Jardin des Plantes de Paris au XVIIIème siècle.

Au XVIème siècle on les trouvait encore à Palawan, où ils semblent avoir disparu. Aujourd'hui, les derniers Négritos vivent (souvent métissés), à Luzon notamment, dans la chaîne de Zambales au nord-ouest, dans les provinces de Camarines, mais aussi dans le Négros oriental, sur Panay et dans le Nord-Mindanao.

Souvent appelés Aetas, ils vivent de cueillette et de chasse. A l'origine, ils étaient armés d'arcs et de flèches empoisonnées (le *palagod* est l'arbre qui fournit ce poison).

Cousins des Négritos de Malaisie ou des îles Andaman, ils ont les mêmes coutumes. Vivant à moitié nus, leur pagne est fait d'écorce d'arbre pour les hommes. Les seuls ornements sont des bracelets végétaux. Parfois on lime les dents en pointe ; cette taille des dents, faite avec un *bolo* (couteau) est assez douloureuse. Le Négrito trouve également très élégant les scarifications du corps, suivant certains dessins, exécutés à l'aide de couteau.

Les Tagalogs

Ce sont eux que les Espagnols rencontrèrent en débarquant dans la région de Manille au XVIème siècle. A l'époque, ils étaient musulmans ; ils vivaient en bord de mer dans des villages sur pilotis, sans doute comme le font encore actuellement les Moros des Sulu, dont ils sont les cousins. Aujourd'hui, ils ont reçu, outre la religion chrétienne, du sang espagnol, chinois ou autre. Ils sont les Philippins types, tout comme les Bisayans.

Les Ilocanos

Ils constituent un autre groupe parmi les Philippins des plaines. Les Chinois eurent très tôt des échanges avec cette région, et du sang chinois coule dans beaucoup de veines ilocanos. Peut-être est-ce une des raisons qui font que les Ilocanos réussissent plus que d'autres dans les affaires et la politique. Ferdinand Marcos fut l'exemple type de l'Ilocanos entreprenant. Aujourd'hui, les Ilocanos ont perdu leur identité pour devenir purement Philippins.

De religion chrétienne, ils gardent néanmoins de nombreuses superstitions, notamment la croyance dans les esprits *(batibat, katatwan* ou *mangagamud,* sorte de diable), d'où l'importance que revêtent encore les amulettes et les jeteurs de sorts.

Les Ifugaos

Ils ont été involontairement les créateurs de la première attraction touristique des Philippines : Les terrasses de riz du Nord de Luzon. Excellents chasseurs de têtes, ils constituent la minorité principale de la région ; on les rencontre dans la province qui porte leur nom. Les scientifiques leur trouvent, comme à leurs cousins igorots, des traits proto-malais, à tendance indonésienne et mongoloïde ; ils sont solidement charpentés et de taille moyenne, les cheveux souvent ondulés, le teint assez clair. Leur langage est malay-polynésien. Ifugao est le nom qu'ils se donnent et qui signifie "l'homme de la terre".

Animiste, la culture ifugao est une des plus intéressantes des Philippines, d'abord par l'énigme que pose l'origine du système d'irrigation adopté pour les terases de riz, ensuite par toutes les coutumes, comme les tatouages des hommes sur les bras, coutume que l'on rencontre également chez les Igorots.

En été, le costume de l'homme réside en une longue pièce d'étoffe, enroulée autour de la taille, couvrant le milieu des fesses et descendant jusqu'aux genoux. Les boucles d'oreilles, en cuivre, sont aussi fréquentes chez les hommes que chez les femmes, tandis que ces dernières portent en plus des bracelets sur les bras et les jambes.

L'"outil de travail" de l'Ifugao est le bolo, un large couteau porté dans un étui en bois, et la lance au manche de bois. La chasse "à la tête", pratiquée jusqu'au XIXème siècle et encore parfois pendant la Seconde Guerre mondiale, n'est plus pratiquée aujourd'hui par les Ifugaos, devenus très amicaux envers les étrangers.

Cette pratique de la chasse à la tête, ainsi que nombre d'autres coutumes, sont à rapprocher de celles des Dayaks de Bornéo, tout en gardant une originalité propre.

Les maisons ifugaos, par exemple, sont différentes, différentes également de celles de leurs voisins igorots : Ornées d'un toit pyramidal, elles reposent sur quatre piliers, équipés de disques de pierre destinés à empêcher les rats de grimper, une échelle de bois permet d'accéder à l'intérieur, échelle qu'on enlève pour la nuit.

Aujourd'hui, à part la culture du riz, l'activité principale des Ifugaos est le tissage du coton, la teinte rouge étant, comme dans toute la région, la teinte dominante. Autrefois la sculpture sur bois existait exclusivement pour des objets religieux ou mortuaires, aujourd'hui elle balbutie vers des produits d'artisanat plus divers.

Les Igorots

Estimés à plus de 100 000, les Igorots sont très proches des Ifugaos aux yeux d'un occidental, mais ils se sentent, eux, très différents. Le fait est que, si on peut les confondre sur leur aspect physique, leurs coutumes sont autres :

Leur maison d'abord ; elle est posée à même le sol, le toit et l'occupation de la maison sont très particuliers à l'intérieur de l'*ili*, qui est le village de base. Dans l'ili, il y a quatre sortes de maisons et la fosse à cochons :
- La maison familiale ou *a fong*, au toit plus ou moins pointu suivant la richesse de la famille.
- L'*ato* qui est la maison où se réunit le conseil des anciens pour les cérémonies ou pour toutes discussions sérieuses, et dans laquelle les hommes célibataires et les petits enfants peuvent dormir, institution qui existe aussi chez certaines tribus dayaks. Ici, l'Igorot a le choix de vivre dans quatre atos : celui de sa naissance, celui de son grand-père, celui de son beau-père, celui où il construit sa maison, mais son choix est en principe définitif. Dans l'ili traditionnel de Bontoc, il y a dix-sept atos.
- Le *katufong* est une misérable petite maison où vit la grand-mère veuve.

- Enfin, l'*ulag* ou *oulog* ou *olog*, qui est le dortoir des vierges ou supposées telles, de l'âge de deux ans au mariage.

Le nom d'Igorot ou Igolot signifierait "homme de la montagne". L'origine de cette ethnie semble être la même que celle des Ifugaos, mais le langage est différent.

Les colliers de perles fantaisie sont très utilisés, tandis que la perforation des oreilles est largement pratiquée. Le tatouage est ici la beauté suprême... encore qu'abandonnée chez les jeunes qui aiment de moins en moins souffrir, comme partout. Un peigne d'aiguilles d'acier était l'instrument utilisé... Des heures de souffrances en perspective.

Les femmes se font tatouer les bras des mains aux épaules ; chez elles c'est un signe d'élégance ; chez l'homme, de courage.

Les Igorots les plus accessibles sont ceux de la région de Bontoc.

Les Kalingas

Les Kalingas vivent au nord de Bontoc, dans une région peu accessible ; ils ont conservé beaucoup de leurs coutumes y compris l'habitude des femmes de ne pas se cacher la poitrine. Chasseurs de têtes également, ils ont développé un système de pacte de paix qui a remplacé presque complètement les guerres et sert de nouvelle institution pour ce qui est de l'initiation et du gouvernement social.

Leurs cérémonies gardent toute leur authenticité et ils ne souhaitent guère de présence étrangère pendant leurs fêtes religieuses.

Les Isnegs ou Apayaos

Les Isnegs vivent tout au nord de Luzon et sont de même origine que leurs cousins précédents ; anciens coupeurs de têtes, ils ont néanmoins su préserver leur indépendance face aux diverses invasions étrangères.

Agriculteurs, ils sont plus prudes que les Kalingas et les femmes portent généralement une blouse glissée sous une sorte de sarong rayé, semblable à celle des provinces de montagne.

L'homme et la femme chiquent le bétel comme l'Ifugao. Leur maison est construite sur de solides pilotis de molave ou d'ipil, mais on n'y trouve pas les disques des maisons ifugaos. Contrairement aux Igorots, les Apayaos ne mangent pas les chiens, dont les autres sont friands.

Alors que les Igorots ont un conseil des anciens, les Isnegs ont un chef ou *maingel*, que l'on distingue à son turban rouge ; il est assisté de conseillers ou *pangmarwans*. Le village, ou *barangay*, est entouré d'une enceinte de piquets, car tous les autres villages étaient censés être autrefois des ennemis ; mais les Isnegs pratiquent également le pacte de paix appelé ici *budong*.

Les Tinguians

Chassés des côtes par les pirates japonais, les Tinguians se sont réfugiés dans la province d'Abra, entre les Ilocanos et les Igorots et Kalingas. Ils sont également cultivateurs (cultures sèches et irriguées). Autrefois, leurs maisons étaient perchées au sommet des arbres. Leurs femmes aiment porter des bracelets de perles fantaisie qu'elles ne quittent jamais, sauf en cas de deuil. Leurs bras sont tatoués de façon à ce qu'ils n'apparaissent pas nus lorsque les bracelets sont enlevés, même si la poitrine est nue.

Les Tinguians sont une des rares ethnies qui, bien que pratiquant la monogamie, autorise les concubines, chacune ayant sa maison particulière. L'une des coutumes des Tinguians qui mérite d'être rappelée est celle d'ouvrir les têtes humaines chassées, d'extraire la cervelle et de manger cette dernière avec de l'alcool de riz ou de cocotier (mais sans sel).

Les Bicolanos, Zambales et Panpangos

Autres peuples des plaines, ces groupes ont acquis des caractéristiques assez semblables aux Tagalogs et aux Ilocanos.

Les Kankanais, Ibalois, Gaddangs et Ilongots

Ces autres groupes sont, par contre, des tribus montagnardes plus proches des Ifugaos ou Igorots.
- Les Ilongots par exemple, seraient encore chasseurs de têtes.
- Les Ibalois, estimés à 60 000, sont du type Igorot, cultivateurs et exploitant les minerais, mais ils sont plus assimilés que les Ilongots.

LES ETHNIES DES VISAYAS

A côté des Négritos et des Bukidnons du sud de Négros, dont nous reparlerons avec Mindanao, l'ethnie dominante est celle des Bisayans :

Les Pintados ou Bisayans

Les Visayas subirent l'influence de l'Inde, puis de l'Islam ; elles eurent, de plus, des échanges commerciaux avec la Chine.

C'est donc un peuple ayant déjà atteint un certain niveau de civilisation que les Espagnols découvrirent avec Magellan. Les Pintados de Lapu Lapu avaient leur propre identité par rapport aux autres Philippins. Leurs corps par exemple étaient entièrement tatoués, leurs costumes étaient assez élaborés. Christianisés de bonne heure, les Pintados sont devenus comme les Tagalogs une des grandes familles philippines actuelles parlant essentiellement le cebuano.

LES ETHNIES DE MINDORO

Les Mangyans

C'est au XVIIème siècle qu'un Français, Le Gentil de la Galaisière, mentionna le premier cette ethnie, vivant dans l'intérieur des terres. On suppose que leur arrivée sur l'île est très ancienne.

L'effort de christianisation n'aboutit que chez les tribus demeurées sur les côtes, ainsi que chez les Moros, mais ce n'est pas le colonialisme espagnol qui allait les séduire. Il existe encore de nos jours toute une partie de la population mangyan demeurée à l'écart de la civilisation, dans la profondeur des forêts. Ces Mangyans vivent dans un état semi- sauvage et se nourrissent de patates douces.

Jusqu'au XIXème siècle, on considérait les Mangyans comme une seule ethnie ; aujourd'hui on distingue parmi les quelques 50 ou 60 000 Mangyans de Mindoro et du nord au sud de l'île, les Irayas, les Alangans, les Tawbuids, les Dadyawans, les Buhids et les Hanunoos.

LES ETHNIES DE MINDANAO

Il y a trois sortes d'ethnies à Mindanao : Les chrétiens, émigrés de Luzon ou de Visayas, les musulmans et les païens.

Les païens

Les Mandayas, les Mansakas et les Maggungans

Ces trois groupes vivent dans la montagne de la province de Davao del Norte. Il s'agit en fait de plusieurs groupes très semblables, et qui ne se distinguent que par des détails. Tous sont experts dans le travail de l'argent, dont ils se parent à outrance pendant les fêtes.

Les Mandayas vivent principalement dans les montagnes, tandis que les Mansakas demeurent dans la forêt dense.

Bien qu'ils ne se tatouent pas, ils se liment et se noircissent les dents pour être beaux. L'homme porte un ample pantalon bleu avec souvent des broderies. Les guerriers portaient des vêtements rouges et un turban ; les femmes, elles, portent des sarongs, parfois bleus, parfois rouges, pas de turban, mais un peigne qui coiffe la tête, des boucles d'oreilles et de nombreux colliers. De plus en plus malheureusement, ces costumes disparaissent.

Les maisons étaient autrefois perchées au sommet des arbres ; de plus en plus, elles descendent de ces arbres, car les ennemis et la maladie sont plus rares. Cultivant le riz, ces groupes sont aussi pêcheurs et chasseurs. Chez ces animistes, les esprits sont omniprésents dans toutes les coutumes : Esprits violents, esprits du mal, esprits du bien qui protègent les guerriers, esprits du riz.

L'organisation sociale des Mandayas est assez particulière. La communauté est divisée en petits groupes, chacun ayant à sa tête un chef ou *bagani*. Autrefois, pour être bagani, il fallait être un guerrier valeureux ayant ramené au moins une dizaine de têtes. Une fois bagani, le guerrier vivait isolé des autres guerriers, ne se mélangeant à eux que pour les batailles.

Les Tasadays

Les Tasadays sont si peu nombreux (à peine une trentaine), qu'on pourrait ne pas en parler, s'ils n'avaient suscité dans le monde des ethnologues un intérêt immense dans les années 1970. Il s'agit d'un groupe qui vivait ignoré du monde et même de ses voisins les plus proches depuis 600 ans. Il ne fut découvert "officiellement" qu'en 1971. Pour les scientifiques, c'était l'occasion inespérée de retrouver des hommes vivant à peu près nus, dans des cavernes et utilisant des outils de pierre comme dans la préhistoire.

Depuis 1966, un trappeur manobo avait eu l'occasion de les approcher et ce sont ses rapports qui attirèrent les scientifiques, en 1971, dans cette région montagneuse quasi- inaccessible de la province de Cotabato Sud, un peu au nord du lac Sebu, à environ 1 300 mètres d'altitude.

A la fin des années 80, après la chute du gouvernement Marcos, on a mis en doute l'authenticité des Tasadays, on a même accusé un haut fonctionnaire d'avoir monter un "coup" pour s'attribuer le monopole de l'exploitation du bois dans la région. Depuis, les experts s'opposent, la majorité cependant, penchant pour la réalité des Tasadays.

L'univers des Tasadays est celui de la forêt tropicale, dense et humide. Les voies de communications, ce sont les rivières semées de rapides et les lianes. La végétation est si luxuriante, qu'elle dissimule même les grottes qui leur servaient d'habitation.

Les Tasadays se marient entre eux et n'ont guère, de ce fait, de solution à un éventuel problème de divorce, mais celui-ci ne se pose pas.

Il s'agit là du cas rarissime d'un groupe qui ne pratique que la cueillette, donc d'une inagressivité complète. Ce n'est que depuis 1966 qu'ils ont fait connaissance avec les pièges et les outils de fer, dont le couteau. Timides et doux, leur pacifisme et leur affectivité surprennent tous les visiteurs. Leur structure sociale est quasi-inexistante, car les problèmes sont également inexistants. Les tropiques les nourrissent à volonté sur un petit territoire (26 kilomètres carrés) ; ils ne semblent pas avoir de chef, car il n'y a pas de décisions à prendre. La propriété ne semblait pas non plus exister, car jusqu'à leurs premiers contacts avec la civilisation, ils ne possédaient rien ; les premiers cadeaux reçus appartenaient, au début, à tout le monde. Pour eux, la propriété fut un apprentissage tardif.

De même, n'ayant et ne connaissant que peu de choses, leur langage possède la même pauvreté. D'origine malayo- polynésienne, il ressemble un peu au dialecte parlé par les B'lits de la région.

Peuple isolé, ils ne sont sans doute pas les derniers à vivre inconnus dans cette Sierra de Cotabato. Il reste apparemment de beaux jours pour l'ethnologie, sinon pour les cousins des Tasadays.

Dernier témoignage : En 1978, on a découvert dans la jungle de Palawan les Taot-Batos (littéralement "hommes de pierre"), tribu du Paléolithique, plus ancienne que les Tasadays.

Les Bagobos

D'origine principalement indonésienne, avec du sang négrito, les Bagobos vivent au nombre de 2 000 environ, au nord de Davao.

Au contact de la civilisation, ils ont perdu beaucoup de leur identité, mais on parvient encore à trouver des villages où les hommes portent les cheveux longs, avec des ornements de perles. Ces perles fantaisies sont la décoration numéro un du Bagobo : Il en porte de la tête aux pieds. Chez les femmes, les vêtements sont également finement décorés et brodés : colliers, bracelets de cuivre, de coquillages et de perles ; les dents sont limées et noircies lors de la puberté.

Du point de vue organisation sociale, les Bagobos ont, comme les musulmans, un chef ou *datu*, cette fonction étant héréditaire. En dessous du datu, existaient autrefois deux classes : Les hommes libres et les esclaves.

Animistes, les Bagobos croient aux esprits ou *gimokods*.

Les Manobos ou Kula Man

Les Manobos ressemblent beaucoup aux Bagobos. On les rencontre un peu partout à Mindanao, mais essentiellement dans les provinces d'Agusan del Sur, de Cotabato et de Davao del Sur. Beaucoup d'entre eux se sont assimilés aux Philippins. Certains sous-groupes, comme les Tibolis, gardent une certaine originalité.

Les Tirurays

On les rencontre dans le district de Dinaig au sud de la rivière Cotabato ; ils se divisent en trois groupes, les Tirurays de la côte, ceux des rivières et ceux des montagnes ; seuls ces derniers ont réellement conservé leurs traditions ; leurs costumes sont très colorés.

Les Bukidnons

Peut-être au nombre de 50 000, ils occupent la province qui porte leur nom au centre nord de Mindanao. Principalement cultivateurs, ils conservent encore la coutume de l'embellissement du corps par scarification au cuivre.

Les Subanons

Les Subanons de la province de Zamboanga del Norte, étaient autrefois tous païens ; de plus en plus, ils se convertissent au christianisme ou à l'islam.

Autres ethnies païennes de Mindanao :

- Les **Bilaans** ou B'laans de la province de Cotabato (environ 50 000) ; ils se sont en partie assimilés.
- Les **Tagakaolos** de Davao del Sur.
- Les **Isamals** de l'île de Samal, devenus planteurs de cocotiers.

Les musulmans de Mindanao

Les Espagnols appelaient tous les musulmans Moros. Ce terme recouvre en fait plusieurs groupes distincts, autant par leur dialecte que par leur mode de vie.

Les Maranaos

Le "Peuple du Lac", les Maranaos de la province de Lanao del Sur forment l'un des groupes musulmans les plus importants de Mindanao. Leur culture est également la plus achevée. Ayant pour capitale Marawi, dans la province de Lanao del Sur, ils y ont un sultan ou *datu*. Leurs anciennes traditions et leur artisanat du cuivre sont encore vivaces.

Les Maguindanaos

Ce sont les "Habitants de Mindanao", le "Peuple de la Plaine inondée". Au moins aussi nombreux que les Maranaos, ils vivent à l'est de Cotabato, mais n'ont pas réussi à élaborer une véritable civilisation.

Il existe enfin d'autres musulmans à Mindanao comme les Badjaos, les Tausugs, mais ce sont des émigrés des îles Sulu. C'est pourquoi nous préférons en parler plus bas.

LES MUSULMANS DES SULU

Les Tausugs

Les Tausugs forment l'ethnie dominante de la principale île, Jolo. Elle-même se divise en plusieurs sous-groupes suivant l'éloignement par rapport à la mer. Leur point commun, c'est la religion, cette religion qui n'a jamais été acceptée par les Espagnols, une intolérance qui a amené un désir d'indépendance qui ne s'est jamais démenti. Les musulmans tausugs, comme les Maranaos, ont leur propre loi, issue du Coran, avec, autrefois, de nombreux sultanats éparpillés jusqu'à Bornéo.

La maison traditionnelle tausug est construite généralement en bambou, celle des Tausugs côtiers est sur pilotis ; autrefois, les maisons n'avaient pas de fenêtres, ce qui protégeait la jeune fille musulmane des regards masculins. La cuisine est séparée du corps de la maison, comme chez d'autres minorités du Sud-Est asiatique (chez les Dayaks notamment) ; cela évite les fumées et la chaleur. De plus, ces maisons tausugs possèdent un grand salon, ce qui se retrouve chez les autres musulmans, pour qui recevoir est une obligation.

Aujourd'hui, la plupart des Tausugs ont adopté les vêtements occidentaux, mais ils gardent précieusement pour les grandes occasions les costumes traditionnels. A chaque événement correspond un costume :

- La *sambra* est la blouse élémentaire ample et sans col de la femme. On la porte dans la vie de tous les jours.

- Le *sablay* est une autre blouse plus longue et très populaire. Le col est attaché par deux pièces de monnaie ; on porte cette blouse pardessus le *sawal* qui est le pantalon large des musulmanes et des musulmans ; aujourd'hui, les jeunes femmes Tausugs le portent parfois au-dessus du "jean".

- Le *patadyong* est le sarong musulman enroulé autour du corps, mais la blouse la plus élégante est la *biyatawi* en tissu plus fin, et ornée autrefois de boutons d'or.

- Les broderies sont une partie importante de la décoration vestimentaire musulmane.

- Enfin, les bijoux complètent l'équipement vestimentaire : Plus on en montre, plus on prétend être riche. L'or, puis les perles sont les bijoux préférés, mais on utilise aussi le corail et les pierres précieuses.

Le corps du musulman est lui-même l'objet de soins particuliers : Les gencives sont généralement rougies par le bétel, tandis que les dents, noircies autrefois avec les feuilles de tasnay, sont maintenant de préférence recouvertes d'or, signe intérieur de richesse.

Comme les autres Philippins, le musulman est superstitieux et utilise nombres d'amulettes ou *habay habay*, qu'il porte en sautoir. Elles sont diverses, allant du morceau de papier griffonné à l'oeuf pétrifié.

Au point de vue des activités, le Tausug est soit fermier, soit pêcheur, puisqu'il n'est plus guère pirate. Une des activités de la maison est de confectionner des nattes de pandan, teintes de différentes couleurs, et qui servent de lit ou de couche de sieste à presque toute la population.

Les Badjaos ou Badjaus Lauts

Surnommés aussi les gitans de la mer, les Badjaos forment un peuple très attachant de plus de 30 000 individus, répartis dans tout le sud des Philippines (Sulu, Zamboanga) et à Bornéo, mais leur territoire est essentiellement constitué les îles Tawi Tawi.

Alors que les Badjaos de Bornéo sont principalement fermiers et cavaliers, ceux des Philippines vivent soit dans des villages sur pilotis, soit dans des petits bateaux qui leur servent de maisons flottantes misérables. Ils vivent essentiellement de la pêche aux poissons et aux coquillages, et de troc.

Longtemps païens, ils sont devenus petit à petit musulmans. C'est la mer qui est leur loi et leur gouvernement. Parfois ils partent à plusieurs barques, ou *lepas*, pour des parties de pêche et vont vendre leurs poissons aux commerçants chinois. Comme nos gitans, ils sont particulièrement intelligents et doués pour l'apprentissage des langues.

Les Yakans

Il s'agit d'un groupe de musulmans vivant sur l'île de Basilan, au sud de Zamboanga, et qui ont su conserver leurs traditions.

LES ETHNIES DE PALAWAN

Les Bataks

Demeurés plus primitifs que leurs cousins de Sumatra, ils vivent comme les Négritos, de chasse et de cueillette. Ils commencent seulement à se tourner vers l'agriculture.

LES CHINOIS

Ils sont relativement peu nombreux. 300 000 immigrés purs, mais combien de métissés ? On les trouve principalement à Manille, à Cebu et dans les provinces d'Ilocos.

HISTOIRE D'HOMMES

LES PHILIPPINES PRÉ-HISPANIQUES

Depuis peu, les Philippines ont découvert leur homme de Cro-Magnon dans les grottes de Tabon, sur l'île de Palawan. Ils sont donc rassurés, ils ont leur préhistoire. Leur ancêtre ressemble comme deux gouttes d'eau au *pithécantropus erectus* de Java.

Qui étaient les aborigènes des Philippines ? Pour certains, ce sont les Négritos. Ces Négritos, arrivés il y a quelque 15 000 ans, sont de type proto-malais ; ils avaient succédé à un groupe d'origine australoïde et avaient été ensuite eux-mêmes repoussés dans les montagnes par les migrations malaises du début de l'ère chrétienne.

On signale également un autre courant d'immigration un peu avant l'ère chrétienne : celui des Indonésiens. Ce seraient eux qui auraient introduit les cultures du riz en terrasses et qui seraient les ancêtres des animistes de Mindanao (Manobos, Bagobos, etc.).

Les Malais arrivèrent vers le second siècle de notre ère en provenance de Bornéo. Ce sont eux qui introduisirent le fer et d'autres cultures irriguées, ainsi que le tissage.

Coupeurs de têtes, ils sont les ancêtres des animistes du nord de Luzon (Igorots, Tinguians par exemple).

La Sumatra hindouiste de Sri Vijaya n'aura presque pas d'influence sur les Philippines. Quant aux Chinois de la dynastie Sung, ils ne feront que passer pour exercer leur commerce, mais ils importeront une partie de leur art, notamment en matière de poterie.

Au XIVème siècle, déferla une nouvelle vague de Malais, ces Malais musulmans qui s'installeront dans les îles Sulu, à Mindanao, mais aussi sur les côtes de Mindoro, de Négros, de Palawan, de Panay et de Luzon. Les Philippines auraient ainsi été englobées dans l'empire javanais de Madjapahit au XIVème siècle, sous le règne de Radjah Sanagara.

De leur côté, des musulmans de Bornéo, sujets du royaume de Sri Vijaya, créèrent des comptoirs dans des îles, auxquelles ils donnèrent ce nom de Vijaya, et qui, par la suite, devinrent les Visayas, soit une grande partie des îles s'étendant entre Luzon et Mindanao, à l'exeption de Palawan et de Mindoro.

De par les diverses invasions venues des îles de la Sonde, des Sulu et de Mindanao, vinrent se créer une multitude de petits sultanats, souvent en guerre les uns contre les autres. Des expéditions étaient montées un peu partout le long des côtes philippines et des esclaves étaient ramenés. L'ère des pirates Moros commençait, qui allait se poursuivre bien après l'arrivée des Espagnols.

1380 est l'année où l'islam fut introduit offiellement dans les îles Sulu par un juge arabe du nom de Makdum. Il parvint aux Philippines après avoir fait escale auparavant à Malacca, où il fut suivi par le rajah Baguinda de Sumatra.

En 1450, un autre missionnaire musulman, Abu Bakar, qui épousa la fille du précédent, promulgua les premières lois et fut le créateur d'un premier sultanat.

A Mindanao, l'islam fut introduit par un descendant du Prophète, le shérif Mahommed Kabungsuwan, venu de Johore en Malaisie ; mais à Mindanao également, se formèrent par la suite de nombreux sultanats qui eurent chacun à leur tour leur heure de gloire.

Parallèlement aux musulmans des Sulu, ceux de Mindanao adoptèrent un code de lois appelé Luwaran, basé sur l'obéissance au Coran.

L'ARRIVEE DES ESPAGNOLS

Après les expéditions du Génois Christophe Colomb, de l'Espagnol Albuquerque, du Portugais Vasco de Gama, les Espagnols engagèrent un Portugais, Magellan, pour trouver un nouveau passage vers l'Amérique en passant par l'est.

C'est le 20 septembre 1519 que Ferdinand Magellan embarqua à Sanlucar de Barrameda avec cinq navires. Après avoir baptisé l'océan Pacifique et atteint l'île de Samar le jour de la Saint Lazare, il baptisa d'abord l'archipel du nom d'Iles San Lazaro. Peu après, il choisira d'aborder dans l'île de Cebu (le 16 mars 1521).

Ayant intimidé les indigènes du chef Humabon, il obtint une conversion en masse. Sur l'île de Mactan, face à Cebu, régnait par contre un autre chef, Lapu Lapu, qui ne craignit pas de refuser le baptême. C'est lui et sa tribu qui massacrèrent Magellan, lors d'une expédition que ce dernier avait voulu punitive.

Voyant que les Espagnols n'étaient pas invincibles, le chef Humabon se retourna contre eux et fit tuer une partie du corps expéditionnaire. Les rescapés se hâtèrent de regagner Séville, où ils arrivèrent en septembre 1522, après avoir fait le tour du monde pour la première fois.

Ces rescapés ayant parlé de l'or, dont étaient parés les indigènes, de nouvelles expéditions allaient être bientôt montées. Après les expéditions infructueuses de Loaisa (1525-1527), et Saavedra (1527-1529), Ruy Lopez de Villalobos entreprit une expédition entre 1542 et 1546. C'est lui qui baptisa les Philippines en l'honneur de Philippe II d'Espagne. Cependant, Villalobos non plus ne parvint pas à une occupation permanente du pays. Il fallut attendre le 13 février 1565, pour que, venu du Mexique espagnol, Miguel de Legazpi, alors aidé de Juan de Salcedo et Martin de Gioiti, débarqua à Cebu avec quatre navires et près de quatre cents hommes.

Les Philippins d'alors étaient soit païens comme à Cebu, soit musulmans comme sur les côtes de Luzon et dans les îles du sud. Leur nombre, à l'époque, était évalué à 500 000 seulement, mais que valent ces chiffres ?

Tandis que les païens étaient essentiellement vêtus de pagnes, les musulmans portaient des sarongs et une blouse par-dessus. Les femmes étaient coquettes et se parfumaient, les riches étaient accompagnées d'esclaves qui tenaient les parasols ; le riz était pilé dans un mortier et cuit. Ce pain philippin était alors appelé *morisqueta* par les Espagnols. Les maisons étaient sur pilotis et couvertes de paille de palmier nipa ; bref, la vie était peu différente de ce qu'elle est aujourd'hui dans les campagnes.

C'est rapidement que Legazpi étendit son gouvernement sur les Visayas païennes ; cela fut par contre beaucoup plus difficile avec Manille, musulmane à l'époque. En mai 1571, il entreprit une deuxième expédition contre Manille, la première, menée par Salcedo, ayant échoué l'année précédente.

Suivant la même tactique que Magellan, il baptisa les survivants qui n'avaient que le choix d'accepter, et fit de Manille la capitale.

La ville que construisit Legazpi, le fut sur le plan d'une ville espagnole, avec sa "plaza mayor", sa cathédrale et des rues bien tracées. Les hôpitaux et les monastères ne furent pas non plus oubliés. En même temps, le christianisme n'eut aucun mal à être imposé, car l'islam n'avait encore pénétré que très superficiellement la population. Ce fut en fait le clergé qui prit le gouvernement en main, pouvoir qu'il ne laissera en fait qu'à l'arrivée des Américains et qui, pendant toute l'époque de l'occupation espagnole, sera l'occasion d'exactions et d'abus de tous ordres.

Dès la prise de Manille, allait se développer un commerce de plus en plus florissant avec le Mexique nouvellement conquis, d'où les similitudes que vous pourrez rencontrer encore aujourd'hui entre ce pays et les Philippines, aussi bien dans l'architecture religieuse que dans la musique.

En même temps, les Augustins allaient prêcher la bonne parole dans tout Luzon et les Visayas.

Ils obtinrent ainsi une main-d'oeuvre à peu près gratuite pour édifier les églises et les bâtiments administratifs. Un système de gouvernement colonial analogue à celui du Mexique fut mis en place. Les impôts avaient déjà été instaurés par Legazpi et tout d'abord payés en produits (or, coton, riz etc.). Ce fut l'occasion rêvée pour les percepteurs de l'époque, les *encomenderos*, d'amasser de jolies fortunes personnelles.

Peu après, le gouverneur Dasmarinas instaura un service militaire à Manille, puis un service civil fut également créé.

Des quartiers espagnols se constituèrent à côté des villages indigènes, et, officiellement tout au moins, les Espagnols ne devaient pas avoir de relations avec les Philippins, si ce n'est que pour récupérer les impôts.

Il n'y a que dans le sud que cette belle politique échoua. Le gouverneur De Sande envoya en 1578 une expédition à Jolo ; ce fut en fait le début d'une guerre de trois siècles avec les musulmans qui n'avaient pas la moindre envie d'être christianisés et d'accepter le gouvernement espagnol.

Cela occasionna de nombreuses expéditions punitives de part et d'autre. D'un côté, les Moros pillaient et prenaient des esclaves et, de l'autre côté, les Espagnols massacraient à tour de bras.

Une autre épine dans les pieds des Espagnols, c'était la minorité chinoise. De nombreux soulèvements eurent lieu, vivement réprimés ; des déportations massives de Chinois non chrétiens furent même organisées au XVIIIème siècle.

A cette époque, il y eut aussi à repousser quelques incursions hollandaises... Mais, pendant la guerre de Sept Ans, l'Anglais William Draper occupa Manille de 1762 à 1764. Il avait pour second un navigateur qui allait faire encore parler de lui, Francis Drake.

C'est dans ce XVIIIème siècle que commencèrent également les premières importantes révoltes, sans que le désir d'indépendance soit encore réalisé et sans théoricien de la révolte. C'était plutôt une réaction contre les abus des Espagnols, qu'ils soient économiques ou religieux, et souvent les soulèvements naissaient d'incidents secondaires :

La révolte dagohoy, par exemple, naquit à Bohol du refus d'un prêtre de donner un enterrement chrétien à un homme tué en duel ; elle dura de 1744 à 1829.

Plus d'une centaine de soulèvements eurent lieu pendant l'occupation espagnole. Souvent, à la base, se trouvait l'usurpation, par l'église ou les gouvernements espagnols, de la terre ; parfois il s'agissait des brutalités des contremaîtres des plantations contre les travailleurs.

L'occupation anglaise suscita à son tour de nouvelles révoltes, car la défaite espagnole était aussi une défaite psychologique, face aux Philippins. Les revendications étaient cependant encore à l'époque uniquement un désir de plus grande justice dans l'impôt et les relations humaines. Peu après le départ des Britanniques, les Jésuites, cause d'une bonne partie des injustices, furent expulsés des Philippines par ordre de Charles III (1768). Ce sera enfin l'occasion donnée à de nombreux Philippins de pouvoir être ordonnés ptêtres et d'accéder à une certaine culture.

En 1782, fut établi un monopole du tabac, qui fournira un revenu substantiel aux Espagnols.

En 1851, l'Espagne parvenait enfin à prendre Jolo, mais ce n'était pas pour autant la fin de ses ennuis avec les musulmans.

L'EVEIL DU NATIONALISME PHILIPPIN

La Révolution française, puis l'occupation de l'Espagne par Napoléon n'allaient pas tarder à provoquer ici, comme dans le reste du monde, des réactions chez l'élite intellectuelle philippine.

Cette élite ne pouvait au départ se développer que chez les aspirants prêtres ; ce n'est que peu à peu et avec difficulté que s'est développée une petite bourgeoisie.

Le rétablissement de la monarchie en Espagne en 1871 (la reine Isabelle avait été déposée en 1868) allait mettre un frein définitif à toute libéralisation naturelle à Manille.

Déjà en 1861, un arrêté royal, remettant de nouveau aux Jésuites les cures tenues par les prêtres philippins, allait contribuer fortement au mécontentement de l'élite religieuse philippine. Ce sont des prêtres qui prendront la tête d'une resistance tout d'abord pacifique à ce décret. D'abord, le père Pelaez, puis le père Burgos. Ce fait est important, car les prêtres étaient à cette époque les mieux entendus du petit peuple.

En janvier 1872, des soldats philippins stationnés à Cavite se mutinèrent pour soutenir leurs amis ouvriers de l'arsenal dont certains avantages avaient été abolis. La répression fut terrible ; on tua au garrot les meneurs, ainsi que trois prêtres : Padre Burgos, Padre Zamora et Padre Gomez. Les Espagnols ne savaient pas qu'ils créaient ainsi les trois premiers martyrs de la révolution philippine. Ces exécutions attirèrent en même temps la sympathie de tous les Philippins sur le problème du clergé national.

Il ne manquait plus qu'un théoricien pour aider le peuple à prendre conscience de son identité nationale. Il ne tarda pas à se manifester.

José Rizal est né le 19 juin 1862 à Calamba (dans la province de Laguna sur l'île de Luzon). Tout d'abord élevé à l'école des Jésuites de Manille, il se découvrit vite des dons exceptionnels : peintre, poète, puis licencié en philosophie et docteur en médecine.

Il entreprit son premier voyage en Europe en 1882. Il y voyagera dans les principales villes intellectuelles : Barcelone, Londres, Berlin, Paris, puis Madrid et Barcelone. C'est en Espagne qu'il rencontra Marcelo H. Del Pilar, avec qui il allait fonder le journal *Solidaridad*. Il publia ses premières oeuvres sur la souffrance du peuple philippin et, rentré au pays en 1891, il commença la campagne qui donna naissance l'année suivante à la Ligue Philippine et le conduira d'abord en exil à Dapitan sur l'île de Mindanao, trompé qu'il fut par le nouveau gouverneur des Philippines, Despujol. Ce dernier lui reprochait d'avoir écrit "Noli me tangere" et "El Flibusterismo", ouvrages très nationalistes et qui commençaient à circuler sous le manteau.

Le jour de sa déportation, un de ses anciens amis, Andrès Bonifacio, admirateur de Victor Hugo, lançait le "Katipunan Ng Mga Anak Ng Bayan", ou plus simplement le Katipunan ou K.K.K. (rien à voir avec le mouvement raciste) : la société des fils du peuple, sorte de société secrète, dont les buts étaient déjà séparatistes. Emilio Jacinto, Andrès Bonifacio et Mabini seront les trois animateurs de ce mouvement, qui rencontrera vite un grand succès (800 000 adhérents en trois ans) et attisera la colère des Espagnols contre les intellectuels, dont Rizal, qui était tombé entre leurs mains.

Le but du Katipunan était double : D'un côté expulser les Espagnols et les ordres religieux, de l'autre, confisquer les latifundia.

Les rebellions se multiplièrent, tandis que Rizal se languissait à Dapitan. La guerre de Cuba suggéra à Rizal de demander à être affecté comme médecin militaire à Cuba. Sa demande fut acceptée et il fut transféré en Espagne. Pendant son voyage eut lieu l'attaque sanglante de San Juan del Monte. Peut-être est-ce le motif qui fit que Rizal fut de nouveau arrêté à son arrivée en Espagne, puis retransféré à Manille, où il sera incarcéré au fort Santiago, le 23 octobre 1895, pendant que se développait partout la guérilla. C'est plus pour faire un exemple que pour ses actes personnels, que Rizal servira de bouc émissaire aux Espagnols. Son procès sera complètement "bidon". L'"ultimo adios" qu'il composa dans sa cellule, était déjà en soi un très beau poème ; il allait devenir un hymne national sans musique. Tous les écoliers l'apprennent encore de nos jours.

De son côté, le radical Bonifacio, qui avait réussi à rallier des troupes régulières, proclama une république philippine. Ayant cependant voulu forcer les étapes, il fut désavoué par ses amis, parmi lesquels Aguinaldo, et exécuté.

Emilio Aguinaldo prit alors la présidence du gouvernement révolutionnaire et fit adopter une constitution calquée sur celle de Cuba. A l'arrivée du général Primo de Rivera, un pacte fut conclut avec les Espagnols, dans lequel chacun pensait tromper l'autre. Les insurgés furent autorisés à émigrer à Hong Kong avec 400 000 pesos d'indemnité (qu'ils pensaient utiliser pour financer la révolution), tandis que Primo de Rivera croyait pouvoir enfin réorganiser le pays.

Qu'en était-il ? On ne le saura jamais, car le 25 février 1898 la guerre éclata entre l'Espagne et les Etats-Unis à propos de Cuba.

Aguinaldo apporta son appui à l'amiral Dewey, qui anéantit les bateaux espagnols de Manille, tandis que les insurgés commençaient le harcèlement des troupes terrestres.

L'indépendance fut proclamée le 12 juin 1898 par Aguinaldo, mais Dewey, qui avait pourtant promis cette indépendance, reçut un contrordre de Washington peu après.

Le 12 août 1898, un protocole de paix fut conclu entre Washington et Madrid qui donnait le droit aux Américains d'occuper Manille jusqu'à ce que la paix soit entièrement rétablie. Un simulacre de redditon fut alors organisé qui donnait le temps aux Américains de prendre position.

Après avoir hésité quelque temps, les Américains, cédant aux groupes de pression capitalistes, annexèrent les Philippines : De bonnes affaires en perspective et un point de départ pour une annexion économique de la Chine.

LES PHILIPPINES SOUS LES AMERICAINS

Pendant deux ans, les Américains auront à "pacifier" le pays, jusqu'à ce qu'Aguinaldo, fait prisonnier, soit disposé à jurer allégeance aux Etats-Unis (1er avril 1901). Heureusement, le colonialisme américain était très différent de celui des Espagnols.

Dès 1900, une commission américaine faisait état de la nécessité d'établir une administration et d'entreprendre une mise en valeur du pays : création d'un gouvernement local avec deux chambres, organisation provinciale et municipale, enseignement de l'anglais et éducation nationale.

En réponse, les Etats-Unis nommèrent le général Arthur Mac Arthur (le père de Douglas Mac Arthur) gouverneur militaire et le juge William H. Taft, gouverneur civil pour exercer le pouvoir législatif.

Cette commission devait mettre en place les structures nécessaires à préparer le pays à prendre son indépendance. Cet exemple de colonialisme humain est le seul qui ait existé dans le monde, et c'est sans doute pourquoi les Américains ont pu rester populaires ici encore de nos jours.

Il est significatif que le premier navire débarquant à Legazpi fut un navire transportant des instituteurs. Près de 600 furent amenés aux Philippines pour ouvrir des écoles dans tout le pays, exemple unique dans les colonies du monde entier de l'époque, et qui allait faire des Philippines le pays le plus anglophone de tous les pays du Tiers-Monde.

Le travail échu à Taft était immense : Faire des Philippines une nation moderne. Sur le plan social et administratif, il y réussit vite et bien en faisant passer 440 lois organisant l'administration du pays. L'un de ses grands mérites fut d'acheter au pape les domaines de l'Eglise et de les mettre en vente aux Philippins.

Lorsque Taft quitta Manille en 1903, les bases d'une société plus juste avaient été jetées et son oeuvre devait être continuée par ses successeurs.

La *Philippine Bill* de 1902 fut appliquée et une assemblée fut élue en 1907.

Bien que les Américains se furent déclarés comme travaillant pour l'indépendance des Philippines, ils ne semblaient par contre pas pressés de la concrétiser, invoquant l'immaturité politique du peuple (ce qui entre parenthèses était fort possible).

Ce n'était pas l'opinion de certains Philippins qui créèrent un parti nationaliste avec, parmi ses chefs, Manuel Quezon, Rafael Palma et Sergio Osmena. Ce parti oeuvrera dans la légalité en envoyant ses délégués aux Etats-Unis. Quezon obtint surtout, dès 1916, le passage de la loi Jones ou "Philippine Autonomy Act" signée par le président Wilson. Cette loi élargissait l'autonomie philippine en supprimant la commission de contrôle et en créant deux chambres calquées sur les chambres américaines : Un Sénat et une Chambre des Députés. Quezon revint alors aux Philippines et fut nommé président du Sénat.

Les Américains, loin de prendre ombrage de cette évolution, allaient encourager cette gestion philippine, notamment sous le gouverneur Harrison.

Après la Première Guerre mondiale, pendant laquelle de nombreux Philippins avaient combattu volontairement dans les rangs des alliés, l'administration Wood remit de l'ordre dans les finances, mais fut mal accueillie par les Philippins.

En 1932, Frank Murphy fit de nouveaux pas en faveur des Philippins et contribua beaucoup à calmer les esprits, bien que la crise mondiale et les difficultés économiques eussent pourtant entraîné un regain de désir d'indépendance.

En 1935, les élections amenérent le parti nationaliste de Quezon et d'Osmena au pouvoir ; Quezon se montra habile administrateur : plusieurs nouvelles lois sociales furent votées ; malheureusement, les fonctionnaires chargés de les appliquer étaient atteints d'un mal courant dans le Tiers- Monde : La corruption.

Quezon réalisa également qu'il ne ferait jamais des Philippines un pays indépendant tant qu'il aurait besoin des Américains, mais il réalisa aussi que cela demandait une transformation radicale du pays, chose qu'il ne put accomplir. La Seconde Guerre mondiale n'allait pas l'aider en cela.

LA SECONDE GUERRE MONDIALE ET L'INDEPENDANCE DES PHILIPPINES

La Seconde Guerre mondiale éclata aux Philippines le jour même de Pearl Harbor. Les Japonais détruisirent les principales bases américaines et, deux jours après (le 10 décembre 1941), ils débarquèrent près de Vigan, deux jours plus tard à Legazpi, puis à Dewas et à Lingayen.

C'est à Bataan et à Corregidor que se concentra très vite la résistance américaine, une résistance qui durera jusqu'au 6 mai 1942.

Les Japonais allaient essayer la séduction et les fausses promesses pour s'attirer la collaboration des Philippins. Mais ils devaient échouer à cause de la dictature de fait qu'ils s'empressèrent d'exercer. La promesse de l'indépendance n'allait cependant pas tomber dans l'oreille de sourds, et les Américains eux-mêmes durent faire de la surenchère en votant cette indépendance avant même le débarquement de 1944. Le général Mac Arthur, qui avait quitté Corregidor en 1942 en promettant de revenir, revint bien, mais ce ne fut pas sans dégâts pour Manille, qui fut presque totalement détruite.

La dernière armée japonaise à déposer les armes fut celle de Yamashita qui s'était réfugié dans le nord de Luzon, Mac Arthur ayant débarqué à Lingayen, là où les Japonais avaient eux-mêmes débarqué.

Manuel Quezon était mort en 1944. Osmena, le nouveau président, retrouva le pays dans un triste état : l'industrie était ruinée, les maquis communistes des Huks (nés peu avant la guerre) s'étaient développés et contôlaient certaines provinces.

Les élections de 1945 amenèrent au pouvoir Manuel A. Roxas, chef du parti libéral. Le 3 juillet 1945 eut lieu la lecture de l'Acte d'Indépendance Philippine à l'endroit où Rizal avait été exécuté, la Luneta. Les Américains apparaissaient officiellement comme les libérateurs, image qu'ils sauront garder aux Philippines.

L'indépendance fut reconnue officiellement le 4 juillet 1946, jour anniversaire de l'indépendance américaine. Cependant, les Américains ne partaient pas pour autant. Le nouveau gouvernement avait besoin de l'argent américain pour reconstruire le pays et des armes américaines pour lutter contre les communistes huks.

La mort brutale de Roxas en 1948 amena au pouvoir le président Elpidio Quirino, qui essaya de redresser la situation économique, une situation qui malheureusement ne cessa d'empirer, tandis que la corruption rongeait de plus en plus les rouages de l'administration.

Les gouvernements suivants de Ramon Magsaysay, de Carlos Garcia et de Diosdado Macapagal, malgré leur bonne volonté, ne purent dissimuler des scandales de tous ordres. L'anarchie grandissait dans le pays. Les communistes gagnaient du terrain à Luzon ; les musulmans s'agitaient dans le sud ; des bandes de brigands pillaient un peu partout, la criminalité se developpait à Manille, tandis que les députés s'achetaient pour une poignée de pesos.

En 1965, Ferdinand E. Marcos est élu président. Cet homme né en 1917, aidé de sa ravissante épouse, Imelda, va tenter de reprendre en main la situation. La seule solution qui lui apparaîtra possible devant la faillite de la démocratie dans son pays sera la force :

La loi martiale est décrétée en 1972. Un couvre-feu est installé dans tout le pays : les députés sont renvoyés chez eux. Une lutte efficace est engagée à la fois contre le crime et contre les maquis communistes. Cette méthode s'avéra payante : En 1978, on a pu lever le couvre-feu, le taux de criminalité est revenu à des proportions relativement "normales", la corruption est devenue beaucoup plus limitée (sous-entendu limitée au clan Marcos). Quant au problème des musulmans, appuyés par la Lybie, il est officiellement sur le point d'être résolu par un projet d'autonomie, autonomie qui pourtant ne semble pas venir vite.

Les maquis communistes de la New People Army renaissent parfois çà et là (en 1979 en Samar ou à Leyte). Imelda Marcos, la "First Lady", apparaît de plus en plus comme la figure n°1 du pays, cumulant les fonctions clés, et paraît chercher à donner d'elle l'image d'une nouvelle Evita Peron. Il semble qu'elle y réussisse auprès des masses en se portant à la tête de nombreux projets sociaux, tout en ne négligeant pas les investissements rentables, notamment dans le tourisme (casinos, chaînes d'hôtels, terrains, etc.).

Au tournant des années 70-80, l'étranger qui arrivait à Manille, découvrait un pays qui semblait respirer la paix et la joie de vivre comme du temps des Américains, le pape Jean-Paul II venait même y faire une visite, mais tout n'était pas réglé pour autant, car la situation économique ne pouvait s'améliorer tant que les batailles de la démographie et de l'indépendance économique ne seraient pas gagnées.

Effectivement, dès le début des années 80, l'économie, qui avait pourtant connu une réelle amélioration, allait recommencer à se dégrader. Le président Marcos était malade et son épouse apparaissait de plus en plus comme le chef de l'Etat, ce qui aiguillonna l'opposition. L'assassinat du principal opposant, Benigno Aquino, lors de son retour d'exil, le 21 août 1983, sera l'excès qui fera déborder le vase...

Les élections de 1986, contre l'attente des Marcos, allaient voir la victoire de la veuve de Nino Aquino, Corazon (surnommée Cory par ses partisans) à la tête du Parti Démocratique des Philippines (PDP). Le 7 février 1986 vit un déferlement de joie chez beaucoup et la ruée sur le palais présidentiel. Le folklore s'en mêla lorsqu'on découvrit la garde-robe de l'ancienne présidente. Les médias se régalèrent des 508 robes longues, des 427 robes courtes, des 664 mouchoirs, et surtout des 1 060 paires de chaussures... Les Marcos furent contraints à une fuite honteuse vers une exil doré à Hawaii. Malade depuis plusieurs années, Ferdinand Marcos devait décéder trois ans plus tard, en 1989.

Pendant deux années, l'espoir fut grand, cependant l'économie ne décolla pas, tandis que la corruption fleurit de plus belle. Le régime de Cory Aquino était fragile, et les tentatives de coups d'état se multiplièrent. Les élections de 1991 consacrèrent la défaite politique de Cory, mais ramenèrent un semblant de stabilité politique.

LES MYTHES ET LES DIEUX

Les Philippines sont officiellement catholiques chrétiennes à 80 %. L'autre religion importante est l'islam (environ 10 %) ; mais on trouve de nombreuses sectes comme celle des Aglypayens (4 %) ou l'église du Christ en pleine expansion (4 % également), et enfin les animistes, qui sont les peuples des montagnes. Cela dit, tout en étant principalement et officiellement chrétien, le Philippin a gardé beaucoup des superstitions de son ancienne mythologie. Je devrais dire de ses mythologies. Car, suivant les régions, il y a des légendes souvent différentes.

Mythes et superstitions des Phlippins chrétiens

La plus ancienne divinité pour les Tagalogs est Abba. Abba apparut un jour sur terre, précédé d'un tremblement de terre et d'inondations. Il s'annonça comme le dieu de l'humanité, créateur de toutes choses. Il vivait dans le Kaluwalhatian (Walhala ?), le ciel. Ce dieu appréciait beaucoup les cadeaux que lui offraient les hommes, d'où de nombreuses offrandes en sa faveur. Abba était assisté de divinités inférieures, divinités du ciel, telles que Dumangan, dieu des moissons, Idianale, déesse du travail et des bonnes actions, Anitun Tabu, déesse du vent et de la pluie, Dumakulan, gardien des montagnes, Amanikable, dieu de la mer, Mayari, déesse de la lune, fille d'Abba, et ses deux soeurs, Tala, déesse des étoiles et Hanan, déesse du matin, Mapulon, le dieu des saisons et sa femme Ika Pati, déesse des terres cultivées, leur fille Anagolay était déesse des choses perdues, et leurs petits-enfants Dian Masalunta, déesse des amoureux, et Apolake, dieu du soleil et patron des guerriers. Ouf !

L'influence de la mythologie grecque est évidente. Peut-être a-t-elle été introduite par des soldats d'Alexandre le Grand, qui aurait étendu son emprise jusqu'aux Philippines.

Comme chez les Grecs, les dieux philippins eurent des relations coupables avec de simples mortels. Amanikable le dieu de la mer tomba amoureux d'une vierge terrestre, la belle Maganda, qui le repoussa. C'est à cause d'elle qu'aujourd'hui encore Amanikable nous envoie tempêtes et marées pour manifester de temps en temps son dépit.

Les mariages de ces dieux conduisirent à la création du peuple tagalog ; chacun était gardé par un esprit ancien : Anito, à qui il fallait faire des sacrifices pour garder sa protection.

Les Tagalogs croyaient également à la vie dans l'autre monde ; c'est pourquoi les affaires personnelles étaient enterrées avec le mort, pour le cas où il en aurait besoin de l'autre côté. Le paradis était pour eux le village du repos *(maca)*, l'enfer, le village de la souffrance *(kasanaan)*.

Sitan (notre Satan) était le gardien de ce monde des âmes. Il était assisté par Mangauay, l'esprit de la maladie, et par Manisilat, l'esprit de la discorde dans le ménage.

Cette mythologie est bien sûr rejetée aujourd'hui par les Tagalogs évolués, mais les superstitions subsistent, d'où l'usage abondant des amulettes, les *panagangs* ou *sumpas* et des talismans ou *sangods*. On en vend encore à la sortie des principales églises (Quiapo à Manille, à la cathédrale de Cébu, etc.). Le Vendredi-Saint, tous les croyants achètent ces *anting anting*, *lumay* ou *yam yam*, que l'on utilise pour la divination. On se place l'anting anting autour du cou et on devient ainsi dur à tuer. C'est assez économique, car il suffit de retourner chaque Vendredi-Saint au cimetière pour que l'anting anting soit remis à neuf.

Dans certaines régions, le Vendredi-Saint, l'amulette est mélangée avec du foie par un jeteur de sort.

Les médailles saintes servent, elles aussi, souvent d'amulettes ; il suffit d'en placer une au pied du pilier d'une maison pour chasser les sorciers. C'est pour la même raison que l'on sonne régulièrement les cloches.

Il y a d'autres moyens pour chasser les sorciers : Vous pouvez aussi bien placer un balai à l'extérieur de chez vous ou placer une aiguille cassée sous la première marche de votre escalier. Un autre bon truc consiste à placer un miroir dans chaque pièce, les sorciers ont horreur de se voir. Parfois, on enferme certaines plantes et un morceau de charbon de bois dans un linge noir qu'on accroche à la robe du bébé pour le protéger.

Je vais maintenant vous donner une recette tagalog utile. Si vous voulez devenir invisible, il suffit parfois (curieusement, ça ne marche pas toujours) d'utiliser les cendres d'un chat noir ; mais il ne faut pas qu'il ait la moindre tache d'une autre couleur. Cette recette a un double effet, puisqu'elle peut en même temps vous attacher l'amour d'une femme ; il suffit de toucher la tête de cette dernière, et elle acceptera tout de vous.

Il y a d'autres porte-bonheur : Une queue de serpent trouvée le dimanche est un des meilleurs ; une coquille de tortue blanche aide aussi au jeu. On retrouve même dans le sud le fer à cheval porte-bonheur.

Pour en revenir à l'amour, vous pouvez attacher un papillon aux cheveux de votre bien-aimée, elle deviendra folle de vous. Si vous voyez une étoile filante, ramassez très vite un petit caillou et placez-le dans votre bouche, aucune ne vous résistera (mais vous aurez peut-être un problème pour l'embrasser).

On vend également de nombreux filtres d'amour mais le plus économique est de tremper son mouchoir dans l'eau bénite. Enfin, si une étoile brille près de la lune pendant que vous faites la cour, il suffit que vous teniez le petit doigt de votre bien-aimée pour qu'elle dise oui.

Autres croyances répandues, au sujet des rêves : Si vous rêvez qu'on vous enlève une dent, un de vos parents va mourir. Par contre, si vous rêvez de la mort de quelqu'un, c'est vous qui vivrez plus longtemps mais parfois aussi la pseudo-victime. Si vous rêvez de serpent, c'est la chance qui vous attend. Si vous rêvez que vous vous baignez, ce sont les larmes que vous allez verser.

Dans le sud des Philippines, les sorciers ou aswangs, sont particulièrement redoutés ; c'est pourquoi on vous conseille de ne jamais dormir à plat, sur le dos, car dans ce cas votre foie devient transparent aux sorciers qui le considèrent comme une friandise. Pour écarter les sorciers, on conseille ici la branche de citronnier placée sous la maison ou de porter avec soi une bouteille d'huile ou encore d'accrocher le placenta d'un bébé au dehors de la maison. De nos jours (on n'arrête pas le progrès), l'odeur des pneus de voiture a le même effet. Toutes ces précautions ne sont pas inutiles, car si vous êtes courtisé par une sorcière et que vous refusiez ses avances, elle prendra quelques-uns de vos cheveux, les attachera à la patte d'un oiseau et vous deviendrez fou.

Le problème est de reconnaître les sorciers, car souvent ils se présentent à vous riches, beaux et intelligents. Mais ils ont des caractéristiques bien à eux. Par exemple, ils devinent une femme enceinte de loin ; ils entendent également à distance, mais seulement le mardi et le vendredi. Certains sorciers, appelés *tambalostos*, ont de très grosses lèvres et parlent énormément ; le seul moyen de s'en débarrasser est de les faire rire, de façon à ce qu'ils ouvrent la bouche et que leurs grosses lèvres recouvrent les yeux ; alors vous pouvez partir.

Comment combattre les sorciers ? Je vais vous donner quelques trucs. Lorsque quelqu'un de votre famille est malade, vous sortez de la maison un peu avant l'angelus, puis, au moment où il sonne, vous vous frottez les yeux avec du gingembre, ce qui permettra de voir le sorcier et de vous attaquer à lui ; mais il vous faudra du courage et vous ne pourrez utiliser d'arme blanche. Vous pouvez également utiliser une noix de coco à deux yeux pour voir le sorcier, mais celui-ci peut être déguisé en chat, en chien ou en cochon.

Le moyen le plus sûr pour se débarrasser des sorciers et de leurs sorts sont les sacrifices. Les choses que l'on peut offrir sont variées : chez les Pintados des Visayas, on organise une cérémonie, ou *diwata*, où l'on peut n'offrir que du bétel, mais l'offrande la plus fréquente dans toutes les Philippines est le poulet. Ces offrandes seront faites également pour d'autres occasions, notamment pour obtenir de bonnes moissons.

Mythes et superstitions dans les tribus animistes

Chez les Ifugaos, la plus haute divinité s'appelle Kabunian et habite la cinquième région de l'univers (au-dessus du ciel). Lui aussi est assisté par des divinités mineures : Buhol, le dieu du foyer, Gatui, le dieu des mauvaises farces ou des mystifications, Tayaban, dieu de la mort, qui se régale des âmes ; ces deux dieux ayant comme garde du corps, Kikilan, le monstre à deux têtes.

A côté de ces dieux, on découvre de nombreux esprits comme celui des montagnes, celui des places sacrées, celui de la maladie, celui du souvenir, celui de la propriété, celui de la guerre, etc.

Chez le Bontoc Igorot, l'équivalent de Kabunian est Lumauwig. Celui-ci est marié à Bugan, et ils ont deux enfants : Bangan et Obban, respectivement déesse de la romance et déesse de la reproduction. Chez les Igorots, demeurent très vivaces les croyances dans les anitos ou esprits ancestraux.

Chez les Bagobos également, on retrouve les esprits, ici appelés *gimokols*, et un dieu suprême, Pamulok Manobo, créateur de tous les autres.

Ces gimokols sont soit des dieux mineurs comme plus haut, soit des esprits spécifiques, par exemple le Toluskabalakat amateur de sang, l'esprit des forgerons, celui des tisseuses, celui des orfèvres et, en dessous d'eux, les anitos encore, esprits mineurs.

Chez les tribus animistes, sacrifices et cérémonies font donc partie de la vie quotidienne. Le *canao* des Igorots ou des Ifugaos est "la cérémonie" de toutes les occasions où l'on doit faire un sacrifice.

Les sectes contemporaines

Les sectes sont ici multiples : L'église aglipayenne fut fondée en 1898 par un prêtre catholique, Grégorio Aglipay ; elle compte jusqu'à deux millions de fidèles. L'arrivée des Américains et de leur primitivisme religieux allaient multiplier le développement de ces sectes : Les témoins de Jehovah, par exemple, sont présents dans toutes les Philippines. C'est dans cette multiplicité de croyances qu'il faut expliquer le succès des "guérisseurs de la foi" (voir aussi Troisième partie : Baguio).

Chaque guérisseur se réclame d'une église particulière. C'est le bon sorcier, celui qui, avec l'aide de dieu, peut conjurer le sort jeté par les esprits de la maladie.

Il existe en chaque être une force psychosomatique qui, activée, peut aider au fonctionnement de mécanismes abîmés ou en panne. Le tout est de provoquer un choc psychique suffisamment fort pour déclencher cette force qui peut aider à guérir. C'est le rôle du guérisseur. Son outil principal : la foi, mais il faut aussi la mise en scène ; c'est là le génie des guérisseurs philippins, ils font "saigner" le malade sans qu'il y ait opération, c'est spectaculaire en diable et l'effet marche souvent.

Si l'on admet, comme le fait la médecine contemporaine, qu'une bonne partie des maladies est de cause ou d'influence psychique, il ne faut pas s'étonner du taux de succès élevé obtenu par les guérisseurs de la foi. Prestidigitation ou pas... Dans de nombreux cas une guérison est constatée, mais uniquement chez ceux qui ont la foi.

LES FETES ET LES LUNES

Les fêtes philippines sont essentiellement chrétiennes, mais sont marquées par une originalité typiquement nationale. Bien que les fêtes aient, dans les grandes villes, perdu de leur religiosité, elles gardent leur caractère dans les campagnes.

Comme en Espagne, chaque quartier, chaque village a sa fête : c'est la *barrio fiesta*, l'événement de l'année en honneur du patron du lieu.

La *fiesta* est un remerciement au saint patron pour les récoltes ; pendant les jours qui précèdent, une neuvaine a lieu tous les soirs à l'église. Le jour de la fiesta, on baptise tous les enfants qui sont nés les semaines précédentes ; puis on prépare la cuisine : Chaque famille doit préparer le plus possible de plats, car chaque maison sera ouverte à tous, amis, parents, voyageurs, étrangers, qui passent dans le village. Chaque visiteur peut prendre plusieurs repas en passant d'une famille à l'autre. En principe, les légumes ne seront pas servis ce jour sinon le riz inévitable, la viande, le poisson et le dessert, comme la confiture d'ubi, et les libations durent toute la journée.

A côté de ces fiestas, les dimanches semblent mornes, car les hommes vont dépenser l'argent aux galieras pour voir les combats de coqs, ou ils assistent à un match de basket-ball, et le soir ils vont voir le coucher de soleil au bord de la mer.

Calendrier des principales fêtes

Janvier-février

- 1er janvier : Le **Nouvel An** est l'occasion pour les familles du traditionnel "Media Noche", lorsque la fête envahit les rues. Cacophonie, pétards et *tutti quanti*.

- 9 janvier : **Fête du Nazaréen noir** : l'image du Christ noir, sculptée au Mexique et conservée dans l'église de Quiapo, est promenée dans Manille, portée par des pénitents aux pieds nus.

- 2ème semaine de janvier : Le **Binirayan** est la reconstitution du pacte signé à San José-Antique (île de Panay) par dix sultans de Bornéo et les aborigènes. L'occasion de pittoresques scènes.

- 10 janvier : **Fête du Santo Nino de Cebu**. Pour ce pélerinage, les dévots dansent devant l'église qui renferme la statue amenée par Magellan en 1521.

- 15 janvier : **Fête de l'Enfant Jésus de Prague**. A Davao, sur l'île de Mindanao, cette procession se déroule en l'honneur d'une statue de l'Enfant Jésus aménée de Tchécoslovaquie en 1968.

- Variable : **Pipigan**. Il célèbre à Novaliches (Rizal) la fin des moissons et est l'occasion de chants et de musique.

- Variable : **Manerway**. A Bontoc, les Igorots font une fête rituelle pour s'attirer la bonne grâce du dieu des pluies.

- Variable : Ap-pey. A Bontoc également. Cette fête s'accompagne de sacrifices destinés à protéger les jeunes plantations de riz.

- 3ème semaine de janvier : **Ati Atihan de Kalibo. C**'est le carnaval le plus célèbre des Philippines. Il dure une dizaine de jours, mais le dernier jour est le plus intéressant. Des milliers de personnes s'y rendent par avions et bateaux affrétés. Il commemore le pacte entre les Atis aborigènes et les émigrants malais. L'Ati Atihan d'Iloilo, appelé en fait **Dinagyang** a lieu le week-end suivant. Il est également très vivant, mais moins coloré.

- 3ème semaine de janvier : **Sinulog**. C'est le carnaval de Cebu, avec pour clou, une grande parade. Cette fête commémore celle que célébra Magellan, lorsqu'il offrit une statuette de l'Enfant Jésus à Juana, l'épouse du rajah Humabon.

- Dernier dimanche de janvier : **Procession du "Santo Nino"**. Très grande procession de chars fleuris, réunissant quelque trois cents statues et images de l'Enfant Jésus.

- Variable : **Nouvel An chinois**. L'occasion d'assister à la danse du Dragon. A Baguio, les rues sont gaiement décorées.

- 2 février : **Fête de Notre-Dame de Candelaria** à Jaro-Iloilo.
Notre Dame de Candelaria fut consacrée patronne des Visayas occidentales par le pape Jean-Paul II en 1981. Grande procession.

- 22 au 26 février : **Les Journée du Pouvoir du Peuple** (ou Fiesta Sa EDSA). Ce nouveau festival commémore le soulèvement pacifique contre le président Marcos en 1986. Pendant quatre jours et quatre nuits, une foule estimée à deux millions de personnes occupa l'avenue Epifanio de los Santos (EDSA en abrégé), formant une immense chaîne de solidarité et de liberté. Quelle sera l'avenir d'un tel festival ? Ce genre d'enthousiasme a tendance à s'épuiser rapidement.

Mars-Avril
- 1er au 7 mars : **Armadahan**. Pendant une semaine, spectacle sur l'eau à Laguna de Bay. Courses de bateaux, ski nautique, etc.

- Variable : **Saranggolahan**. Festival du cerf-volant.

- **Semaine Sainte** : Dans tout le pays, fêtes chrétiennes, avec parfois flagellations et passions. Elles est particulièrement célébrée à Vigan, à Agoo sur l'île de Luzon, tandis que les provinces de Rizal et de Nord Camarines voient des exemples impressionnants de flagellation.

Les principales manifestations ont lieu à travers tout le pays chrétien lors du Vendredi Saint et du Dimanche de Pâques.

Cependant, la célébration la plus spectaculaire est le **festival des Moriones** sur l'île de Marinduque ; c'est une reconstitution de la Passion du Christ, avec masques et costumes, qui se promène en ville, observant les quatorze stations du Chemin de Croix (Voir aussi en troisième partie).

- Mi-Avril : **Lami-Lamihan**. Festival yakan sur l'île de Basilan. Un authentique festival ethnique.

- Variable : **Hariraya Hadji**. La grande fête musulmane est célébrée dans le sud, suivie du Mouloud.

Mai
- 1er au 30 : **Flores de Mayo**. On honore la Vierge Marie de processions de jeunes filles, avec offrandes de fleurs. Le dernier dimanche de mai a lieu une parade fleurie.

Santacruzan : Au terme d'une neuvaine, a lieu une procession des plus jolies filles du pays qui défilent à la lueur des chandelles.

- 14-15 : **Festival du Carabao** à Bulacan, dans les provinces de Nueva Ecija et de Rizal ; c'est une parade de buffles, décorés de fleurs, en l'honneur de San Isidro. Souvent, après la messe, on organise une course de carabaos.

- 15 : **Pahiyas** est un festival des moissons, lui aussi en l'honneur de San Isidro. Il se tient à Lucban et Sariaya (province de Quezon). On décore les portes et les fenêtres de produits locaux.

- 7 au 19 : **Obando Fiesta** (Obando, province de Bulucan). Rites de fertilité. Le 17, les hommes sans enfants dansent dans les rues ; le 18, ce sont les femmes sans enfants. Le 19, les couples sans enfants dansent à leur tour pour que soient exaucés leurs voeux de fertilité.

Juin
- 24 : **Parade de Lechon** à Balayan (province de Batangas). On promène des cochons rôtis en l'honneur de Saint Jean- Baptiste.

- 25 au 30 : **Fête de Saint Paul et Saint Pierre** à Apalit (province de Pampanga). C'est l'occasion d'une procession fluviale.

Juillet
- 1er au 30 : **Festival des moissons**. Ce festival est surtout pittoresque dans les provinces des montagnes de Luzon.

- 4 au 7 : **Festival de Bocaue** (Province de Bulucan). C'est une autre procession fluviale, pendant laquelle on promène la Sainte Croix dans une pagode flottante.

Août

- 1er au 7 : **Danses des Aetas** à Bayombong (province de Nueva Ecija).

Septembre

- 10 : **Sunduan** (La Huerta-Paranaque). Remémore les riches Espagnoles que l'on venait chercher sous un parasol : Pour les spectateurs, le plaisir de voir passer de jolies filles dans leurs beaux atours et beaucoup de parasols.

- 3ème week-end : **Festival de Penafrancia** (Naga City, province de Sud Camarines). Procession fluviale sur la rivière Naga.

Octobre

- 2ème dimanche : **La Naval de Manille**. Eglise Santo Domingo à Quezon City et Angeles City. Procession nocturne en l'honneur de la statue de Notre-Dame du Rosaire qui protégea la flotte hispano-philippine lors de la bataille navale de 1646 avec les Hollandais. Cette statue d'ivoire sculptée en 1533 fut donnée par les pères dominicains.

- Variable : **Festival de Turumba** (Pakil, province de Laguna). Joyeuse procession en l'honneur de Notre-Dame des Peines. Elle se célèbre depuis 1640 (comme quoi les peines ne datent pas d'aujourd'hui). En fait, cela correspond à la découverte d'une statue de la Vierge flottant sur le lac de Laguna et la procession qui suivit pour l'amener à l'église de Pakil.

- Variable : **Hariraya Poasa**. Célèbre la fin (29ème jour) du Ramadan chez les musulmans.

Novembre

- 15 au 30 : **Festival yakan des moissons**. Ile de Basilan.

Décembre

- 12 : Fiesta de Pagsanjan.

- 24 : **Festival des lanternes**. San Fernando (province de Pampanga). Procession pittoresque de 1 000 à 2 000 lanternes.
- 24 : **Messe de minuit**.

- Quatrième dimanche : **Bota de Flores** (quartier d'Ermita à Manille). Offrandes de fleurs à Nuestra Senora de Guia (église d'Ermita). Elle commémore la découverte d'une statue de la Vierge par les soldats de Legazpi, sur les rives d'Ermita en 1571. La statue fut décrétée patronne des galions de Castille.

LES ARTS

L'art religieux chétien

Ce sont bien sûr les Espagnols qui ont créé l'art religieux aux Philippines, mais celui-ci s'est fréquemment inspiré de la nature philippine. Le réformisme qui a régné pendant la présence américaine a fait malheureusement disparaître de nombreuses oeuvres d'art ; cependant les plus grands dégâts ont été causés par les tremblements de terre et les typhons. Les restaurations ont été souvent mal faites et les toits de tôle ondulée ont tristement remplacé les charpentes de bois et les toits de tuile.

L'architecture coloniale philippine est une improvisation sur des thèmes d'architecture médiévale espagnole, des thèmes qui ont été repris par ailleurs dans les colonies espagnoles d'Amérique ; ce qui la caractérise est son éclectisme, les styles nouveaux étant simplement rajoutés aux éléments existants.

La similitude avec les églises mexicaines vient de ce que, pendant deux siècles, les échanges avec l'Espagne se faisaient via Acapulco. Au départ on eut affaire à des moines bâtisseurs aidés par de la main-d'oeuvre indigène. Si l'architecture philippine ne présente pas toute la richesse de celle du Mexique, par exemple, il faut y trouver la raison dans l'éloignement du pays, les artistes s'arrêtant à mi- chemin : C'est-à-dire en Amérique. D'où le travail des prêtres.

Les premiers architectes philippins n'apparurent qu'au XVIIIème siècle : Juan de Ayco en fut la tête de file ; ceux-ci tirèrent enseignement des moines venus du Mexique.

Le baroque mexicain du XVIIème et du XVIIIème siècles fut le principal modèle. Les témoins en sont notamment l'église de Daraga (Bicol), Morong (Rizal), Paete (Laguna). Le style churriguresque mexicain est présent, par exemple dans le portail de l'église de Tigbauan (Iloilo). Les constructeurs adoptèrent d'abord, faute de matériel, les méthodes de construction et les matériaux locaux : le bois, le bambou, le palmier nipa et surtout le bois de molave plus solide ; ce n'est que plus tard qu'apparut la pierre ou la brique.

La caractéristique de l'église philippine est généralement sa forme rectangulaire à une seule nef, donnant de l'extérieur un aspect de forteresse avec un solide clocher. Cet aspect est motivé par la nécessité de résister aux tremblements de terre, d'où une hauteur relativement basse pour la plupart. Les façades sont généralement recouvertes de stuc avec décoration moulée ou sculptée. Les colonnes ou piliers extérieurs ont un rôle important dans le caractère de l'église ; certains sont élégants, la plupart sont massifs.

A l'intérieur, simplicité et masse dominent. L'autel possède généralement un retable qui est presque l'unique décoration et que l'on doit voir dès l'entrée, car il n'y a aucun obstacle entre lui et la grande porte, contrairement aux églises d'Espagne. La nef est parfois très longue : 100 mètres pour l'église de Barraca en Ilocos, et fréquemment 70 ou 80 mètres. Il reste encore de rares exemples d'églises où les matériaux primitifs, les colonnes en bois liées par des fibres végétales, subsistent. C'est le cas de l'église de Sarrat en Ilocos du Nord. Le plafond des églises est généralement en bois recouvert de stuc ; la seule église ayant un toit tout en pierre est l'église des Augustins dans Intramuros (Manille).

Les transepts sont plus récents dans les églises philippines, alors que dans les églises franciscaines, le transept est généralement court. Chez les Augustins, comme à Intramuros, il est plus marqué et donne naissance à une grande coupole. Les dômes ont souvent un style pseudo-renaissance (Santa Lucia, Ilocos Sur), mais parfois aussi baroque (cathédrale de Lipa, Batangas).

Certaines des églises à transept comme Majayjay (Laguna), ou Tanay (Rizal) conservent plusieurs retables.

La galerie est toujours présente et a toujours le même aspect, seul son support varie : Arc elliptique aux Augustins d'Intramuros, arche simple à Arago de Cebu. Les rostrum se trouvent par contre essentiellement dans les églises de Cebu et Bohol, et sont généralement décorés.

Les clochers ont, eux, une certaine originalité. Bantay ou Laoag sont les exemples les plus particuliers. Souvent détachés de l'église, leur hauteur varie de trente à cinquante mètres ; ils ont une apparence lourde (et ils le sont). Autrefois, ces clochers avaient une fonction de communication, les villages s'avertissant ainsi d'événements importants comme dans l'Europe de l'époque. Ils étaient aussi des postes d'observation qui servaient à prévenir les raids des Moros.

Parmi les églises les plus remarquables des Philippines, citons :
- A Manille : L'église des Augustins (pour son musée).
- A Legazpi : L'église de Daraga, de style colonial mexicain.
- A Iloilo : L'église de Miagao, église forteresse à la décoration inspirée par la nature philippine.
- Dans la province de Pampanga : Les églises de Betis et Apalit, de style baroque.
- A Cebu : L'église d'Argo.

L'art des Philippines des plaines

L'art des Philippines des plaines a été très influencé par les Espagnols. Le résultat en est un style colonial qui, parfois, a donné des artistes de valeur :

- En peinture c'est la cas du plus grand peintre philippin, Amorsolo, mort en 1972.
- En musique, la zarzuela, "l'opérette espagnole", fut longtemps la distraction favorite des Espagnols et de la bourgeoisie philippine, puis du peuple. Aujourd'hui elle est en plein déclin.
- Par contre, la musique populaire ne manque pas d'amateurs et les danses folkloriques sont encore très vivaces. Le *tinikling*, la danse du bambou, est sans doute la plus célèbre.

L'artisanat est, lui, plus tourné vers le commerce ; c'est le cas de la vannerie en abaca, des objets en nacre ou en bois sculpté.

L'art traditionnel des minorités philippines

En matière de poterie, la pauvreté de l'art philippin viendrait de ce qu'au XIIème siècle les Chinois auraient importé leur poterie et que les Philippins auraient arrêté d'en faire.

Aujourd'hui, l'art traditionnel est surtout basé sur le tissage, et de moins en moins sur les armes, sauf dans le sud où le travail du cuivre demeure vivace.

L'art du nord des Philippines

Le matériel qui domine ici est le bois : le narra est le plus utilisé mais aussi le bambou. il faut distinguer quatre types d'art :
- l'art funéraire : les statues et les objets que l'on utilise dans ces cérémonies.
- L'art guerrier et pratique : les boucliers et les armes, art qui est en voie de disparaître.
- L'art décoratif : le tissage, la fabrication des pipes.
- Enfin, l'art pour les touristes, qui peut être n'importe quoi du moment que cela se vend. Il n'est cependant pas inintéressant, car il porte la marque de chaque culture.

L'art bontoc. Le Bontoc fait un peu de vannerie ; il fabrique des paniers et des boîtes en rotin ou en bambou. Les deux plus jolis paniers sont le *tupil* et l'*agairin*. Le premier ressemble à un sac à main et est destiné à contenir toutes sortes de choses, tandis que l'autre renfermera essentiellement les haricots. Le petit chapeau des Bontocs est varié dans ses motifs, mais c'est surtout dans le tissage que la diversité des dessins se manifeste. Les couleurs les plus utilisées sont le bleu foncé avec du jaune, du rouge ou du vert, mais le rouge domine souvent dans les sarongs.

L'art ifugao. Il est plus complet que le précédent, car il possède aussi la sculpture sur bois. Il s'agit d'une part de décorer les objets utilitaires (les bolos ou couteaux, ainsi que les haches), mais aussi des objets purement décoratifs.

Le style reste cependant primitif et naïf ; souvent on retrouve comme motifs de décoration le coq ou le calao. Les Ifugaos fabriquent de grosses cuillères et fourchettes dont le manche représente généralement un homme. Les statues ont au départ une signification religieuse ; c'est le cas du *bihang* qui doit protéger des esprits, et du *buhol* qui protège les récoltes.

Dans l'art touristique, les Ifugaos ont remarqué que ce qui se vendait bien était l'art pornographique et ils commencent à se tourner vers ce nouveau débouché.

Leur vannerie et leur tissage ressemblent assez à ceux des Igorots de Bontoc.

L'art négrito. Bien qu'élémentaire, il n'en est pas moins intéressant ; il est d'abord guerrier : le javelot se distingue par des simas, sortes d'arêtes qui sont de forme et de nombre variables. Les flèches sont également décorées de dessins simples mais divers.

Les peignes (*huklai*) des Négritos méritent aussi d'être mentionnés : Ils présentent de longues dents et un manche de bambou décoré, le tout surmonté de petites plumes de coq sauvage.

Les Négritos fabriquent enfin quelques objets en vannerie comme les boîtes à bétel.

L'art des Philippines centrales (Mindoro et Palawan)

Chez les Irayas (Mingyans du nord de Mindoro), on trouve, et c'est ici original, des paniers hexagonaux. Le rouge et le jaune sont les couleurs les plus utilisées.

Chez les Hanunoos (Myngyans du sud de Mindoro), on découvre un alphabet de quarante-huit caractères, qu'ils gravent sur des planchettes de bambou. L'Hanunoo fabrique également des guitares appelées *kudyapi* ou *git git*, dont les cordes sont des cheveux humains.

Leur vannerie est également plus élaborée que celle des montagnes de Luzon et la décoration utilise plusieurs couleurs à la fois.

Avec les Tagbanuas de Palawan, la décoration des objets de vannerie est très simple, la forme en diamant étant quasiment le seul motif. Par contre, la sculpture sur bois est originale : les tortues, les oiseaux pour le rituel du riz, les cuillères sont plus finement sculptées que chez les Ifugaos.

Les Bataks du nord de Palawan sont beaucoup plus pauvres et leur art est essentiellement guerrier.

L'art musulman du sud

C'est sans doute l'art le plus élaboré des Philippines. Cela date de l'époque des sultanats, où les vêtements de cérémonie ainsi que les armes étaient, comme dans tout l'islam, finement et richement décorées.

Au bois et à l'étoffe s'ajoutent ici le cuivre, mais aussi l'ivoire, la corne, l'or et l'argent, d'où la diversité des objets fabriqués. L'influence des sultanats étrangers a bien sûr joué un rôle important et l'art est ici principalement un art importé.

Les cinq types d'art que l'on trouve ici sont :
- La sculpture sur bois (*okir*).
- Le travail du cuivre.
- L'art guerrier.
- Les instruments de musique.
- L'art funéraire.

L'art de Maranao. Il est un des plus riches : les motifs ornementaux sont inspirés soit du coq, soit du naga soit de la vigne. La combinaison de ces motifs donne d'autres motifs qui sont : Le *birdo*, la vigne grimpante, le *pako rabong*, la fougère grimpante, la *magoyoda*, combinaison de plantes et de dragons ; le *niaga* ou *niaga naga* est une répétition du motif serpent ou dragon avec entrelacements de feuilles ou de fleurs ; l'*obid obid* ou le *tiali tiali* est une corde qui sert de cadre. Enfin, l'artmalis est une combinaison de fougères, de feuilles et de bourgeons ou de boutons de fleurs.

Dans le costume, ou malong, on retrouve d'autres éléments qui sont l'*onsod* (ligne en zigzag), la *patindug* (ligne droite), la *pinatola* (carrés de couleurs alternés), le *pinagapat* (parallélogramme de disposition variée), la croix, la lune artificielle, l'étoile et le serpentin.

Dans les ornements pour homme, les motifs sont curvilinéaires, alors que pour la femme ils sont purement géométriques et rigides.

Il est évident que la richesse des objets dépend de la richesse de son propriétaire. On trouve ici toutes sortes d'objets sculptés ou ciselés : Vaisselle en bois ou en métal, meubles, boîtes à bétel ou à tabac, armes. Le cuivre est le matériel qui donne ici les résultats les plus somptueux.

L'art des Tausugs. C'est l'autre grande famille musulmane, celle des îles Sulu ; bien qu'utilisant le cuivre, l'art est moins achevé que chez les Maranaos, sauf peut-être pour les armes, pour les boîtes à bétel et autres boîtes.

L'art des Badjaus. Plus pauvres que leurs voisins précédents, les Badjaus se distinguent par leur art funéraire (analogue à celui de Bornéo). Les *sundoks* sont des signes que l'on place sur les tombes, et qui, généralement, représentent des bateaux, puisque ce peuple vit essentiellement sur l'eau. Ce bateau est destiné à transporter l'âme du mort. Ce sundok est souvent en bois peint de couleurs vives.

L'art des païens de Mindanao

Ces païens, tout païens qu'ils soient demeurés, ont nénamoins été souvent influencés par l'artisanat musulman.

- Chez les Bagobos, l'art réside essentiellement dans la décoration vestimentaire extrêmement complexe. Les perles de fantaisie sont utilisées pour former des dessins variés ; les coquillages et le métal sont combinés pour décorer les vêtements de la tête aux pieds. Même l'homme porte pendant les fêtes des habits ornés de perles.

Le motif décoratif le plus courant est celui de l'homme qui danse, mais on trouve aussi les nuages, la pluie qui tombe, motifs qui alternent souvent avec l'homme.

- Chez les Manobos, l'art, c'est surtout le tissage. Le rouge foncé orné de motifs géométriques (triangle, losange, etc.) se retrouve chez la femme comme chez l'homme.

- Chez les Bukidnons, on retrouve un peu les mêmes motifs, tandis que chez les Mandayas la broderie des blouses est ravissante.

L'art culinaire

Les Philippins ont tout pour réussir une bonne cuisine : Des légumes, des fruits à profusion et des poissons merveilleux.

Les poissons

Le plus fameux des poissons de mer est le *lapu lapu*, sorte de bar rouge ou de "vieille". Mais vous avez aussi des poissons de vase très bons, le bangus (appelé *milk fish* en anglais), le poisson chat (*hito*), et surtout les crevettes de toutes tailles et les langoustes. Les gambas se nomment *hipon* ou *sugpo*, selon leur taille. Les **camarons rebasados** sont des crevettes en beignet. La sinigang na hipon est la soupe de crevette, souvent parfumée au citron vert.

L'*alimango* est un gros crabe, dont on mange souvent la chair, trempée dans une sauce à base de vinaigre, d'ail et de piment.

Les viandes

La viande la plus goûtée est le **lechon de leche** : cochon de lait rôti à la peau croustillante ou le **crispy pata**, un pied de cochon à la peau également croustillante. Pourtant, le plat national est le poulet frit (**pitung manok**).

Parmi les plats cuisinés, citons :

- L'**adobo** est un ragoût de porc, de poulet ou de boeuf, avec lait de coco, vinaigre, oignon, poivre noir et ail.
- Le **binakol** est du poulet cuit à la vapeur dans un bambou (cocotte minute philippine).
- Le **giblet** est un beignet de foie de volaille.
- Le **Kare-Kare** est un ragoût de queue de boeuf ou de jarret, cuit avec une sauce épaisse de cachuètes, du riz, et parfois des légumes. On le sert avec du *bagoung*, sorte d'aioli philippin.

- Les **Pancits** sont, tout comme les lumpias, un héritage de la cuisine chinoise. ce sont des nouilles frites avec des morceaux de viande et de légumes.

Notons encore les fritures (**halabos**), les **langonizas** (merguez) d'Ilocos, les **lumpias** (rouleaux de printemps frits ou bouillis).

Les légumes
Le **bigas** (riz), est le plat de base du pauvre, auquel on ajoute, suivant ses moyens, plus ou moins de viande. Mais un Philippin ne pourra jamais travailler sans une ou deux assiettes pleines de riz.
- L'**arroz caldo** est un brouet de riz et de poulet, que l'on arrose de jus de citron vert et de sauce de soja.
- Dans l'**arroz con goto**, on remplace simplement le poulet par des tripes.
- Le **champurado** est un riz gluant préparé avec du chocolat onctueux, mais ce n'est pas un dessert ; on le sert pour accompagner un tapa de boeuf séché, généralement servi avec le petit déjeuner.
- L'**Arroz valenciana** est, comme son nom l'indique l'héritage colonial de la paella.
- Le **pinakbet** est un genre de chop suey.
- Autres légumes particuliers aux Philippines : le *gabi* et l'*ubi*.

Les snacks et amuse-gueule
- L'**ensaymada** est une pâtisserie au fromage, avec un peu de margarine et du sucre dessus. On le sert pour le petit déjeuner ou en snack.
- Le **Ginatan** est un porridge sucré de yam (un légume tropical), de sago, de taro et de banane, mélangés à du riz gluant et à de la crème de noix de coco. Attention les calories ! On le sert en snack.
- L'**atchara** est le "pickle" philippin, mais présenté artistiquement : de la papaya verte, combinée avec de la carotte, des poivrons et des oignons pour former des composition "florales".
- Le **chicharon** est une peau fine et croustillante de porc servie en amuse-gueule avec l'apéritif.
- Le **kinalaw na Isda** est un hors d'oeuvre populaire fait de poisson cru, mariné dans du vinaigre ou du jus de citron vert, marinade assaisonnée d'oignon, de gingembre, d'ail et de piment.

Les spécialités "spéciales"
Parmi les spécialités très particulières, mentionnons :
- Le **bagoung** est un assaisonnement composé de poisson et crevettes marinés dans un mélange d'épices, et de couleur mauve ; c'est très fort et rarement apprécié des Européens.
- L'**alamang** est une pâte de crevettes salée, qui sert d'assaisonnement.
- Le **dinuguan** est moins ragoutant : c'est une sorte de ragoût de porc, cuit dans une sauce à base de sang de porc. On le mange avec le **puto**, un gâteau de riz non sucré.

- Le **balut**, par contre, est délicieux ; encore faut-il avoir le courage d'en manger : c'est un oeuf de canard en partie incubé, le caneton est formé et prêt à avoir ses plumes. L'oeuf est bouilli, il suffit de l'ouvrir, de boire le liquide et de croquer l'oiseau. J'ai longtemps hésité... pour vous je me suis sacrifié... et puis j'en ai redemandé.
- Le chien bouilli est une spécialité ifugao.

Bref, la cuisine philippine serait excellente si les Philippins n'avaient la détestable habitude de servir les plats froids : le poisson ou la couenne de porc, ce n'est guère passionnant lorsque c'est servi froid. Quant aux glaces il leur arrive d'être servies chaudes...

Les desserts
- Parmi les desserts, les fruits sont bien sûr merveilleux : Mangues d'avril à juin, mangoustans de mai à octobre, melons d'eau d'avril à novembre, lanzones d'août à novembre, ramboutans d'août à octobre, et bien sûr papayes, pomelos, bananes et ananas toute l'année.
- En friandises, les **banana cues** sont des brochettes de bananes caramelisées.
- Les gâteaux et crèmes à base de noix de coco fraîches *(macapuno)* sont les plus répandus
- Le **bibingka** est un gâteau de riz au fromage blanc de bufflesse, mélangé à de l'oeuf salé et de la noix de coco râpée, le tout saupoudré de sucre. A consommé avec une tasse de chocolat chaud ou de café.

- Entre toutes les glaces, le **halo halo** est la plus célèbre, mais il faut qu'elle soit bien composée. Il s'agit d'une salade de fruits tropicaux (en boîte), mélangés à de la glace pilée, du lait et du sucre, le tout surmonté de crème glacée. Magnolia est la marque des glaces de style Gervais.

Les boissons
- Pour les boissons, choisissez la bière nationale, la San Miguel blonde (extrêmement bon marché), la meilleure d'Asie. Elle fut introduite aux Philippines en 1890 par la San Miguel Corporation. A noter que le groupe Ayala, propriétaire de cette bière est aussi le propriétaire de Coca Cola Philippines.
- Si vous n'aimez pas la bière, le jus de citron vert (**kalamansi juice**) est ce qu'il y a de plus rafraîchissant.
- Contrairement au reste de l'Asie, où l'influence britannique a fait du thé la boisson nationale, les Philippines espagnoles, puis américaines, ont une longue tradition du café, mais pas du meilleur...

Si vous êtes aux Philippines pendant des fiestas, vous serez sans doute invités à déjeuner ; vous pouvez accepter sans crainte et sans fausse politesse. L'hospitalité est ici la chose la mieux partagée.

SCENES DE LA VIE QUOTIDIENNE

L'image la plus courante du Philippin d'aujourd'hui est celle de l'homme qui, tout au long de la journée, tient la charrue traînée par le carabao, et qui le soir, se rend au magasin de sari sari, sorte de bazar où l'on peut acheter de tout à l'unité, y compris les allumettes. C'est le musicien qui gratte nonchalamment sa guitare à l'heure de la sieste. C'est aussi celui qui se déchaîne pendant un combat de coq, où les animaux, équipés d'une lame d'acier tranchant, se livrent un combat à mort, sous les cris assourdissants des Philippins. Des Philippins, qui parient souvent des sommes considérables qu'ils ont économisées pendant des mois pour acheter des coqs texans valant parfois plusieurs milliers de pesos.

La journée d'un Tasaday

Entre le Philippin doux et tolérant et celui assoiffé de violence des combats de coqs, il n'y a pas loin, comme il n'y a pas non plus très loin entre celui-ci et le Tasaday de la préhistoire ; et pourtant leur civilisation a des siècles d'écart.

La journée d'un Tasaday est l'image de l'aube des Philippines : Au lever du jour, les hommes et les femmes se lèvent, ou sont déjà debout ; seuls restent encore couchés les plus vieux et les plus jeunes.

Ces derniers attendent les rayons du soleil pour réchauffer leur corps nu, tandis que le feu est entretenu vingt-quatre heures sur vingt-quatre à l'intérieur de la grotte qui les abrite.

Vers 10 heures, les femmes reviennent les premières, portant paniers de fruits et légumes sauvages, bolos et tubes de bambou contenant de l'eau. Les hommes partent pour relever les pièges et traversent sur leur chemin un paradis tropical portant tous les fruits du pays.

Le soir, on se nettoie les cheveux à l'aide d'une badine et on "parle des événements du jour", tandis que les enfants jouent comme partout. Bref, la vie la plus simple possible, sans cérémonie, sans rites.

Scènes de la vie quotidienne d'un Philippin des montagnes

L'enfance

La naissance est toujours un événement souhaité chez les Philippins des montagnes (comme chez ceux des plaines), car c'est une aide pour une famille pauvre.

Chez certains Négritos ou chez les Bagobos, on préfère un garçon ; chez d'autres, comme les Bontocs et les Ifugaos, un garçon ou une fille fera l'affaire. De toute façon chez ces gens là, une femme travaille autant qu'un homme.

Lorsque le petit Ifugao nait, on lui donne son nom lors d'une cérémonie, au cours de laquelle on sacrifie un poulet ou un cochon. Chez les Kalingas on va même jusqu'à circoncir les garçons et exciser les filles ; chez les Ilongots, il y a une consécration de l'enfant, garçon ou fille.

Autrefois cependant, on observait souvent des cas d'infanticide, notamment lorsque deux naissances se suivaient de trop près.
- Chez les Igorots, on enterrait vivant l'enfant de l'adultère, l'enfant anormal, à moins que quelqu'un de la tribu veuille le prendre en charge. Ces moeurs étaient autrefois partagées par les Philippins des plaines et aussi, dans certains cas par les Kalingas et les Bagobos.
- Chez les Bontocs, lorsque deux jumeaux naissaient, on considérait que l'un d'eux était un *anito*, un esprit. On enterrait alors le plus grand ou le plus calme dans une jarre de terre. Cette coutume était partagée, avec quelques nuances, par les Magyans de Mindoro et les Négritos.
- Chez les Bagobos, par contre, cet infanticide n'avait lieu que pour les triplés. Le commerce des enfants était aussi une pratique chez les Ifugaos.

Une fois accepté, l'enfant des tribus est par contre chéri et parfois même trop gâté ; les réprimandes sont inexistantes chez la plupart des tribus et on ne constate aucune règle de discipline. Seuls les Kalingas fouettent parfois leurs enfants, mais ils préfèrent utiliser la honte. La honte est utilisée également par les Apayaos et les Bukidnons qui y voient la meilleure contrainte.
Chez les Tirurays, lorsqu'un enfant refuse quelque chose, on le laisse seul jusqu'à ce qu'il constate que faire des caprices ne lui amène rien.

Les résultats de ce manque de discipline sont variés :
- Chez l'Ifugao, les enfants n'obéissent généralement pas à leurs parents, et cela est toléré, sauf pour les problèmes de mariage. Par contre, ils adoptent des contraintes sociales qu'ils acquièrent en grandissant, mais qui leur sont imposées par le groupe et non pas leurs parents ; l'aide aux personnes âgées est souvent l'obligation principale.
- Les enfants kalingas doivent fournir un sacrifice lorsque leurs parents sont malades ou morts.
- L'Apayo recueille la mère veuve et en prend soin, et, lorsque les parents meurent, la coutume est de manifester son chagrin par des coupures ou scarification de son corps.

Le manque d'autorité parentale ne pose pas de problèmes, quant à savoir si l'enfant voudra travailler ou non. L'enfant des tribus n'a pas devant lui d'exemple d'oisiveté, mais uniquement de travail. La première chose qu'il fait dans sa vie active, c'est de jouer à travailler. Dès l'âge de cinq ou six ans, l'enfant participe au travail de la famille. Les tâches sont faciles, mais on donne tout de suite des responsabilités aux enfants. La fille aînée a généralement pour tâche de s'occuper des plus petits lorsque la mère est aux champs. Les poupées n'existent pas, mais on a toujours à s'occuper d'un petit frère ou d'une petite soeur.

Le mariage

C'est ainsi, en jouant à travailler, que l'on arrive à l'âge du mariage.

Chez le Bontoc Igorot, les jeunes filles dorment dans l'*olog* ; c'est là que le jeune homme vient faire sa cour ; ce n'est que s'il a la ferme intention de l'épouser qu'il a le droit d'avoir des relations sexuelles avec l'élue de son coeur. Si le garçon est amoureux d'une fille d'un autre clan, il en parle aux amies de celle-ci pour qu'elles fassent la commission. Il est d'usage par la suite de rendre des visites formelles et de chanter des chansons d'amour ou de conter de belles histoires ; cela dure ainsi un certain temps avant que la famille donne son accord ; ils sont autorisés à coucher ensemble dans l'olog. C'est l'occasion de commencer à boire et, pour le mariage, on tue le cochon. Les festivités ou *canao* durent sept jours, le sixième étant le jour du bain des jeunes époux et des présages. Si, après plusieurs mois, aucun enfant n'est annoncé, le garçon peut prendre une autre femme.

Les coutumes de mariage connaissent des variations suivant les tribus.

- Faire la cour est une coutume le plus souvent répandue chez les Ilongots ; on fait la cour, mais c'est la famille qui arrange le mariage, un mariage qui est, comme partout, un acte économique en même temps que physique et social. La jeune fille s'échange contre du bétail et des poulets. Autrefois, on ajoutait quelques têtes coupées ; de nos jours, ces têtes sont remplacées par les perles, le fil de cuivre ou les couvertures tissées main. Le garçon et la fille vivent ensemble dès la remise des cadeaux et le mariage n'est célébré qu'à la naissance d'un garçon.

- Chez les Tinguians, les enfants sont fiancés lorsqu'ils sont encore tout petits. Lorsque la famille du garçon est riche, il arrive que le mariage soit célébré avant même la puberté. la jeune fiancée est censée être fidèle, sinon elle encourt la mort, à moins que son prix initial soit rendu, augmenté d'une amende.

- Chez les Nabalois, les relations avant le mariage sont rares, car la fille accompagne toujours sa mère. Mais lorsqu'un homme marié abuse d'une jeune fille, il doit la dédommager par le don d'une vache ou d'un carabao.

- Chez les Kankanais, on va plus loin que dans les autres tribus : On fiance avant même la naissance, particulièrement dans les famille plus riches.

- Chez les Ifugaos, le cadeau de mariage le plus apprécié est bien sûr le champ de riz ; le divorce est quasiment obligatoire s'il n'y a pas d'enfants.

Le mariage à l'essai est par contre coutumier, comme chez les Hanunoos de Mindoro. De plus en plus, faire sa cour devient à la mode un peu partout, mais les cadeaux sont toujours obligatoires. L'enlèvement est généralement rare et mal admis. A Mindoro, on fouette les coupables (deux fois plus l'homme que la femme).

Une autre coutume que l'on trouve parfois est le placement des soupirants "au pair" chez les futurs beaux-parents, qui peuvent ainsi se rendre compte de la valeur du futur. C'est le cas, chez les Bukidnons et les Manobos de Mindanao.

Chez les Bataks de Palawan, on fait sa cour, puis on demande en mariage ; on paie le prix convenu, mais on se passe souvent de cérémonie. Chez certains Négritos, il n'y a même pas à payer quoi que ce soit. Il faut dire qu'ils n'ont pas grand- chose à donner.

La monogamie est la formule la plus répandue chez les tribus animistes, mais le divorce est fréquent ; la raison essentielle, nous l'avons vu, est la stérilité, attribuée le plus souvent à la femme.

Les concubines sont également admises, encore faut-il en avoir les moyens (financiers, cela va sans dire).
- Chez les Tinguians, le divorce a été longtemps interdit. Aujourd'hui c'est le conseil des anciens qui décide pour chaque cas. L'Igorot de la province de Pangasinan peut obtenir le divorce uniquement parce qu'il a envie de "changer".
- Chez les Igorots de Benguet, la femme maltraitée peut revenir chez ses parents.
- Chez les Nabalois, l'infidélité de l'homme n'est pas une cause de divorce, car cela "fait partie de l'essence de l'homme". Par contre, lui, a droit de mort sur sa femme. Autrefois on coupait volontiers des têtes pour la circonstance, c'était le bon temps.
- Chez les Ifugaos, on trouve de nombreux cas de polygamie, en fonction ici aussi de la richesse de l'homme. Mais elle se limite en principe à deux femmes. Le divorce par consentement mutuel ne date pas d'aujourd'hui dans le pays, par contre, l'homme n'a pas le droit d'abandonner sa femme sans indemnité pour aller avec une autre. En cas d'adultère, une double amende doit être payée par l'amant au mari et à sa propre femme, et par la maîtresse à son mari et à la femme trompée. Le meurtre de l'amant est souvent admis, ou plutôt le serait si la police n'y mettait pas son nez.
- Dans le sud des Philippines, influencé par les musulmans, la polygamie est fréquente, mais souvent limitée aux chefs (Bukidnons, Manobos et Bagobos par exemple).
- Enfin l'avortement est une coutume qui n'est pas partagée par tous, et de loin. L'excuse donnée est généralement la pauvreté (Tirurays, Tinguians, Bontocs).

Le travail

- Chez les Ilongots, les femmes aident les hommes dans les travaux des champs, à la chasse ; autrefois, elles les aidaient même à faire la guerre. Les femmes, toujours elles, préparent les champs, plantent, repiquent le riz et portent le bois ; de plus, elles tissent et cousent.

- Chez les Igorots, la femme a également la vie dure et partage avec l'homme l'exploitation de la rizière. Elle passe même plus de temps que lui aux champs, surtout lorsqu'il va travailler en ville.

- Chez l'Ifugao, la vie à deux est en fait une coopération de la force de travail du couple pour vivre et faire vivre. La femme, outre les travaux ménagers, nettoie les champs, plante et récolte les patates douces, plante le riz, surveille sa croissance et le coupe ; après la récolte, elle replante des légumes dans le champ ; enfin, c'est encore elle qui tisse. L'homme ramène du bois pour le feu, prépare la terre à la charrue et aide à transporter la récolte. Il construit et répare la maison pendant que la femme est encore aux champs. C'est lui qui prépare la cuisine. La vannerie lui est également réservée, ce qui n'est pas le cas de nombreuses autres tribus.

La mort

Comme chez les tribus animistes des autres pays, la mort est l'événement mystique numéro un.

- Chez l'Ifugao chaque chose a une âme (*linauwa*) et une matière spirituelle (*alimaduan*). Pour que cette âme soit satisfaite, il faut lui faire des sacrifices : autrefois, la tête d'un ennemi était le plus digne des sacrifices ; aujourd'hui on se contente d'un poulet ou d'un cochon. Lorsque quelqu'un meurt, le cadavre est lavé et habillé, puis assis sur une chaise mortuaire (*haludag*) ou parfois enveloppé dans une couverture (*bay yaong*) et veillé pendant trois jours et trois nuits, pendant que l'on entretient un feu à ses côtés. il est d'usage de réciter en permanence l'épopée ifugao ou *hud hud*. Le sorcier dépose des feuilles nouées dans la tombe pour faire partir les mauvais esprits.

Les femmes ont aussi un rôle à jouer : les pleureuses se griffent le visage et se tirent les cheveux en chantant les louanges du mort.

- Chez les Bontocs, les femmes chantent des chants tristes, tandis que les enfants chantent des airs joyeux jusqu'à l'aube. Le cercueil est fait dans un tronc de pin évidé. Dès la mort, on sort le défunt de la maison, puis on place tous les objets par terre pour qu'ils ne tombent pas, car il y a une superstition qui veut que si un objet tombe, il entraînera la mort d'une autre personne dans la maison.

Le deuxième jour on offrira en sacrifice, si les moyens le permettent, un cochon toutes les deux heures ; après déjeuner, c'est au tour des poulets d'être sacrifiés. On lit ensuite les présages dans la vessie. Les cercueils sont parfois empilés dans des grottes comme à Sagada, ou enterrés. Autrefois, les corps étaient momifiés. On pense qu'ils étaient fumés comme le saumon, (c'est le cas des momies de Kabayan).

Le deuxième jour, après l'enterrement, les hommes vont pêcher le cachiw, un poisson qui sera dégusté dans la maison du mort.

Le troisième jour est le jour du transfert des membres de la famille chez des parents pour un canao en hommage au mort.

Le quatrième jour est un jour de repos. Tout travail dur doit être évité.

Pendant encore six jours, on alternera canao, offrandes et pêche au cachiw.

- Chez les Mandayas, la coutume est différente et le défunt est placé au milieu de la maison et veillé deux nuits ; les chants sont interdits. Ses affaires personnelles, dont ses armes, seront enterrées avec lui dans la forêt.

- Chez les Bagobos, le mort est enterré généralement en dessous de sa maison. Autrefois, les parents restaient dans la maison du mort jusqu'à ce qu'un sacrifice humain fut fait. On vivait modestement ! Après, la maison était abandonnée.

- Chez les Tinguians, il existe une coutume originale : la veuve est couverte, pendant les jours qui suivent la mort, d'un filet de pêche qui la protège des esprits, tandis que les hommes se frappent pour "se sentir malheureux également".

- Enfin, chez les Apayaos, la veuve ou le veuf, habillé en blanc et les cheveux courts, est allongé à côté du mort et demeurera sans manger pendant les deux ou trois jours qui suivent la disparition. Lorsque le corps du mort commence à se putréfier, un parent récupère du liquide qui commence à suinter et en oint la veuve ou le veuf pour s'attirer les bons esprits.

Scènes de la vie quotidienne d'un musulman philippin

L'enfance

L'enfant musulman est souvent baptisé à l'âge de sept jours. C'est l'occasion de libations et de réjouissances où l'on n'oublie pas de rendre grâce à Mahomet. On lave la tête de l'enfant et on lui coupe quelques cheveux. Le garçon est généralement circoncis et la fille excisée. Chez les Yakans, la petite fille l'est à l'âge de trois ans. Chez les Sulus, le petit garçon choisit son nom à l'âge de trois ans en tirant au hasard un morceau de papier portant son futur nom.

Le mariage

Les mêmes Sulus se marient jeunes, souvent à quinze ou seize ans, voire plus jeunes. Le père de la fille doit donner son consentement ; s'il est mort c'est le grand-père qu'on interroge ; s'il n'y en a plus, c'est le frère ou le parent mâle le plus proche. Une femme qui n'obéissait pas à cette tradition était rejetée de la communauté ; on devient plus souple aujourd'hui.

Comme l'autorise le Coran, l'homme peut avoir quatre femmes et autant de concubines qu'il le souhaite, mais ici comme ailleurs, seuls les riches peuvent s'offrir le luxe d'avoir plusieurs femmes.

Chez les Yakans de Basilan, chaque fille a un prix fixé, dépendant de son statut social et de son apparence physique. Aujourd'hui, plutôt que de payer le prix, la tendance est que le fiancé prenne toutes les dépenses du mariage à sa charge. C'est souvent le père de la mariée qui célèbre le mariage, mais il peut faire appel à un religieux.

Dans le mariage traditionnel sulu, la fiancée doit se raser les sourcils et se recouvrir le visage d'une couche énorme d'un maquillage jaunâtre. On la place ensuite dans une pièce où le fiancé ne peut la voir. Un jeu de cache-cache s'ensuit où le fiancé feint de courir après sa fiancée. Lorsqu'il l'attrape, elle doit chercher à le battre et à le mordre. Mais en principe, il a le dernier mot. Lorsqu'il arrive à poser son index droit sur le front de sa fiancée, on considère le mariage comme scellé. Ce n'est pourtant que sept jours après la cérémonie que les jeunes mariés commencent à vivre ensemble.

On voit encore, mais de plus en plus rarement, des mariages où la fiancée est promenée sur une litière abritée par des parasols. Une fois mariée, on retrouve la coutume musulmane de cacher la femme. Il n'y a que chez les Yakans qu'elle circule librement.

Cela ne veut pas dire que la femme musulmane est l'esclave ; elle peut donner son opinion et ne se gêne pas.

Un homme peut divorcer ; il suffit qu'il prononce lui-même la répudiation. Mais si c'est la femme qui veut divorcer, il faut qu'elle rembourse la dot du garçon au double de sa valeur.

La mort

Lorsque la mort arrive, le mourant a sa tête tournée vers la Mecque ; puis, une fois mort, on le place dans une position assise et on lui masse l'abdomen vers le bas ; puis il est lavé dans un bain parfumé lorsque la famille est riche, ou uniquement avec de l'eau chez les pauvres. Puis les invités se mettent à manger autour de lui, d'où les problèmes sanitaires que cela peut poser avec la chaleur. Ensuite, le corps est enveloppé dans un linge blanc et enterré. Chez les Sulus, les tombes sont joliment surmontées de trois sculptures sur bois. Comme dans beaucoup de pays musulmans, les parents se réunissent dans la maison du défunt, le troisième jour après la mort, puis le septième, le vingtième, le quarantième et le centième jours. Par la suite, les réunions n'auront lieu qu'une fois par an.

DEUXIEME PARTIE

PHILIPPINES PRATIQUE

AVANT DE PARTIR

Adresses utiles

Renseignements touristiques

Ni en Europe francophone, ni au Quebec, il n'y a d'offices de tourisme des Philippines. Les ambassades disposent toutefois parfois de quelques documents, mais en nombres très limités.

En France, on s'adressera utilement au **Centre d'Informations Touristiques de l'Asie du Sud-Est** (CITASE) de **BACK ROADS**, 14 Place Denfert-Rochereau, 75014 Paris, T : 43 22 65 65.

Le **CITASE,** organisme privé, renseigne le voyageur individuel ou en groupe. Il est capable de vous aider à organiser votre voyage, mais il ne dispose que de très peu de prospectus touristiques, puisque l'office de tourisme en diffuse peu. Il aide les associations, organismes ou entreprises, désireux d'organiser congrès, voyages de stimulation ou de tourisme pur, dans tous les pays du Sud-Est asiatique. Il est ouvert du lundi au samedi inclus de 10h à 19h.

Ambassades

- En France : 4 Hameau de Boulainvilliers, 75016 Paris, T : 44 14 57 01. Ouverte du lundi au vendredi de 9h à 13h.
- En Suisse : Hallwylstrasse 34, 3005 Berne, T : (031) 43 42 11. Consulat : Militärstrasse 84, Zürich, T : (01) 241 77 71.
- En Belgique : 299 Avenue Molière, 1060 Bruxelles, T : 343 64 00
- Au Canada : Consulat, Suite 605, 111 Avenue Road, Toronto, Ontario, T : (416) 922 71 81.

Compagnies aériennes

Philippines Airlines : 1 Place André Malraux, 75001 Paris, T : 42 96 01 40.

Club Charters BACK ROADS : 14 Place Denfert-Rochereau, 75014 Paris, T : 43 22 65 65. (Vols à prix réduits).

Documentation

Bibliographie succinte
Elle va même être plus que succinte, car il est vrai que les Philippines ont curieusement peu inspiré les écrivains, particulièrement francophones.

- Gaston Willoquet : Histoire des Philippines (Que Sais-je ? P.U.F.).
- José Rizal : N'y touchez pas (Roman).
- José Rizal : Revolution aux Philippines (Unesco).
- C. Foubert : Philippines, le Réveil d'un Archipel.
- Regards sur les Philippines (Editions Apa - Epuisé).
- J. Dallais : Philippines, les enfants du mépris.
- R. Balangui : Contes et légendes en pays Ifugao.
- M Coyaud : Contes et nouvelles des Philippines.
- C. Vincent : Sauvée à Manille (un livre sur les guérisseurs philippins).

Ouvrages en anglais : Ils sont très difficiles (sinon impossibles) à trouver en Europe, mais on pourra aller fouiner dans les librairies indiquées plus loin.
- Nicolas Zafra : Philippines History through selected sources.
- Cagelonia : The Filipinos of Yesteryears.

Cartographie
Carte Astrolabe des Philippines au 1.500 000.

Librairies spécialisées dans les voyages
- A Paris :
L'A.B.C. du Voyage, 14 rue Serpente, 75006 Paris, T : 46 33 80 06.
L'Astrolabe, 46 rue de Provence, 75009 Paris, T : 42 85 42 95.
Itinéraires, 60 rue Saint-Honoré, 75001 Paris, T : 42 36 12 63.
Ulysse, 26 rue Saint-Louis en l'Isle, 75004 Paris, T : 43 25 17 35.

- A Zürich :
Travel Bookshop, Seilergraben 11.

Période de voyage et garde-robe

On distingue traditionnellement trois saisons :
- La saison sèche (hiver), qui s'étend de novembre à mars, et appelée aussi la saison fraîche. Tout est relatif, car la température dans les plaines tourne autour de 28°. On considère cette période comme étant la meilleure pour visiter le pays, mais il faut savoir que novembre et décembre peuvent recevoir encore pas mal de pluies.
- La saison chaude (été) s'étend de mars à mai. Il ne pleut presque pas et il fait vraiment très chaud dans les plaines (plus de 30° et souvent 36°). Par contre, il fait très bon dans les montagnes de Baguio à

Banaue, et il y a un peu moins de brouillard. Au bord de la mer, il fait une température encore très agréable.

- La saison des pluies s'étend de juin à novembre. Elle est chaude, très humide et c'est l'époque où l'on peut s'attendre à rencontrer quelques typhons. Le seul avantage, c'est que l'on est à peu près sûr du moment de la journée où il va pleuvoir : la fin de l'après-midi ; ce qui permet de s'organiser.

Ceci dit, il y a de nombreuses variations régionales, et il peut fort bien pleuvoir en janvier ou février.

Les températures varient également bien sûr, selon l'altitude ; c'est pourquoi, s'il vous faut toute l'année des vêtements légers sur les côtes (cotonnades de préférence aux synthétiques), dans les provinces montagnardes (comme à Baguio ou à Bontoc), il fait beaucoup plus frais et les températures varient plutôt entre 10 et 20°, voire 25° en été. Emportez donc aussi un bon lainage et une paire de chaussettes. Le parapluie ne vous sera guère d'utilité, car lorsqu'il pleut... Il pleut.

Dans le sud (Mindanao), les saisons sont beaucoup moins marquées et les typhons beaucoup moins nombreux.

Formalités de police

Passeport
Un passeport national est indispensable pour entrer aux Philippines, mais il doit être, en outre, valide au moins six mois après la date d'entrée aux Philippines.

Visa
Pour les citoyens européens et canadiens, le visa devient nécessaire si le séjour doit dépasser 21 jours.

- Ce visa, valide trois mois à partir de sa date de délivrance, est valable pour un séjour de 59 jours. Il peut être obtenu auprès des ambassades et consulats en 48 heures environ, sur présentation d'une photo, du billet d'avion (ou d'une attestation de son agence de voyages), ainsi que de la somme de 105 FF (sujet à changement). Pour les voyages d'affaires, présenter une lettre de la société. On peut aussi se procurer le visa par correspondance, moyennant le paiement des frais postaux de recommandation.

- Le visa peut également être obtenu auprès des services de l'immigration, à Manille ou à Cebu, mais avant l'expiration de la tolérance de 21 jours.

Formalités sanitaires et précautions

Par prudence, sans vouloir dramatiser, les conseils suivants sont peut-être superflus, mais il est ridicule de se croire à l'abri des petites bêtes qui gâchent un voyage.

Vaccins

Il n'y a pas de vaccins obligatoires pour entrer aux Philippines, mais il y en a de conseillés.

- C'est le cas du DTTAB, qui protège efficacement de la dyphtérie, du tétanos, et de la typhoïde A et B.
- Le vaccin anti-polio est également conseillé par de nombreux médecins, mais peu de voyageurs ont le courage de se faire piquer.
- Le vaccin anti-cholérique est périodiquement recommandé, bien que les médecins s'accordent pour dire qu'il est inefficace.
- Si vous envisagez de faire des excursions en brousse (Palawan et Mindanao particulièrement), il serait prudent de suivre un traitement préventif contre la malaria à base de quinine. La Nivaquine est devenue inefficace à Palawan et actuellement les médecins préconisent le Lariam (sur ordonnance car il n'est pas sans contre-indication). Consultez votre médecin ou le service des maladies exotiques de l'hôpital Cochin.

Pharmacie

Les pharmacies philippines sont bien fournies, mais si vous avez l'intention de vous blesser, prenez vos précautions : une petite boîte à pharmacie.

- Avec l'humidité, les plaies se cicatrisent mal ; emportez donc des sulfamides en poudre.
- L'eau passe pour être assez pure de microbes et d'amibes, mais ne vous y fiez pas, ne buvez que de l'eau bouillie et purifiée, et jamais l'eau du robinet. Seuls les hôtels de luxe de Manille ont un système de purification d'eau du robinet.
- Comme deux précautions valent mieux qu'une, emportez des gélules contre les diarrhées (causée souvent par l'abus de boissons glacées).
- Si vous ne partagez pas l'amour que vous portent les moustiques, emportez une crème qui découragera leurs assiduités.
- N'oubliez pas non plus pansements adhésifs, désinfectants et boules Quies.
- Au cas où vous auriez sauté les paragraphes précédents, voici l'adresse d'un hôpital spécialisé dans les maladies tropicales : Hôpital Saint-Lazare, 107 rue Saint-Denis, 75010 Paris. T : 47 70 81 79.

Assurances

Il sera prudent de contracter une assurance de type "assistance", comprenant le rapatriement en cas de maladie, blessures ou décès, ainsi que l'assistance médicale. Votre agent de voyages pourra vous en proposer.

Monnaie

Les monnaies européennes n'ont guère la cote, si ce n'est à Manille et à Cebu où vous n'aurez pas trop de difficulté pour changer des francs (et encore cela dépend des banques), qu'ils soient français, suisses ou belges, ainsi que des dollars canadiens. Mais pour le reste du pays, mieux vaut donc emporter des dollars américains, dont une petite partie en dollars papier pour les en-cas, mais la plus grande partie en chèques de voyages ; vous courrez ainsi moins de risques en cas de vol. Le seul inconvénient des chèques de voyages est que vous ne pourrez bénéficier du change parallèle parfois plus avantageux.

BUDGET

Prix indicatifs au 1er avril 1994 (non contractuels).
Pour des tarifs à jour des hôtels, locations de voitures et excursions, demandez le **Guide gratuit du Voyage en Extrême-Orient** de **BACK ROADS**, 14 Place Denfert-Rochereau, 75014 Paris, T : 43 22 65 65.

Transport aérien

Paris Manille (aller-retour)
1ère classe : ....37 000 FF
Classe affaire : ....21 300 FF
Classe économique : ....20 000 FF
Tarif Vacances (7 à 45 jours) : ....8 510 FF
Tarif charter : ....5 300 à 6 000 FF

Vols intra-Asie (aller simple)
Bangkok-Manille : ....1 600 FF
Hong Kong-Manille : ....700 FF
Singapour-Manille : ....1 500 FF
Kota-Kinabalu-Manille : ....880 FF

Vols intérieurs en US $ (aller simple)
Manille-Davao : ....100 $
Manille-Cebu : ....65 $
Manille-Puerto Princesa : ....60 $
Manille-Zamboanga : ....80 $
Manille-Caticlan : ....70 $
Manille-Baguio : ....25 $
Manille-Dumaguete : ....60 $
Manille-Iloilo : ....50 $
Manille Kalibo : ....40 $

Cebu-Bacolod : ....25 $
Cebu-Cagayan de Oro : ....35 $
Cebu-Davao : ....45 $
Cebu-Dipolog : ....30 $
Cebu-Tacloban : ....30 $
Cebu-Tagbilaran : ....15 $
Cebu-Zamboanga : ....50 $

Taxes d'aéroport au départ des Philippines vers l'étranger : 500 Pesos.

Bateaux (en pesos - prix selon la classe)

Manille-Iloilo : 300
Manille-Cebu : 250
Manille-Romblon : ....200 à 350
Manille-Puerto Princesa : 250
Bacolod-Iloilo : 70
Manille-Davao : .... 600 à 1100
Davao-Zamboanga : ....210 à 450
Manille-Zamboanga : .... 360 à 960
Zamboanga-Dipolog : ....120 à 310
Zamboanga-Cebu : ....190 à 440
Zamboanga-Basilan : 50
Zamboanga-Iloilo : .... 200 à 370
Zamboanga-Dumaguete : ....150 à 340
Zamboanga-Jolo : 80
Cebu-Tagbilaran : ....55 à 150

Location de voitures (en US $)

Prix par semaine, incluant le kilomètrage illimité :
Type Colt Lancer (4 places) : ....330 $
Type Galant (5 places) : ....390 $
A ces prix, ajouter 3 % de taxes, 6 $ par jour pour le rachat de franchise de l'assurance et 3 $ par jour pour l'assurance personnes transportées.

Transports en autocars (en pesos)

Manille-Baguio (250 km) : 95
Manille-Banaue : 120
Manille-Batangas (110 km) : 50
Manille-Legaspi (550 km) : 240
Manille-Vigan (408 km) : 175
Manille Laoag (486 km) : 190
Manille-Alaminos : 95
Davao-Cagayan de Oro : 160
Kalibo-Iloilo : 80
Baguio-Banaue : 130
Baguio-Vigan : 90
Baguio-Bontoc : 120
Bontoc-Banaue : 80

Hôtels

(Prix par chambre, sans repas, en US $)

Luxe :..120 à 200
***** :..70 à 150
*** :..50 à 100
** :.. 30 à 80
* :...15 à 60
Bungalows sans confort...5 à 20

Aux prix des hôtels, il faut ajouter 10 % de service et 13,5% de taxes.

Repas (en US $)

Petit déjeuner :..........................1 à 15 (selon la catégorie de l'hôtel)
Déjeuner :...4 à 25
Dîner :..4 à 30

LES MOYENS D'Y ALLER

Par avion

C'est évidemment le moyen le meilleur et le plus rapide, mais ce n'est pas forcément le plus coûteux.

- De Paris, **Philippine Airlines** a trois vols par semaine en Boeing 747. Le confort y est bon et le service excellent. Les hôtesses sont charmantes et sauront vous donner un avant-goût du sourire philippin. Si vous avez la chance de pouvoir voyager en première classe, vous bénéficierez en outre de sièges pouvant s'allonger à l'horizontale.

Air France dessert Manille trois fois par semaine, avec plusieurs escales en cours de route.

Thaï Airways a des vols quotidiens, mais avec changement à Bangkok.

- Le **Club Charter Back Roads** (14 Place Denfert-Rochereau, 75014 Paris, T : 43 22 65 65) est à même de vous proposer des tarifs aux prix charters les plus bas sur les lignes régulières des compagnies européennes ou asiatiques (notamment Philippines Airlines ou Thaï International). Ces réductions sont de l'ordre de 30% sur les tarifs les plus bas homologués par Air France. Comme il n'existe pas de charters sur les Philippines, ces tarifs sont donc parmi les meilleurs existants.

Les meilleures agences de voyages

Les Philippines sont parmi les destinations mal aimées des voyagistes, et seuls quelques spécialistes s'y intéressent. Pour les circuits en groupes, citons **Kuoni**, le **Tourisme Français** et **Back Roads**.

Pour les circuits individuels et à la carte, je conseillerai vivement le **Club du Grand Voyageur Back Roads**, 14 Place Denfert-Rochereau, 75014 Paris, T : 43 22 65 65. Cette agence connaît les Philippines mieux que toute autre, et vous construira un circuit en kit, combinant les îles qui vous intéressent à un billet d'avion à prix réduit. Vous pourrez ainsi visiter Luzon et les rizières de Banaue, Palawan, les Collines de Chocolat de Bohol ou Mindanao, puis terminer par un séjour balnéaire ou de plongée à Cebu, Puerto Galera, El Nido ou Boracay. Si vous le souhaitez, elle vous permettra de combiner la visite des Philippines à celle de Taïwan, de Hong Kong, de la Thaïlande ou de tout autre pays d'Asie.

LA VIE FACILE DE A À Z

Affaires

- Le Philippin est lent à se décider. Faire des affaires avec lui nécessite trois ou quatre voyages de prospection. Ne pas attendre qu'il vous écrive. Ecrivez, relancez, tannez. Faites vérifier vos contrats par un avocat local.
- Assurez vous du sérieux bancaire de votre interlocuteur. Le Philippin est très procédurier, attention à ce que vous signez. Vous devez intéresser votre avocat à l'opération, mais sachez qu'en cas de procès, l'étranger perd toujours !
- Le flou artistique règne en affaire. Le Philippin n'est jamais direct.
- Pour prendre un rendez-vous, il est difficile de trouver la personne responsable.
- La tenue d'affaires aux Philippines est la chemise unie, manches courtes, glissée dans le pantalon, ou mieux, le "barong tagalog", chemise à manches longues et à dentelle, qui se porte sur le pantalon, même dans les soirées les plus chic. Evitez les sandales. Par contre pour les dames, il n'existe aucune règle vestimentaire.
- A l'américaine, votre interlocuteur vous appellera par votre prénom, vous pouvez faire de même.

Apparences

- Méfiez-vous des apparences ! Les Philippins sont parmi les peuples les plus souriants et les plus hospitaliers de la planète, mais malheureusement le plus souriant est rarement le plus efficace.

Bakchich

En affaires, c'est une institution. Tout le monde doit être "mouillé". Il existe un fonds commun hiérachisé par la distribution des pots de vin. La chute des Marcos n'a pas remis en cause cette institution traditionnelle.

Barong Tagalog

Le barong Tagalog est le costume officiel. Cette chemise de voile léger, et décoré de broderies ou de dentelle, remplace le complet veston ou le smoking dans toutes les manifestations sociales importantes. Sa naissance remonte à l'occupation espagnole. A l'époque, les gentilhommes espagnols portaient la chemise glissée dans le pantalon, tandis que les péones la portaient lâche par dessus. Mais lorsque se constitua une bourgeoisie philippine, les Espagnols interdirent aux Philippins de s'habiller de la même façon qu'eux, pour bien marquer que jamais un Philippin ne pourrait être assimilé à un hidalgo. C'est alors que les Philippins se mirent à soigner l'apparence de leurs chemises et que naquit le barong tagalog, dont ils firent un objet de fierté.

Cartes de crédit

Dans tous les grands centres touristiques, les cartes de crédit telles que *Visa, Master Card, American Express* ou *Diner's* sont largement acceptées par les hôtels de haut de gamme et dans les centres commerciaux.

Change

L'unité monétaire est le peso (on prononce piso), représenté par un "P" barré et divisé en 100 centavos (c). Il y a des billets de 5, 10, 20, 50, 100 et 500 et 1000 pesos, ainsi que des pièces de 50, 25, 10 et 5 centavos et 1, 2 et 5 pesos.

Le peso étant une monnaie faible, en dévaluation régulière, prenez la précaution de ne pas en changer trop, vous auriez du mal à vous en débarrasser à la sortie. Une fois à l'étranger, aucune banque ne vous les reprendra.

Il existe désormais deux marchés noirs importants du dollar, l'officieux et l'interdit.

- L'officieux, c'est celui pratiqué par les dizaines de bureaux de change des rues Mabini et Del Pilar à Ermita, le quartier touristique de Manille, mais aussi dans les principaux centres commerciaux. De temps en temps, le gouvernement parle de les interdire, mais les paroles, jusqu'ici, n'ont pas été suivies d'actes. Il faut dire que cela arrange beaucoup de personnalités. La différence de taux avec l'officiel se situe entre 5 et 10 %. Plus vos billets seront gros, plus vous en obtiendrez : le billet de 100 US$ est le plus apprécié. Dans ces bureaux de change, on ne vous délivre pas de bordereau de change qui vous permettrait de rechanger vos derniers pesos en quittant le pays.

- Le marché noir interdit, et en même temps le plus risqué, c'est celui qui se pratique dans la rue. Méfiez-vous en, vous pouvez tomber dans un piège (cela arrive souvent) et vous retrouver en prison, ou vous faire refiler de faux pesos. Une autre arnaque consiste à vous tromper sur le nombre de pesos qu'on vous donne.

- Mieux vaut changer votre argent à Manille qu'en province et dans un bureau de change que dans une banque. Les taux y sont plus intéressants, encore faut-il comparer les taux, variables d'un bureau de change à l'autre. Les chèques de voyages sont moins appréciés que les billets (mais pour vous, cela à d'autres avantages).

- Si vous avez pris soin de conserver vos bulletins de change, vous pourrez rechanger les pesos qui vous restent en quittant le pays, au bureau de change de l'aéroport de Manille, mais s'il ne vous reste que l'équivalent d'une dizaine de dollars, on ne vous demandera rien. Ce bureau de change se trouve dans le hall des départs, juste avant de passer les formalités de paiement des taxes d'aéroport.

Coqs

Le Philippin est, comme le Balinais, un fanatique des combats de coqs. Il y dépense parfois des fortunes en misant ses maigres revenus. Le coq peut être une source de richesse, c'est pourquoi chaque philippino de la province en élève. Vous pourriez me dire que c'est leur problème... Malheureusement, c'est aussi le nôtre. Ces Carusos de la basse-cour sont atteints de logorrhée, mais aussi, et c'est plus grave, d'insomnies. Ils n'attendent pas l'aube pour pousser leurs vocalises, c'est dès minuit, qu'ils commencent à chanter et ne s'arrêteront que lorsque tout le monde sera bien réveillé. Compte tenu de la densité de population de ces gallinacés, seuls les sourds ont une chance de s'en sortir.

Courant électrique

Il est de 220 volts et 60 cycles. Les grands hôtels disposent également du 110 volts. Certaines villes, comme Baguio, utilisent encore le 110 volts. Attention, tous les hôtels ne disposent pas de prises européennes, mais des prises américaines à fiches plates. Il serait prudent d'emporter un adaptateur.

Courrier

Pour que le courrier parvienne en Europe, il faut compter une bonne semaine (depuis la capitale). Pour le courrier d'affaires, mieux vaut faire appel à l'une des agences privées qui livrent le courrier urgent directement au destinataire.

Les grandes postes (fermées les dimanches et les jours fériés) ont un service de poste restante (en français dans le texte), mais on prendra soin de faire écrire son nom en majuscule, car le Philippin a toujours du mal à distinguer le prénom du nom.

Les bureaux de l'American Express à Manille ont également un service de poste restante.

Devises

Laissez entrer les devises, merci. Il n'y a pas de limite d'importation de devises étrangères, mais vous devez déclarer les montants dépassant 3 000 US$. Cependant, à la sortie du territoire, ces devises étrangères ne doivent pas dépasser la somme déclarée à l'entrée. Quant aux pesos philippins, les touristes et les non résidents ne peuvent passer plus de 500 pesos, que ce soit à l'entrée ou à la sortie du territoire.

Douane

Outre les devises en nombre illimité (voir plus haut), les touristes peuvent entrer aux Philippines avec deux cartouches de cigarettes, des effets personnels en quantité raisonnable, et deux bouteilles d'alcool (d'un litre maximum chacune).

Eau

Sortis des hôtels de luxe de Manille qui, en principe disposent d'un système de purification, l'eau n'est pas potable pour un estomac occidental. Il vaut mieux boire de l'eau minérale, bien que les prix en soient très élevés et le goût bien fade. A Manille et à Cebu, on trouve de l'eau d'Evian, mais les prix sont proches de ceux du whisky, alors autant boire du whisky.

Face

Le Philippin est le plus souvent chrétien, mais il est d'abord asiatique. Il ne vous dira jamais non pour ne pas vous faire perdre la face. Evitez donc, vous aussi de lui faire perdre la face.

Femme

L'homme se pavane dans les réceptions, mais il n'est que le "public relation" ; c'est la femme qui gère les affaires et se montre fort coriace. L'importance tenue pendant des années par Imelda Marcos n'était que l'image de ce qui se passe dans de nombreuses entreprises.

Hébergement

On rencontre aux Philippines tous les types d'hébergement. Manille connaît les grands palaces internationaux et quelques hôtels de classe touriste, mais les sites touristiques sont en mesure d'accueillir les voyageurs aux bourses modestes. Enfin, certaines plages offrent désormais quelques hôtels agréables de confort 3 ou 4 étoiles, mais presque partout le long des côtes, on pourra trouver des bungalows pour routards. C'est dans ce dernier type d'hébergement que les vols sont les plus nombreux, mais les voleurs ne sont pas nécessairement philippins (je pense à Boracay ou les vols sont souvent pratiqués par des routards occidentaux).

Un petit détail ! Les incendies d'hôtels ont été suffisamment nombreux ces dernières années, pour que vous preniez la précaution de vérifier les issues de secours si elles existent...

Confiez votre argent et vos objets de valeur au coffre de l'hôtel. Lorsqu'il ne s'agit pas d'un coffre individuel, demandez un reçu des objets et valeurs déposées.

Hôtels de plage

Pendant de longues années, on a curieusement construit les beaux hôtels sur les plus vilaines plages. Tant mieux pour les routards, qui se consolaient de leurs bungalows souvent minables, par des paysages de rêve. Heureusement pour les malheureux voyageurs aisés, on s'est enfin décidé à construire du beau dans du beau (grâce, il faut le dire à des étrangers, Français et Japonais particulièrement, dont d'anciens lecteurs des guides JIKA, qui sont tombés amoureux du pays). En fait, si les plages idylliques sont légion, les hôtels de villégiature "paradis perdus" sont encore rares. C'est en fait le nord de Palawan (El Nido, Taytay et Busuanga), qui en compte le plus. Cebu est par contre très décevante à une ou deux exceptions près (Badian). A défaut de compter les plus belles plages, Puerto Galera (sur l'île de Mindoro) a par contre comme avantage d'être proche de Manille, ce qui baisse le prix de revient du voyage. Quant à Boracay, l'affluence de voyageurs en a détruit l'image de paradis perdu, même si la destination est encore très agréable et sympathique.

Heures de bureaux

- Les bureaux ouvrent entre 7h 30 et 9h. Ils observent une pause de 12h à 13h et ferment entre 16h 30 et 18h.
- Les banques ouvrent de 9h à 16h ou 16h 30. De rares banques sont ouvertes le samedi de 8h à 12h.
- Les administrations sont ouvertes de 8h à 12h et de 13h à 17h sauf samedi et dimanche.

Heure Locale

Les Philippines sont à GMT + 8 toute l'année. Il est donc 7 heures plus tard qu'à Paris en hiver (13 heures plus tard qu'à Montréal) et 6 heures plus tard en été qu'en France, en Belgique ou en Suisse (12 heures plus tard qu'à Montréal), puisque les Philippines n'ont aucune raison de suivre l'heure d'été.

Jo

Les Philippins connaissent la présence américaine depuis un siècle, et pourtant, les Américains trouvent dans les Philippins les seuls

Asiatiques qui les aiment encore, car ces derniers ne se sont jamais sentis colonisés par l'Oncle Sam et leur sont encore reconnaissants de la Libération de 1944. Par contre, comme ailleurs, les Américains n'ont pu s'empêcher de faire preuve d'un paternalisme condescendant. Le Philippin, c'est "Jo". Les Philippins en ont pris leur parti, mais désormais pour les jeunes, l'étranger blanc sera interpellé comme tel : "Hé Jo !" (ce qui devient vite lassant).

Jours fériés

- 1er janvier : Jour de l'An
- Jeudi et Vendredi Saint
- Lundi de Pâques
- 9 avril (**Bataan Day**, qui, en célébrant la chute de Bataan et la "Marche de la Mort" des prisonniers alliés, commémore la lutte américaine et philippine contre les Japonais).
- 1er mai
- 6 mai
- 12 juin : Fête de l'Indépendance.
- 4 juillet : Jour de l'Amitié Philippino-Américaine.
- Dernier dimanche d'août : **Cri de Balintawak**, commémore le soulèvement du peuple philippin contre les Espagnols.
- 21 septembre : Fête Nationale
- 1er novembre : Toussaint
- 30 novembre : Saint-Boniface
- 25 décembre : Noël
- 30 décembre : Jour de Rizal, en l'honneur du plus grand des héros philippins.
- 31 décembre.

Lorsqu'une fête tombe un dimanche, le lundi suivant est férié.

Langue

Il y a plus d'une centaine de dialectes parlés aux Philippines, dont sept ou huit principaux, comme le tagalog, l'ilocano ou l'ibanag. L'anglais est la langue, qui est peut-être la mieux partagée par la population, peut-être encore plus que le tagalog, choisi comme langue nationale pour essayer de faire croire à une unité du peuple philippin. L'anglais est également la langue utilisée dans les affaires, et dans les faits, les Philippines seraient le troisième pays anglophone du monde. L'espagnol n'est plus parlé que par quelques vieux notables (de moins en moins nombreux), par contre le français est du dernier snobisme.

Le tagalog (ou *pilipino*) est une langue dans laquelle on retrouve un grand nombre de mots espagnols et malais, mais la prononciation n'en est pas tout à fait la même. Par exemple, le J est prononcé en espagnol fatigué, c'est àdire non pas "HR'" comme dans jota, mais seulement comme un H : Jolo se prononce Holo et Pagsanjan, Pagsan'han.

Bien que vous puissiez presque partout vous faire comprendre avec l'anglais (et plus que dans la plupart des autres pays d'Asie), voici pour les amateurs quelques mots de tagalog :

Bonjour (le matin) :	Magandang umaga
Bonjour (l'après-midi)	Magandang hapon
Bonsoir	Magandang gabi
Au revoir	Adyos/ Paalam na po
Comment allez vous ?	Kumosta Ka ?
Bien, merci	Mabuti naman
Merci	Salamat Po
S.V.P.	Paki
Pas de quoi	Walang anuman
Bienvenue	Mabuhay
Oui	Oo
Non	Hindi po
Quand	Kailan
Combien	Magkano
Combien cela (coûte-t-il)	Magkano ito / Magkano iyan
Qui	Sino
Qui est là ?	Sino iyan ?
Quoi	Ano
Pourquoi	Bakit
Comment ?	Paano ?
Où	Saan
Je	Ako
Mon	Akin
Nous	Tayo
Tu	Ikaw
Vous	Kayo
Il, elle	Siya
Ils, elles	Sila
Son, sa	Kaniya
Homme	Lalaki
Femme	Babae
Epoux	Asawa
Enfant	Bata/Anak
Des enfants	Mga Anak
Soeur ou frère	Kapatid
Ami	Kaibigan
Monsieur	Ginoo
Madame	Ginang
Mademoiselle	Binibini
Vieux	Matanda
Jeune	Bata
Beaucoup	Marami

Tout	Lahat
Plusieurs	Kaunti
Assez	Tama na
Moins de	Tama na
Bon marché	Murang mura
Cher	Mahal
Trop cher	masyadong mahal
Argent (monnaie)	Pera
Bon (goût)	Masarap
Bon	Mabuti
Mauvais	Masamang
Délicieux	Masarap
Petit	Maliit
Grand	Malaki
Haut	Mataas
Court (ou petit de taille)	Pandak
Chaud	Mainit
Froid	Malamig
Nouveau	Bago
Ancien	Luma
Propre	Malinis
Sale	Madumi
Ouvert	Bukas
Fermé	Sarado
D'accord, OK	Salamat
Noir	Itim
Blanc	Puti
Bleu	Asul
Rouge	Pula
Jaune	Dilaw
Vert	Berde
Orange (couleur)	Kulay-dalandan
Ici	Dito
Là	Doon
Loin	Malayo
Près	Malapit
Rapidement	Mabilis
Lentement	Mabagal
Je veux aller à...	Gusto kong pumunta sa...
Est-ce loin ?	Malayo ba ?
Où est ?	Saan ang ?
Combien de km jusqu'à.. ?	Hanggang kilometro ilang... ?
Droite	Kanan
Gauche	Kaliwa
Tournez à gauche	Liko sa kaliwa
Tournez à droite	Liko sa kanan
Tout droit	Derecho
Faites demi-tour	Vuelta

Français	Tagalog
Faites le tour	Ikot (ou) umikot
Demi-tour	Urong
Stop	Hinto (ou) para
Ralentissez	Dahan-dahan
Soyez prudent	Konting ingat lang
Aidez-moi	Tulungan mo ako
Un instant	Sandali lang
Souvent	Madalas
Rarement	Bihira
Une fois	Minsan
Deux fois	Makalawa
Trois fois	Makatatlo
Avoir	Mayroon
N'avoir pas	Wala
Avez-vous ?	Mayroon ba kayong ?
Je veux/ Je voudrais	Gusto ko
Je ne veux pas	Ayaw ko
Quel est votre nom ?	Ano ang pangalan mo ?
Mon nom est...	Ang pangalan ko ay...
D'où venez vous ?	Taga saan ka ?
Où habitez-vous ?	Saan ka nakatira ?
Où allez vous ?	Saan ku pupunta ?
Pourquoi	Bakit

1	Isa	11	Labingisa
2	Dalawa	12	Labindalawa
3	Tatlo	13	Labintatlo
4	Apat	14	Labinapat
5	Lima	15	Labinlima
6	Anim	20	Dalawampu
7	Pito	21	Dalawampu at isa
8	Walo	22	Dalawampu at dalawa
9	Siyam	30	Tatlumpu
10	Sampuq	40	Apatnapu

50	Limampu	200	Dalawang daan
60	Animapu	201	Dalawang daan at isa
70	Pitumpu	500	Limang daan
80	Walampu	1000	Isang libo
90	Siyamnapu		
100			Isang daan
101			Isang daan at isa

Semaine	Linggo
Cette semaine	Itong linggo
La semaine prochaine	Sa linggong darating
La semaine dernière	Noong nakaraang linggo
Aujourd'hui	Nagayon
Hier	Kahapon
Avant hier	Noong kamakalawa

Demain	Bukas
Après-demain	Sa makalawa
Jour	Araw
Tous les jours	Araw-araw
Nuit	Gabi
Ce soir	Ngayong gabi
Lundi	Lunes
Mardi	Martes
Mercredi	Miyerkoles
Jeudi	Huwebes
Vendredi	Biyernes
Samedi	Sabado
Dimanche	Linggo
Tous les dimanches	Tuwing linggo
Maintenant	Ngayon
Mois	Buwan
Janvier	Enéro
Fevrier	Febrero
Mars	Marso
Avril	Abril
Mai	Mayo
Juin	Hunyo
Juillet	Hulyo
Août	Agosto
Septembre	Setyembre
Octobre	Oktubre
Novembre	Nobyembre
Décembre	Disyembre
Année	Taon
L'année prochaine	Sa su sunod na taon
Quand partez vous ?	Kailan ka aalis ?
Je pars le ...	Aalis ako sa...
Asseyez-vous	Maupo kayo
Regardez	Tingnan
Demander	Magtanong
Venez ici	Halika dito
Aidez-moi	Tulungan mo ako
Soleil	Araw
Pluie	Ulan
Typhon	Bagyo
Beau (temps)	Maliwanag
Nuage/nuageux	Ulap/ Ma ulap
Orage	Kulog
Aéroport	Airport
Gare	Tutuban
Entrée	Pasukan
Sortie	Labasan

Arrêt d'autobus	Bus station/Istasyon ng bus
Voiture	Kotse
Taxi	Taksi
Station service	Istasyon ng gas
Poste de police	Presinto
Marché	Palengke
Rue	Kalsada
Ville	Bayan
Village	Baryo
Ile	Pulo
Plage	Baybay
Montagne	Bundok
Forêt	Kagubatan
Rivière	Ilog
Chute d'eau	Talon
Mer	Dagat
Lac	Lawa
Maison	Bahay
Bureau	Opisina
Pharmacie	Botika
Bureau de poste	Posopis/Koreyo
Boîte à lettres	Ang buson
Ambassade	Embassi
Hôtel	Otel
Où est l'hôtel ?	Saan naroon ang otel ?
Chambre	Kuwarto
Lit	Kama
Moustiquaire	Kulambo
Couverture	Kubrekama
Oreiller	unan
Salle de bain	Banyo
W.C.	Kubeta
Restaurant	Restauran
Où est le restaurant ?	Saan naroon ang restoran ?
J'ai faim	Gutom ako
Je n'ai plus faim	Busog pa ako
J'ai soif	Nauuhaw ako
Je veux manger	Gusto kong kumain
Je n'aime pas cela	Hindi ko gusto
C'est bon (on peut rêver)	Masarap
Petit déjeuner	Almusal
Déjeuner	Pananghalian
Dîner	Hapunan
Serviette	Serbilyeta
Assiette	Plato
Tasse	Tasa
Verre	Baso
Couteau	Kutsilyo

Fourchette	Tinidor
Cuiller	Kutsara
Verre	Baso
Tasse	Tasa
Pain	Tinapay
Sel	Asin
Salé	Maalat
Poivre	Paminta
Epicé	maanghang
Sucre	Asukal
Vinaigre	Suka
Sucré	Matamis
Chaud	Mainit
Froid	Malamig
Glace (eau)	Yelo
Glace (crème glacée)	Sorbeto
Soupe	Sinigang
Riz	Kanin
Pommes de terre	Patatas
Patates douces	Kamote
Légumes verts	Gulay
Salade (se méfier)	Insalada
Aubergine	Talong
Tomate	Kamatis
Oignon	Sibuya
Viande	Karne
Poulet	Manok
Canard	Pato
Boeuf	Karning baka
Agneau	Tupa
Chèvre	Kambing
Oeuf	Itlog
Oeuf au plat	Pritong Itlog
Oeuf à la coque	Mala sadong Itlog
Langouste	Ulang
Grosse Crevette	Hipon
Soupe de crevettes	Sinigang na hipon
Poisson	Isda
Thon	Tulinga
Calamar	Pusit
Friture	Halabos prito
Gâteau	Keik
Noix de coco (jeune)	Buko
Noix de coco (sèche)	Makapuno
Jus de coco	Buko Juice
Banane	Saging
Pomme	Mansana
Orange	Kahel
Ananas	Pinya
Mangue	Mangga

Pastèque	Pakwan
Papaye	Papaya
Goyave	Bayabas
Citron vert	Kalamantsi
Bière	Serbesa
Eau	Tubig
Café	Kapé
Lait, crème	Gatas
Thé	Tsa
L'addition S.V.P.	Chit
Chien	Aso
Chat	Pusa
Lapin	Kuneho
Vache	Baka
Cheval	Kabayo
Cochon	Baboy
Mouton	Tupa
Buffle d'eau	Kalabaw
Serpent	Ahas
Moustique	Lamok
Mouche	Langaw
Puce	Pulgas
Papillon	Paru-paro

et l'indispensable :

Vous êtes jolie	Maganda ka
Je t'aime	Mahal kita
Mon amour	Mahal ko

Médias

Il y a de nombreux quotidiens en anglais, les moins mauvais (mais tout est relatif) étant le *Times, The Inquirer, The Star, The News Herald* et *The Manila Bulletin*. Il y a aussi un quotidien d'affaires, *Business Day*. Enfin, on trouve les grands périodiques asiatiques que sont *Asiaweek, Time* et *Newsweek* (version asiatique).

La radio et la télévision émettent tantôt en tagalog, tantôt en anglais.

Mesures

Les Philippins ont adopté le système métrique.

Photo

- On trouve les principales marques de films à Manille, mais les prix sont légèrement plus élevés qu'en France.

- Prenez garde au climat humide ; enfermez vos films dans des boîtes étanches avec, éventuellement, un déshydratant (silice par exemple) et mettez-les dans votre sac de voyage plutôt que dans votre valise.
- Emportez des filtres pour la couleur (U.V. qui suppriment les ultra-violets dans les cas de brume, qui sont ici fréquents).

Plongée

Les Philippines sont l'un des paradis de la plongée sous-marine. Les possibilités sont infinies, mais les meilleurs mois pour la plongée vont de mars à début juin, et (mais dans une bien moindre mesure) d'octobre à février.

Les sites de plongée ne manquent pas, que ce soit El Nido à Palawan, l'Apo Reef à Mindoro, Capitancillo à Cebu, Moalboal à Cebu également, Boracay, mais aussi Panglao et Balicasag à Bohol, Sumilon et l'île d'Apo à Dumaguete.

Des voyagistes tels que le **Club du Grand Voyageur Back Roads** (T : 43 22 65 65. à Paris) peuvent organiser des safaris plongée, mais cela est relativement fort coûteux si vous êtes seuls.

Pourboire

Dans les hôtels, le service figure déjà sur les factures. Les Philippins ne courent pas après le pourboire, mais ils savent exprimer leur reconnaissance lorsqu'on leur en laisse (ce qui n'est pas toujours le cas dans les pays asiatiques).

Laissez environ 10 % aux taxis et 10 à 15 pesos aux porteurs.

Repas d'affaires

Comme l'Américain, le Philippin aime bien les petits-déjeuners d'affaires (vers 8h 30), mais aussi les déjeuners et les dîners. La "merienda" est une institution : C'est le cocktail ou casse-croûte à toute heure. Le Philippin dîne tôt (19h à 19h 30). Les restaurants français sont très appréciés, mais vous pouvez aussi inviter dans un restaurant philippin ou chinois, si votre interlocuteur a du sang chinois (je vous rassure, il n'est pas besoin de lui faire une prise de sang pour le savoir, de toutes façons le sang n'est pas jaune).

Restaurants

A Manille, comme dans toutes les grandes capitales, vous trouverez des restaurants représentant les principales cuisines du monde. Si la capitale est l'endroit à privilégier pour manger français, c'est également vrai en ce qui concerne la cuisine philippine. Ailleurs, si vous êtes déçus par la cuisine philippine, c'est avec la cuisine chinoise (quand vous en trouverez), que vous rencontrerez sans doute le moins de problèmes.

Mis à part les restaurants internationaux ou français des grands hôtels de la capitale, vous ne dépenserez pas une fortune dans les restaurants philippins.

Sari Sari

Une institution philippine, le *sari sari* est un peu le drugstore national. Ces mini-boutiques vendent tout le nécessaire du quotidien depuis la savonnette aux cigarettes.

Sécurité

Il y a des pays beaucoup plus à risques que les Philippines, mais cela ne veut pas dire qu'il ne faille pas suivre quelques conseils élémentaires :

- Certaines régions sont la proie de guérillas endémiques. C'est le cas notamment des îles Sulu, de Leyte, de Samar, de certaines régions de Mindanao, de l'île de Basilan et même de certaines régions de Luzon. Il convient de consulter un office de tourisme ou une agence de voyages avant de partir à l'aventure.

- A Manille et à Cebu tout particulièrement, on prendra les précautions traditionnelles que l'on doit prendre dans toute grande ville. Ne pas donner un accès trop facile ou trop voyant à son argent ou à ses objets de valeur (particulièrement le passeport et les billets d'avion). On évitera les coins sombres et dépeuplés la nuit. On ne se fiera pas aux rencontres un peu trop providentielles. On sera sur ses gardes dans les transports en commun, lieu de travail régulier des pickpockets. Si l'on est menacé par un homme armé, mieux vaut donner sa bourse, car la vie pèse peu dans ce pays.

- Méfiez vous des femmes que votre charme naturel a envoûtées. Au réveil, malgré votre tête engourdie par une drogue quelconque, votre orgueil risque d'en prendre un sacré coup.

Shopping

Les meilleurs achats sont la vannerie d'abaca (ou chanvre de Manille, une fibre tirée d'une feuille semblable à celle du bananier), la nacre, les filigranes, les guitares, les chemises (la fameuse barong tagalog) et les coquillages. Baguio est le meilleur endroit pour faire ses emplettes, mais si vous êtes pressés, les grands centres commerciaux comme le *Makati Shopping Center* ou *Magallanes* dans la capitale ont également un grand choix.

Sports

On peut pratiquer de nombreux sports aux Philippines, dont le tennis, le golf ou la basket-ball (le sport national), mais le base ball ou la pelote basque (le jai alai, prononcé ici "ail à l'ail") sont également populaires.

Téléphone

Le téléphone ne fonctionne pas merveilleusement bien, aussi le télex ou la télécopie sont-ils des moyens préférables pour des communications importantes.

- Pour les appels locaux depuis les cabines publiques, prévoyez des pièces de 25 c.

- Pour les appels longues distances hors de votre hôtel, vous devez vous adresser à l'un des bureaux de la **PLDT** (Philippines Long Distance Telephone Company), que l'on rencontre dans les principales agglomérations. Curieusement, les appels dans ces bureaux, sont beaucoup plus aisés que les appels locaux depuis les bureaux de poste.

Les hôtels comptent jusqu'à 30 % de service pour les appels internationaux, ce qui augmente la note de façon considérable.

Temps

Le "Philippino Time" est des plus latins. Le Philippin n'est pas ponctuel, et il n'est pas dramatique que vous ne le soyez pas non plus, mais n'en abusez pas : Si vous êtes invités, n'arrivez guère plus d'une heure en retard, mais n'arrivez surtout pas à l'heure, vous surprendriez.

Toilettes

En tagalog, cela se dit "kubita", mais les Philippins qui parlent anglais les appellent "CR" (prononcez "Ci-ar", pour *comfort rooms*). "Messieurs" se dit *Lalake* (en tagalog) et "Dames", *Babae*. En dehors des hôtels et des bons restaurants, elles sont généralement cracras et dépourvues de papier Q. Soyez prévoyants.

Transports intérieurs

L'avion

Pour se déplacer d'une île à l'autre, l'avion, c'est certain, est le moyen le plus rapide, le plus sûr et le plus pratique, compte tenu de la configuration du pays. Les prix sont relativement modérés. Le sigle P.A.L. souvent rencontré sur les aéroports ne signifie pas "Plane Always Late", mais c'est simplement le nom de la compagnie nationale, Philippines Airlines. P.A.L assure les vols intérieurs à plus de 80 %. Le nombre des escales desservies dépasse la quarantaine (ce qui est très important) et le réseau couvre toutes les îles importantes. Non seulement les avions tiennent en l'air, ce qui est confortant, mais ils sont bons, ponctuels la plupart du temps (sauf bien sûr en période de typhons) et leurs fréquences sont satisfaisantes. Enfin, le service est excellent et les équipages adorables. Une suggestion à Air Inter : Envoyez vos équipages faire des stages chez PAL.

- Attention, si vous modifiez votre réservation de vol intérieur après 12 heures de la veille du départ, vous devrez payer une pénalité.

- Les étudiants de tous âges peuvent bénéficier de 30 % de réduction sur P.A.L. sur présentation de leur carte internationale d'étudiant et de leur passeport (prévoyez une photocopie de chaque document que vous devrez laisser à la compagnie).

Attention ! Pendant la saison des pluies, les vols doivent parfois être annulés. Il est donc prudent, si vous devez attraper un vol vers votre pays d'origine, de prévoir une ou deux journées de battement à Manille (Cela est valable également si vous voyagez par bateau).

Autres compagnies :

- **Aerolift :** Avec de petits avions de type Beechcraft, elle dessert les destinations peu rentables pour P.A.L. ou tout simplement les aéroports où les pistes sont trop courtes pour accueillir les avions de PAL. Elle dessert notamment Caticlan (l'aéroport de Boracay), Calapan sur Mindoro et Coron sur l'île de Busuanga, au nord de Palawan. Ses prix sont sensiblement deux fois plus chers que ceux de PAL sur Boracay (car PAL ne dessert que Kalibo), mais sur les destinations où elle est en concurrence directe, elle s'aligne.

- **Pacific Air :** Ses avions sont souvent plus petits que ceux d'Aérolift (Cessnas ou similaires). Ils servent d'avions-taxis, mais desservent aussi le même type de destinations que la précédente, et notamment la ligne Manille-Caticlan (Boracay)-Cebu.

Principales liaisons aériennes de PAL (ou vice versa) :

- De Manille vers Luzon, Palawan et Mindoro :
Baguio : Quotidien en 50 minutes
Basco (Batanes) : 5 fois par semaine en 3 heures
Daet : 5 fois par semaine en une heure
Laoag : 3 fois par semaine en une heure et demie
Legaspi : 4 fois par jour en 50 minutes
Mamburao (Mindoro) : 2 fois par jour en 45 minutes
Marinduque : 2 fois par jour en 50 minutes
Naga : 2 fois par jour en une heure
Puerto Princesa : 2 fois par jour en 70 minutes
San Jose (Mindoro) : 2 fois par jour en 40 minutes

- De Manille vers les îles centrales :
Bacolod : 4 fois par jour en une heure
Cebu : Au moins 4 fois par jour en une heure (Airbus)

Dumaguete : Une fois par jour en 75 minutes
Iloilo : 4 fois par jour en une heure
Kalibo : 2 fois par jour en une heure et demie
Roxas : Une fois par jour en 50 minutes
Tablas : 8 fois par semaine en une heure
Tacloban (Leyte) : 3 fois par jour en 70 minutes

- De Manille vers Mindanao :
Cagayan de Oro : 3 fois par jour en une heure et demie
Davao : 3 fois par jour en une heure trois quart
Dipolog : Une ou deux fois par jour en une heure et demie
Zamboanga : 2 fois par jour en une heure et demie

- De Cebu :
Bacolod : 2 fois par jour en 40 minutes
Dumaguete : 9 fois par semaine en 40 minutes
Iloilo : 2 fois par jour en 35 minutes
Kalibo : 3 fois par semaine en 55 minutes
Legaspi : Quotidien en 80 minutes
Tacloban : 9 fois par semaine en 35 minutes
Tagbilaran : 3 fois par jour en 30 minutes
Cagayan de Oro : quotidien en 35 minutes
Cotabato : 12 fois par semaine en une heure et demie
Davao : 2 fois par jour en 50 minutes
Dipolog : Une fois par jour en 50 minutes
General Santos : 11 fois par semaine en une heure 45
Iligan : 5 fois par semaine en une heure
Surigao : 4 fois par semaine en 50 minutes
Zamboanga : 2 fois par jour en une heure.

- Vols à l'intérieur de Mindanao :
Cagayan de Oro-Davao : 4 fois par semaine en 30 minutes
Cotabato-Zamboanga : Quotidien en une heure
Davao-Zamboanga : 3 fois par semaine en 55 minutes
Dipolog-Zamboanga : Quotidien en 50 minutes
Zamboanga-Jolo : Quotidien en 40 minutes
Zamboanga-Tawi-Tawi : Quotidien en 70 minutes

Le bateau

Pour les voyageurs disposant d'un temps suffisant, le bateau peut être un moyen de transport agréable et, surtout, très économique. Toutes les îles sont reliées entre elles par des services de transbordeurs bon marché. De plus, certaines compagnies disposant de navires relativement confortables, avec cabines et quelquefois la climatisation, assurent les grandes liaisons entre Manille, Iloilo, Cebu, Davao et Zamboanga. Cela dit, les traversées ont le plus souvent d'avantage l'aspect de l'aventure d'Exodus que d'une croisière Paquet. Outre la nécessité d'un pince-nez pour échapper aux odeurs des toilettes, il est prudent d'apprendre à nager et d'emporter une lotion anti-requins, les naufrages ne sont pas rarissimes. Ces derniers sont souvent dûs à une surcharge du bateau en passagers.

- Les horaires des grandes compagnies paraissent quotidiennement dans le *Manila Bulletin*.

- Les prix varient suivant le confort demandé (classe pont ou troisième classe et cabine avec salle de bain).

En dehors des grandes lignes que nous venons d'énumérer, il existe de petits transbordeurs, qui font la traversée d'une île à l'autre, mais on peut aussi affrêter des bateaux locaux. Ils sont de deux types, la *banca* (ou bangka), un canot à balancier, et le *pumpboat*, qui est une grosse banca à moteur. Les prix sont généralement à débattre, mais les risques de naufrage sont réels.

Le train

C'est quasiment uniquement sur l'île de Luzon que vous pourrez l'emprunter. La ligne principale va de Manille à Camalig (près de Legaspi). Un train effectuant le parcours de jour permet désormais de jouir du paysage. De Camalig, il vous restera à prendre l'autocar pour parcourir les 15 kilomètres qui séparent le terminus du chemin de fer de Legaspi.

- Il y a une autre ligne qui, celle-ci, dessert Dagupan et San Fernando dans le nord de Luzon en passant par Lingayen et les plages de La Union.

L'autocar

C'est un moyen qui se situe entre l'avion (c'est moins cher) et la jeepney (c'est plus rapide - mais on risque tout autant sa vie). Malheureusement, sur la plupart des lignes, les autocars sont bondés et il est nécessaire de se présenter à l'avance (à Zamboanga, par exemple, il y a autant de passagers sur le toit qu'à l'intérieur). Ce n'est pas le moyen de transport rêvé pour ceux qui voyagent avec des bagages. Il n'y a pas une compagnie nationale, mais une multitude de compagnies privées, ne sachant comment rivaliser entre elles pour attirer les clients. Il n'est pas rare de voir annoncer sur l'autocar "musique stéréo" ou même "musique quadriphonique". On trouve toujours un autocar pour aller là ou l'on veut, et plusieurs fois par jour.

A Luzon, il y a pourtant quelques compagnies importantes qui assurent des liaisons express sur les grandes lignes. Leurs véhicules ont souvent la climatisation et parfois des sièges inclinables. Les prix varient alors en fonction du confort.

Jeepneys et tricycles

Pour parcourir de petites distances, la jeepney est le moyen le moins coûteux et le plus pratique, mais sans doute pas le plus confortable. Ces jeeps sont désormais japonaises, mais on ne les appelle toujours pas "japneys". On trouve ces engins bariolés à tous endroits. Les jeepneys vous mènent partout, mais la plupart du temps, ne partent que lorsqu'elles sont complètes. Il faut cependant ouvrir une parenthèse pour expliquer ce que veut dire le mot complet pour un chauffeur de jeepney. C'est lorsque c'est complet pour un occidental, que l'on commence à remplir une jeepney. Là où nous ferions monter six personnes, les Philippins font monter douze à quatorze personnes, mais aussi leurs bagages, et ils n'ont même pas besoin de chausse-pied. Perdez vos illusions. Ce n'est pas avec une cage à poule sur les bras, les pieds écrasés par un sac de riz et la tête coincée sous un sein volumineux que vous pourrez admirer le paysage.

Les itinéraires des jeepneys sont souvent peints sur leur carrosserie. Les tarifs sont ridicules.

La location de voiture

Il est possible de louer des voitures sans chauffeur, et ceci particulièrement à Manille, Baguio, Cebu et Davao.

Il n'est pas indispensable de faire votre testament avant de souscrire votre contrat de location, car les Philippins ne conduisent pas excessivement vite, mais prenez au moins une bonne assurance. En effet, la langue philippine présente quelques lacunes. Ainsi, "code de la route" n'existe pas, pas plus que "priorité", alors attention aux carrefours...

On est censé conduire à droite, mais cela c'est la théorie. Les plus grands dangers des routes philippines sont constitués par les autocars, qui foncent comme des buffles furieux, ainsi que, la nuit, l'absence de feux de signalisation sur de nombreux véhicules, les animaux errants et les charrettes.

Cela dit, il serait beaucoup plus prudent de louer une voiture avec chauffeur (ce n'est pas beaucoup plus cher). Les chauffeurs des grandes compagnies conduisent bien, et surtout sont habitués aux réactions de leurs compatriotes.

C'est surtout sur l'île de Luzon que vous pourrez apprécier la location de voiture, notamment de jeeps Volkswagen. Pour obtenir des tarifs préférentiels, adressez vous à votre voyagiste local. A Paris, **Car Discount** c/o **Back Roads** (encore lui) s'est fait une spécialité du "Fly and Drive", c'est à dire de la location de voiture (avec ou sans chauffeur), avec ou sans réservation d'hôtels aux étapes (T : 43 22 65 65).

Location d'hélicoptères

C'est un moyen merveilleux pour découvrir les Philippines, mais malheureusement, comme ailleurs, c'est un moyen fort coûteux, et puis dans certaines régions, les hélicos servent de cibles à la guérilla communiste.

Agences de voyages locales

Si vous envisagez de faire organiser votre voyage, il est préférable de consulter un voyagiste spécialisé dans votre pays, tels ceux cités plus haut.

Si néanmoins, vous n'avez pas pris cette précaution, vous avez une chance d'être repêché en faisant appel à **Marsman Tours**. C'est sans doute la meilleure agence du pays. Créée par un Suisse, cette agence a conservé le sérieux et l'honnêteté suisses, alliés à la gentillesse et la serviabilité philippines. De plus, elle dispose de bureaux dans toutes les Philippines, ce qui explique que les principaux voyagistes français, tel Back Roads, l'aient choisie comme correspondant. **Marsman Tours** : Sen. Gil Puyat Avenue (au coin de Washington Street), T : 86 17 91. et 86 17 22.

What is your name ?

C'est la question que vous entendrez 1 001 fois dans la bouche des gamins au sourire en cinémascope. Difficile de ne pas donner son nom, lorsque c'est demandé aussi gentiment, mais dans ce cas, attendez vous à une seconde question : *Where do you come from ?* Cette dernière question de savoir d'où vous venez, n'a rien à voir avec celle que l'on vous posera dans les restaurants : "Are you finish ?" Car il y a très peu de Finlandais aux Philippines.

NOS BONNES ADRESSES

ALAMINOS (Nord-Luzon)

Accès

- De Manille, la compagnie des autocars Pantranco vous emmènera à Alaminos en cinq heures. D'Alaminos, vous rejoindrez Lucap par tricycle.
- De Banaue, il y a également un autocar pour Alaminos, mais mieux vaut faire étape à Baguio.
- De Baguio, plusieurs autocars Pantranco North dans la matinée pour Alaminos, avec changement à Dagupan (4 heures de trajet)..
- De Vigan, plusieurs autocars quotidiens avec changement à Dagupan.

Hôtels

Comme Alaminos est une ville où il fait très chaud, la plupart des voyageurs préfèrent loger à Lucap, le port d'Alaminos (accès par tricycle ou jeepney depuis Alaminos) ou encore sur la plage de Lingayen (voir à ce nom). Attention cependant : Pendant les beaux week-ends, les prix doublent et les chambres sont rares.

A Lucap :

- *Gloria's Cottage** : Le meilleur ensemble de bungalows de Lucap. Certaines chambres avec bain. Toutes ont un ventilateur.
- *Last Resort***, T : 521 40 73. Ensemble de bungalows sur pilotis, certains climatisés. relativement propre.
- *Ocean View Lodge** : Propre et abordable. Il y a même quelques chambres climatisées, mais elles sont nettement plus coûteuses.
- *Park View Lodge** : Même type de confort et prix similaires.
- *Youth Hostel* : On y trouve des dortoirs, mais aussi quelques chambres, dont certaines avec climatisation. Cependant, les prix de ces dernières rejoignent ceux des hôtels pré-cités : Donc pas d'intérêt.

A Alaminos :

- *Alaminos Hotel**, Quezon Avenue, Alaminos. Si vous n'avez pas pu trouver de chambre libre à Lucap, cet hôtel sera sans doute le meilleur choix d'Alaminos. Il est propre et abordable. Quelques chambres climatisées.

BACOLOD (Negros)

Accès

- Par avion quotidien depuis Manille (en une heure) et Cebu (en une demi-heure). **PAL** à Bacolod : T : 83.529.
- Par bateau depuis Iloilo (trois fois par jour en deux heures et demie), Cebu (trois ou quatre fois par semaine en 16 ou 17 heures), Manille (quasiment tous les jours en 19 à 26 heures selon l'itinéraire).
- Par autocar de **Ceres Liner**, quatre fois par jour depuis Dumaguete (313 km en 9 heures).

Hôtels

- *Sugarland***, Araneta Street (route de l'Aéroport), Singiang, T : 24.462 à468. Le meilleur hôtel avec des chambres climatisées et des salles de bain. Restaurant, piscine.
- *Seabreeze***, San Juan Street, T : 24.571. En ville-même, c'est le meilleur, mais il est presque aussi cher que le précédent et pas terriblement propre. Disco.
- *King's Hotel***, San Sebastian St. T : 286 86. Un assez bon choix. Ouvert en 1991, il a l'avantage d'être encore propre et pas trop cher.
- *Bascon**, Gonzaga Street, T : 23.141. Encore convenable, avec lui aussi des chambres climatisées. Assez propre et prix similaires au précédent.

Restaurants

Peu de restaurants notables, si ce n'est l'*Alexander* sur Araneta Street (cuisine internationale) et *Ang Sinugba* sur San Sebastian Street, pour les fruits de mer.

BAGUIO (Luzon. T : 442)

Accès

Par avion :

Depuis Manille plusieurs fois par jour en moins d'une heure. L'aéroport se trouve à 7 kilomètres du centre de Baguio.

Par autocar :

De toutes les principales villes du nord de Luzon, dont :
- De Manille : Départs très fréquents, notamment par Philippine Rabbit depuis Rizal Avenue (5 à 6 heures pour parcourir les 250 km), ou Pantranco depuis Quezon Boulevard. Ces deux compagnies offrent quelques départs en bus climatisés, à des prix légèrement supérieurs.

Lorsque l'avion est annulé, précipitez vous au terminal d'EDSA ; vous y trouverez les autocars de Victory Liner : Départ chaque heure de 5h 30 à 14h.
- De Banaue : Autocars Dangwa vers 7h du matin. 9 à 10 heures de trajet.
- De Bontoc : 4 départs entre 6h et 9h (8 heures de trajet).
- De Sagada, un autocar Dangwa en sept heures et demie.
- De Vigan en 5 heures avec Phil. Rabitt.

Informations

Office de Tourisme : Baguio Tourism Complex, Governor Pack Road. T : 7014 / 5416.

Hôtels

Grâce à l'altitude, Baguio offre l'attrait de ne pas avoir besoin de climatisation pour dormir. Les hôtels corrects sont très nombreux, mais les hôtels de grand confort n'existent plus depuis que le Hyatt a été détruit par un tremblement de terre.
- *Camp John Hay*** (à Paris, T : 43 22 65 65). C'est l'ancienne base de loisirs de l'armée américaine enfin récupérée. Confort correct sans plus et cadre agréable.
- *Burnham***, 21 Calderon Road, T : 2331. Agréable hôtel propre et calme.
- *Vila Rosal Inn***, Magsaysay Avenue, T : 6782. Plus central (face au marché central), mais tout aussi confortable.
- *Park View Inn***, 45 Leonard Wood Rd, T : 4545. Si vous recherchez le calme et ne craignez pas la distance, voici un charmant hôtel, face au Jardin Botanique.
- *Belfranlt***, General Luna Road, T : 5012. En plein centre, peut-être plus confortable, mais aussi moins attrayant.
- *Baguio Village Inn**, Magsaysay Avenue, T : 3901. Un peu excentré, mais encore assez propre et pas trop bruyant.
- *Casa Vallejo*, 111 Session Rd Extension, T : 3045. Charmante demeure avec quelques chambres propres.

Restaurants

Ne cherchez pas de miracles, il n'y en a pas. Contentez vous de petits restaurants sans prétentions comme *Chez Rivière*, *Fernande* ou, si vous préférez de la cuisine locale :
- *Barrio Fiesta* : Cuisine philippine.
- *Don Nenas*, Session Rd : Cuisine espagnole.

Distractions

Outre les inévitables combats de coqs et les "folkhouses", il y a quelques discos.

Lèche-vitrines

Le marché de Marbay abrite de nombreux antiquaires.

BANAUE (Luzon - Ind. tél : 810)

Accès

- De Baguio, deux autocars Dangwa à 6h 45 et 7h 30 (9 à 10 heures de calvaire).
- De Manille, autocar direct quotidien de la compagnie Pantranco, qui passe par Bayombong, c'est à dire la route la plus courte. Compter au moins 8 heures. Départ tôt le matin de la station de Quezon City.
- De Bontoc, Il y a un autocar tous les matins vers 7h 30, qui effectue le trajet en près de trois heures. Encore faut-il réussir à se hisser à bord de ce bus bondé. De nombreux voyageurs préfèrent souvent louer une jeepney, ce qui, tout en n'étant pas d'un grand confort, est loin de ressembler au calvaire de l'autocar.
- En voiture, le circuit classique consiste à effectuer le parcours suivant (ou vice-versa) : Manille - Banaue par Bayombong (en 5 ou 6 heures). Deux nuits à Banaue. Banaue - Bontoc (ou Banaue - Sagada). Une nuit à Bontoc ou Sagada (Sagada mérite même d'avantage de temps) - Bontoc (ou Sagada) - Mont Data (une nuit à Mont Data). Mont Data - Baguio. Une nuit ou plus à Baguio. Si vous conduisez vous-même, soyez prudents, garez vous des autocars et des jeepneys et n'hésitez pas à vous servir de votre klaxon.

Hôtels

- *Banaue Hotel****, T : 4741 (à Paris, T : 43 22 65 65). Géré par le gouvernement, c'est le seul hôtel de bon confort. Oh certes, c'est loin d'être luxueux, mais les 90 chambres sont propres, elles ont une salle de bain, et surtout, la vue sur les rizières est superbe. Restaurant (médiocre), piscine.
- *Youth Hostel*, (même téléphone) : A côté du Banaue Hotel, cette auberge de jeunesse est préférable aux minables hôtels du village, pour ceux dont le budget est limité. Dortoirs avec séparation des sexes. Utilisation gratuite de la piscine du Banaue Hotel.

En cas de besoin, on trouvera plusieurs "lodges" très simples dans le village crasseux de Banaue. Les moins "pis" sont le *Terrace Villa Inn* (avec douche et eau chaude), le *Banaue View* (avec superbe panorama - T : 386 40 78), le *Green View Lodge* et le *Fairview Lodge*. Dans ce même village, on pourra louer des jeepneys à la journée (avec chauffeur).

On mangera presque correctement au *People Restaurant*, mais surtout on y jouira d'une superbe vue (depuis les toilettes...)

BASCO (Batanes)

Accès

Vols PAL depuis Manille trois ou quatre fois par semaine.

Hôtels

La seule adresse à peu près convenable est *Mama Lily's Pension House*.

BATAD (Luzon)

Vue la proximité de Banaue (15 km), il n'est pas nécessaire d'y coucher, mais si l'on veut jouir à 100 % du site, on trouvera quelques pensions des plus simples et à la propreté douteuse.

BATANGAS (Luzon)

Accès

De Manille, les autocars climatisés BLTB partent fréquemment du terminal EDSA à Pasay City, mais si votre destination finale est Mindoro, choisissez un autocar qui vous mène directement à l'embarcadère (*Pier*), cela vous fera gagner du temps. Le trajet s'effectue en deux heures et demie environ, mais attention ! Les pickpockets travaillant sur cette ligne sont réputés dans le monde entier.

Hôtels

La seule raison de coucher à Batangas serait d'avoir manqué le dernier bateau vers Mindoro. rassurez-vous, il y a quelques hôtels corrects.

- *Alpa Hotel***, Kumintang Ibana, T : 2213. Excentré, c'est l'hôtel le plus confortable. Une partie de ses chambres ont la climatisation. Restaurant, piscine, discothèque.

- *Batangas Pensione House*, P. Herera Street, T : 725 37 03. Simple, mais propre et bon marché.

- *Lodging House* : Elle aussi est très propre, mais en plus vous y trouverez de la charmante compagnie (payante hélas). Pour une fois, les miroirs des chambres ont été placés là où on n'a pas osé les installer chez soi.

Sur l'île de Bonito (à une heure de bateau)

- *Bonito Resort**** : Sur 5 hectares, un agréable ensemble de cinq suites en bungalows (dont quatre avec climatisation et douche. Plage et club de plongée.

BENGUET (Nord-Luzon)

Ne soyez pas difficile quant à l'hébergement, car il est assez minable. le moins mauvais est offert par la *Pension Marysol** (T : 8542), où les chambres sont presque propres (certaines ont même la climatisation).

BOAC (Marinduque)

Accès

- Par avion de Manille tous les jours.
- Par bateau une ou deux fois par jour entre Lucena City sur l'île de Luzon et le port de Balanacan, au nord de Boac (4 heures de traversée).

Bateau quotidien de Pinamalayan sur Mindoro jusqu'à Gasan en 3 heures et demie.

Hôtels

Rien de bien fascinant.
- *Boac Hotel**, Neponuceno Street. Chambres à peu près propres, avec ventilateur et salle de bain. Une seule chambre a la climatisation.

Voir aussi à Cawit.

BOLINAO (Nord-Luzon)

Accès

Jeepneys depuis le marché d'Alaminos, ainsi que des autocars de la compagnie Pantranco.

Hôtels

- *A & E Garden Inn* : En bord de mer, un hôtel assez propre de 19 chambres climatisées avec douche.

BONTOC (Luzon)

Accès

- De Baguio, quatre ou cinq autocars **Dangwa** chaque matin parcourent péniblement les 150 kilomètres en près d'une dizaine d'heures. C'est très éprouvant, car les véhicules sont bondés et la suspension nulle. Il y a une seule bonne place, c'est celle du mort... Le retour s'effectue sensiblement aux mêmes heures.

- De Banaue, il y a un bus qui part au minuscule matin (4h ou même 5h, ce n'est même pas le petit matin), puis un autre vers 9h. Le trajet s'effectue en deux à trois heures.

- De Sagada, Au moins deux autocars par jour, ainsi que des jeepneys. Le trajet prend une heure environ.

Hôtels

- *Pines Kitchenette Inn** : C'est le seul hôtel à peu près potable. Il dispose même de quelques chambres avec bain, le grand luxe quoi. Restaurant.

- *Mountain Hotel* : Un récent incendie a tué la plupart des punaises et il est presque acceptable.

- *Happy Home Inn* : Même type de confort. Ce dernier se trouve à côté de la station des autocars.

BORACAY (Panay)

Accès

Par avion :
- De Manille et Cebu, le plus rapide (mais aussi le plus cher) est de prendre les petits avions (de type beechcraft) d'Aerolift ou de Pacific Air, qui atterrissent tous les jours (parfois plusieurs fois par jour) sur la piste de Caticlan, juste en face de l'île de Boracay. Vu la taille des avions, il est nécessaire de réserver vos places longtemps à l'avance et de ne pas oublier de reconfirmer votre retour.

A l'arrivée, vous trouverez des tricycles qui vous emmèneront en trois minutes à l'embarcadère. Là, vous trouverez des bancas à moteur pour vous faire traverser en une vingtaine de minutes (prix fixes) et vous déposer à divers endroits de la grande plage (White Beach). Prévoyez une tenue sport, car il faudra vous mouiller les pieds.

A Boracay, les bureaux d'Aérolift sont situés dans le *Lorenzo Resort*, ceux de Pacific Air, dans la *Dublin Resthouse* (tout à fait au sud de White Beach).

Certaines agences proposent des forfaits incluant transport aérien, transferts et hôtel, c'est le cas notamment à Paris du **Club du Grand Voyageur** (T : 43 22 65 65.).

- De Manille et Cebu, le moins cher est de prendre l'avion de PAL pour Kalibo (PAL est à peu près moitié moins chère que les deux compagnies citées plus haut). Il y a désormais un autocar climatisé qui assure le transfert depuis l'aéroport de Kalibo à Caticlan en 2 heures, mais cela coûte tout de même une bonne vingtaine de dollars aller-retour.

Attention, ici aussi, à la haute saison : Les vols sont presque toujours complets plusieurs jours à l'avance.

On peut aussi atterrir à Iloilo, mais cela représente sept heures de route, via Kalibo pour rejoindre Caticlan.

Par bateau :

- De Manille, le port le plus proche de Boracay est celui de Malay à 7 km de Caticlan. Le *MV Cebu City* de la compagnie William Lines part de Manille le vendredi à 23h et arrive à Malay 13 heures plus tard. Comme le bateau ne peut accoster, vous serez transportés sur le rivage par banca (attention à l'arnaque). De Malay, vous trouverez des jeepneys et des autocars vers Caticlan.

Le Cebu City repart de Malay le lundi à 13h.

- De Manille, le *Guadalupe* de la compagnie Gothong dessert New Washington (à une demi-heure de jeepney de Kalibo et à 3 bonnes heures de Caticlan) les mercredis à midi, pour arriver 20 heures plus tard. Il repart pour Manille le dimanche à 12h.

- De Puerto Princesa sur l'île de Palawan, le *Masbate* de la compagnie William Lines dessert Malay chaque dimanche à 20h pour arriver le lendemain à 11h.

- De Mindoro, c'est déjà plus compliqué. De Puerto Galera, il faut rejoindre Calapan par jeepney, puis Roxas, où l'on trouvera un transbordeur pour Odiongan ou Looc sur l'île de Tablas. Ensuite, il faudra vous rendre à Santa Fe et y trouver une banca (une heure et demie à deux heures de traversée). Signalons toutefois que depuis le *Melco Beach Resort* à Roxas (Mindoro), on peut louer une banca directement pour Boracay, pour 1 000 à 1500 Pesos. Cela dit, le détroit de Tablas est difficile à franchir et les naufrages de bancas n'y sont pas rares, alors n'oubliez pas votre canard gonflable...

Transports sur l'île

Il n'y en a pas... Si ce n'est la possibilité de louer des motos à des prix relativement très élevés, mais il n'y a qu'une seule route (non goudronnée, longue de 3 km qui traverse l'île du nord au sud en passant à 3 ou 400 mètres au large de White Beach. Le long de White Beach, il n'y a qu'un chemin sableux. On peut aussi louer une banca pour faire le tour de l'île, mais c'est assez coûteux, à moins de participer à une excursion en groupe.

Particularités

- Attention ! Il n'y a pas de bureaux de change sur l'île. De plus, les commerçants ont rarement de la monnaie et ne feront pas le moindre geste pour en faire, même au risque de manquer une vente. Amenez donc de très petites coupures.
- Faites un effort pour ne pas tomber malade : Bien qu'il y ait une "medical clinic", elle n'est équipée que pour les petits bobos.
- Il n'y a pas de téléphone sur l'île, mais le *Lorenzo Beach Resort* est relié à Manille par radio-téléphone.
- Il y a un bureau de poste, mais si vous y postez votre courrier, vous risquez de le retouver au même endroit lors de vos prochaines vacances.
- Il y a un poste de police situé derrière le *Palm Beach Club*. Que cela ne vous dispense pas d'être prudents avec vos objets de valeur, surtout dans les bungalows bon marché. Si votre hôtel n'a pas de coffre, vous pouvez vous adresser au *Jolly Sailor Restaurant*, qui loue des coffres à la semaine.

Hôtels

Deux questions se posent : Comment se loger ? Et où se loger ?

Pendant longtemps, Boracay a été réservée aux routards qui se contentaient de bungalows sans le moindre confort, que l'on payait une poignée de pesos. Les temps ont changé. Il y a maintenant un vaste éventail d'hébergement. Les bungalows poussent comme des champignons et l'on a sans doute dépassé le millier de bungalows de tous conforts. Cela va du bungalow sommaire sans douche, ni draps, ni ventilateur à une centaine de pesos, au luxueux bungalow climatisé faisant partie d'un ensemble avec piscine et commodités d'un hôtel de première classe à près de 200 dollars US la nuit, en passant par le bungalow propre avec draps et douche (300 à 500 pesos) ou avec draps, douche et ventilateur (500 à 700 pesos). La climatisation provoque un doublement des prix, car comme il n'y a pas d'électricité sur l'île (ni de téléphone), il faut s'équiper d'un générateur coûteux. A ce propos, si la plupart des hôtels à 300 pesos et plus ont un générateur, renseignez-vous pour savoir les périodes pendant lesquelles vous pourrez avoir de l'électricité (c'est parfois limité entre 18h et 20h pour les plus avares). Et ceux qui n'ont pas de générateur ? Ils ont des lampes à huile bien puantes.

Pour en revenir aux prix, sachez qu'ils peuvent connaître de très fortes fièvres en haute saison et pendant (et autour) le festival d'Ati-Atihan, car malgré le grand nombre de chambres, l'île affiche alors complet, tout particulièrement dans les bungalows les plus confortables.

Il y a trois plages équipées d'hôtels, la principale étant **White Sand Beach**, longue de trois kilomètres. Sur cette dernière on peut distinguer deux, voire trois parties :

- La partie sud de White Sand Beach, c'est-à-dire la plus proche de Caticlan et autour du village de Mangayad : C'est la plus développée. Il n'y a plus un pouce de terrain en bordure de plage qui ne soit construit. Les plantations de cocotiers ont été ravagées, car on avait besoin de bois pour construire les bungalows. Le résultat, c'est qu'il n'y a plus d'ombre sur la plage. C'est le coin que choisiront ceux qui recherchent de l'animation. Il y a de très nombreux restaurants, ainsi que des discos. Lorsque les discos ferment, en milieu de nuit, vous pourrez vous mettre à l'écoute des concerts de "roquets'n roll", vite relayés par le crochet radio des coqs de combat. Le grand calme quoi...

Sur cette partie de la plage, trois hôtels surclassent les autres de façon importante.

- *Paradise Garden**** : A 300 mètres de la plage, c'est l'un des rares ensemble en "dur", mais l'architecture s'inspire toutefois de l'architecture traditionnelle. Les bungalows sont sur deux niveaux et les chambres de l'étage supérieur sont nettement plus agréables (climatisation et ventilateur). Electricité 24 heures sur 24, joli jardin, piscine.

- *Lorenzo South Beach Resort**** (Tel à Paris : 43 22 65 65), A l'extrêmité sud de la plage et au calme, c'est l'un des meilleurs choix, car ici la plage est entretenue et propre. Les confortables bungalows sont désormais climatisés (sauf les 12 bungalows du *Titay South*, qui sont d'un confort standard douche, W.C., ventilateur).

- *Lorenzo Beach Resort****, (Tel à Paris : 43 22 65 65) : Mêmes propriétaires que le précédent, cet ensemble de 32 bungalows est en retrait de la plage. Le confort est standard (douche, W.C., ventilateur), mais le point fort est le jardin, le plus joli de cette plage. Electricité 24 h sur 24. Tous les soirs, dîner-buffet spectacle ; tennis.

Viennent ensuite les bungalows "deux étoiles" (douche, W.C. et parfois ventilateur) :

- *Palm Beach Club*** et *Palm Beach Lanai*** : Propre, mais cher pour ce confort standard (tout particulièrement les chambres climatisées). Fréquenté à 95 % par une clientèle germanique (le patron est allemand lui aussi et ne semble pas apprécier d'autres nationalités).

- *Queens Beach*** : Sans prétention, mais sympathique.

- *Miramar*** : Bon, mais en retrait de la plage.

- *Abrams*** : 18 bons bungalows à 300 mètres de la plage.

- *Paradise Lodge*** : 27 chambres avec électricité 24 h sur 24, moustiquaire et ventilateur.

- *Sunset 3 Beach***.

... Et enfin les bungalows "rustiques" (sans ventilateur, mais avec douche) :

- *Dalisay Paradise Nest**.

- *Holiday Home** : En retrait. C'est propre, mais on y fait l'élevage des coqs (insomniaques)...

- Le centre de White Sand Beach : Nous sommes autour du village de Balibag. L'urbanisation est déjà moins poussée et la végétation déjà plus fournie ; Nous sommes encore relativement près des restaurants de Mangayad :
- *Sand Castle*** : 11 bungalows confortables avec eau chaude ! Restaurant thaï.
- *Cocomangas***. 8 bungalows agréables.
- *Mango Ray** : Très jolie végétation et seulement deux bungalows. Malheureusement pour les couche-tôt, nous sommes tout près de la discothèque *Bazura*.
- *Jony's Place** : 9 bungalows sympas, bien que simples, dans les cocotiers.

- Le nord de White Sand Beach : Il conviendra à ceux qui privilégie le calme et la luxuriance de la végétation. Il y a une dizaine d'années, toute la plage était ainsi. Evidemment, le choix des restaurants et des distractions est nettement plus limité.
- *Costa Hill Resort**** : Pour ceux qui n'aiment pas les bungalows ouverts à tous vents, voici un hôtel en "dur", mais il y a des marches à monter. Sur les 13 chambres, seules les 4 chambres dites de luxe et les deux suites sont très agréables.
- *Terraces***, T : 79.281 à Iloilo. A l'extrêmité nord de la plage, adossés à la colline, deux des 15 bungalows ont une vue superbe sur la plage. Inutile de vous dire qu'il convient de les réserver au moins deux mois à l'avance. Le seul inconvénient : pour l'instant, il n'y a pas du tout d'électricité.
- *Friday's Boracay***** (à Paris, T : 43 22 65 65) : Superbe cadre luxuriant. Les 24 chalets (avec eau potable et douches chaudes) ont du caractère et viennent d'être climatisés, d'où des prix qui ont explosé. Pour les amateurs d'un Boracay confortable, mais calme, c'est sans doute le meilleur choix. Piscine.
- *Pearl of The Orient** : Ces trente bungalows sont chers, car l'entretien est très médiocre.

- Plage de Cagban : Tout à fait au sud de l'île, face à Caticlan, cette plage est occupée par le *Boracay Beach and Yacht Club***, un nom qui n'est pas mérité, puisqu'il n'y a ni yacht, ni club, mais seulement neuf bungalows parmi les plus beaux de l'île (eau chaude et froide). On a eu l'idée saugrenue de n'installer l'électricité que dans la salle de douche (et elle ne fonctionne que de 18 à 19h) !

- Plage de Punta Bung : Au nord de White Sand Beach, avant d'arriver à la plage de Pukai, cette plage est occupée par l'hôtel le plus luxueux de l'île, à ce jour :
- *Club Panoly*****, T : 818.99.85 à Manille (à Paris, **Back Roads**, T : 43 22 65 65). 55 bungalows très confortables (bientôt 110), avec climatisation, eau chaude et froide. 22 d'entre eux, baptisés "de luxe" ont mini-bar et TV. 2 bars, restaurant, cafétéria, piscine, salle de jeux, volley-ball, équitation, sports nautiques. Evidemment les prix des chambres sont élevés, mais aussi ceux des restaurants, et il faut louer un bateau pour aller manger ailleurs...

Restaurants

J'espère que vous n'êtes pas venus à Boracay pour faire une cure de gastronomie philippine, car vous risquez d'être déçus. On n'y trouve pas de bons restaurants philippins. En fait, la plupart des restaurants potables sont tenus par des étrangers, Autrichiens, Allemands, Britanniques etc. Rien de bien fascinant, mais de la variété et des prix très raisonnables.

Quelques restaurants pratiquent le dîner-buffet à des prix très abordables. Celui du *Lorenzo Beach Resort* n'est guère plus fameux que les autres, mais il offre en prime un spectacle folklorique sans prétentions.

- *La Réserve* : Sans doute le meilleur restaurant de Boracay, si j'en juge par le courrier des lecteurs. Son propriétaire, Jean-Bernard Etcheverry, propose toute l'année foie gras, confit de canard, gésiers farcis, caviar, saumon fumé ou langouste, ainsi que de bons vins français...

- *Chez Deparis* : Le plus ancien des restaurants français. Deparis n'a pas la prétention de faire de la haute gastronomie, mais c'est propre et sympathique.

- *Da Baffo :* Italien. le cadre n'est pas génial, mais les pâtes et les pizzas sont les plus mangeables de l'île.

- *English Bakery* : Il y en a maintenant trois éparpillées le long de White Sand Beach, qui sont assez recherchées pour les petits déjeuners.

- *Mezzanine* : Cuisine internationale correcte et bon marché.

Coeurs solitaires

Ce n'est ni Bangkok, ni Manille, mais si vous cherchez une épaule accueillante, fréquentez le *Bazura*, une discothèque située au milieu de White Sand Beach.

BUSUANGA

Hôtels

- *Las Hamacas Resort*, 5317 Salvacion (ou c/o Aerolift 851 Pasay Rd, Makati, Manille, T : 812 67 11). Entre les municipalités de Salvacion et de Old Busuanga, à une soixantaine de l'aéroport, Daniel Prejger, un ancien lecteur des Guides Jika a créé le seul hôtel de villégiature situé sur l'île-même. 13 bungalows avec salle d'eau et électricité. Longue plage de sable blanc.

CAGAYAN DE ORO (Mindanao)

Accès

- Par avions quotidiens de Cebu, Davao et Manille.

- Par bateau depuis Cebu (quasiment tous les jours en une dizaine d'heures), Tagbilaran (une fois par semaine en sept heures), Iloilo (une fois par semaine).
- Par autocar depuis Zamboanga en 13 à 16 heures, et depuis Davao en une dizaine d'heures.

Hôtels

- *Mindanao*****, Chavez Street (au coin de la rue Corrales). Le plus confortable de la ville avec toutes les commodités habituelles de cette catégorie, mais, il faut le reconnaître, aucune personnalité. Restaurant, piscine, sauna.
- *VIP****, Velez Street, T : 3629. Très bon confort standard, mais sans aucune personnalité. Certaines chambres ont TV. et réfrigérateur.
- *Perlas**, General Nicolas Capistrano Street, T : 2136. Une bonne adresse dans les hôtels à prix modérés. Choix entre chambres climatisées ou avec ventilateur et salle d'eau.

Coeurs solitaires

Du temps de Marcos, le Ministère du Tourisme garantissait la bonne santé de sa centaine d'hôtesses. Aujourd'hui, le puritanisme règne.

CAWIT (Marinduque)

- *Seaview Hotel** : A mi-chemin entre la ville et l'aéroport. Assez propre et pas cher.

CEBU (Cebu)

Accès

Par avion
Deuxième ville du pays, Cebu est, comme il se doit, reliée par avion de PAL avec les autres grandes villes comme Manille (plusieurs fois par jour depuis le terminal domestique N°2), Iloilo, Davao, Zamboanga, Cagayan de Oro, Legazpi, Tacloban, Bacolod, Tagbilaran, etc.
- L'aéroport international (où atterrissent les vols domestiques de PAL et d'Aerolift) est situé sur l'île de Mactan, à 16 km de Cebu, soit d'une demi-heure à une heure de taxi du centre ou à 20 minutes des plages de Mactan. On y trouve un bureau d'information de l'office de tourisme et on devrait y trouver prochainement un bureau de change, puisque de plus en plus de vols internationaux doivent y atterrir.
Pour se rendre en ville, il y a abondance de taxis (marchandez), mais aussi le bus Sakyanan, qui, pour une dizaine de pesos, vous

déposera Gorordo Avenue, Osmena Avenue ou à la Fontaine Osmena. On peut enfin louer une limousine, mais le prix en est bien sûr élevé.

- L'ancien aéroport de Lahug, situé aujourd'hui dans un quartier de Cebu, ne reçoit que les vols de Pacific Air, venant notamment de Caticlan (Boracay). l'aterrissage est des plus impressionnants... Par contre, ici, il est plus difficile de trouver un taxi.

Par bateau

Depuis Manille (quasiment tous les jours en 22 heures), Tagbilaran (tous les jours en 4 heures), Dumaguete (tous les jours en six heures), Caminguin (une fois par semaine en une douzaine d'heures), Tacloban (quasiment tous les jours en une douzaine d'heures), Davao (une fois par semaine en 24 heures - en principe le lundi), Dipolog sur Mindanao (quatre ou cinq fois par semaine en une dizaine d'heures), Cagayan de Oro (tous les jours en une douzaine d'heures), Zamboanga (au moins deux fois par semaine en 23 heures), etc. Les fréquences et les liaisons sont donc nombreuses, mais les traversées sont cependant fréquemment annulées ou les horaires bouleversés.

Transports en ville

Si l'on peut apprécier de louer une voiture pour visiter l'île, si l'on ne doit circuler qu'en ville, on préférera se confier à une limousine ou un taxi (les taxis n'ont pas de compteur, mais une course en ville vous coûtera entre 15 et 30 pesos, une cinquantaine pour vous rendre à l'aéroport). Plus aventureux, la jeepney ne coûte qu'un ou deux pesos pour cinq kilomètres. Les tricycles à moteur sont également très bon marché, mais il faut marchander ferme.

Informations

L'office de tourisme est situé dans le Fort San Pedro. T : 965.18/915.03. Il y a également un comptoir à l'aéroport. Dans les hôtels, vous pourrez en principe vous procurer "What's on in Cebu", une revue très pratique et gratuite.

Hôtels

Ou loger ? Loger en ville n'a d'intérêt que pour l'homme d'affaires. Il y a tant d'hôtels agréables en bord de mer, mais il est vrai qu'ils sont à des prix relativement élevés.

En ville :
- *Cebu Plaza*****, Lahug, T : 92.431 à 38 (à Paris, T : 43 22 65 65). Excentré, cet excellent hôtel moderne de 22 étages est destiné aux hommes d'affaires, aux groupes et aux congrès. Avec ses 326 chambres et suites, c'est le plus important hôtel de l'île, le meilleur (tout au moins en attendant l'ouverture du Shangri La) et il jouit d'une

vue imprenable, mais ce n'est pas le rêve pour des vacances. 3 restaurants, bars, la meilleure disco de la ville, casino, tennis, piscine.

- *Montebello Villa****, Banilad, T : 85.021 à 29 (à Paris, T : 43 22 65 65). Egalement loin du centre (mais lorsqu'on connaît Cebu, ce serait plutôt une qualité), c'est par contre l'hôtel le plus agréable de Cebu et notre préféré, car situé dans 5 hectares de verdure. 142 bonnes chambres, 2 restaurants, cafétéria, 2 piscines, 2 tennis.

- *Mercedes****, Pelaez Street, T : 97.631 à 39. Pour celui qui souhaite résider en ville, ce sera sans doute le meilleur choix. Bonnes chambres climatisées avec bain, mais évitez le restaurant.

- *Parkhotel****, Fuente Osmena (à Paris, T : 43 22 65 65). Au coeur de l'action, un bon hôtel moderne, mais un peu bruyant. Sa cafétéria sert de bonnes viennoiseries et glaces.

- *St Moritz****, Gorodo Avenue, T : 74.371 à 74. Face au précédent, donc également bien situé, il offre l'agrément de mini-suites à des prix très abordables.

- *Kan-Irag***, F. Ramos Street, T : 97.611. Plus simple que les précédents, mais correct, propre et calme. Restaurant philippin.

- *Esperanza**, 174 Manilili Street, T : 91.711 à 15. C'est encore un choix possible, mais le tout est tristounet. Certaines chambres ont la climatisation, d'autres un ventilateur.

- *Royal Pension House**, 655 J. Urgello Street, T : 93.890. Ce sera notre dernière bonne adresse, avant de tomber dans les hôtels à propreté parfois douteuse.

Plus tangeants :

- *Acropolis Mansion**, Virama Street.
- *Pacific Tourist Inn*, Manalili Street.
- *Jasmin Pension*, Don Gil Garcia Street.
- *Casa Loreto*, Don Gil Garcia Street.

Sur les plages de l'île de Mactan :

Les atouts de ces plages sont la proximité de l'aéroport et de Cebu et la possibilité de faire une assez bonne plongée. Par contre les défauts sont nombreux : Les plages sont minuscules, voire artificielles, et de corail (donc peu agréables aux pieds). On ne peut se baigner à marée basse. Enfin, à cause de leur proximité, elles sont envahies par les résidents de Cebu, le week-end.

- *Shangri-La*****, Punta Engano Rd, T : 310.288 (à Paris, T : 43 22 65 65). Ouvert au début des années 90, c'est celui qui offre à la fois le meilleur confort et le meilleur service. Situé dans un parc de 13 ha à 7 km de l'aéroport, c'est un beau bloc de béton (il y en a qui aiment) de 350 chambres climatisées avec balcon et vue mer pour la plupart. Restaurants, grande et belle piscine, sports nautiques, putting de golf, tennis.

- *Coral Reef*****, T : 79.203 (à Paris, T : 43 22 65 65). C'est le plus luxueux avec le *Shangri-La*, mais peut-être lui aussi un peu trop aseptisé. Agréablement situé sur une langue de roches, il offre 48 chambres climatisées, avec TV et mini-bar (les chambres "de luxe" ont également un bidet), ainsi que la vue sur la mer ou le jardin.

Plage très agréable et protégée, piscine, grand jardin, putting de golf, sports nautiques, restaurant et bar.

- *Maribago Blue Water Beach*****, T : 83.347 (à Paris, T : 43 22 65 65). Ce bon hôtel jouit lui aussi d'une plage agréable et protégée. 22 jolies chambres climatisées, avec mini-bar, mais avec des salles de douche minuscules. 8 suites très quelconques. 2 restaurants, sports nautiques, jolie piscine, tennis. Prix presque aussi élevés que le précédent.

- *Costa Bella*****, T : 87.475. 100 chambres d'un excellent confort, avec des salles de bain très agréablement décorées. Les "studios-suites" situés face à la mer sont les chambres les plus séduisantes de toute l'île, mais pourquoi laisser transformer la plage en terrain de pique-nique pendant le week-end ? Plage insignifiante, piscine, 2 tennis.

- *Tambuli****, T : 70.200/90.309 (à Paris, T : 43 22 65 65). Le plus vieil hôtel de l'île possède, grâce à son âge, le plus beau parc, avec une végétation abondante, mais en même temps, les chambres les plus vieillotes. Heureusement, on devait construire 200 nouvelles chambres pour 1994. A l'époque de sa construction, les terrains libres ne manquaient pas, alors pourquoi avoir choisi un endroit sans plage ? Accès libre au tennis, à la piscine et à la disco du Cebu Beach Club voisin (même propriétaire).

- *Cebu Beach Club**** (à Paris, T : 43 22 65 65) : A côté du précédent, ses 48 chambres sont beaucoup plus attrayantes, mais l'ambiance de cet hôtel est bien froide et ses clients préfèrent passer leur journée au Tambuli, d'autant que la plage est à peine meilleure. Les prix pratiqués sont par contre ceux d'un "4 étoiles".

- *Hope Maribago Resort***, T : 93.371. 7 chambres correctes et climatisées, mais pas de plage, ce qui est ennuyeux pour un hôtel de plage.

- *Hadsan**, T : 72.679. Vraiment peu attrayant et cher pour ce qu'il offre. Le week-end, c'est un véritable champ de foire, car sa plage devient une plage publique à 10 pesos l'entrée. 40 chambres.

Au sud de Cebu : Il faut aller loin pour trouver des plages attrayantes.

- *Argao Beach Club****, Argao, T : 95.957 (à Paris, T : 43 22 65 65). Nous sommes à 78 km de Cebu, soit 2 heures de voiture, et à 2 heures et demie à 3 heures de l'aéroport. C'est loin, mais le cadre est magnifique, de même que la campagne aux alentours. L'hôtel est situé sur un cap dominant deux petites baies (donc deux plages). Dommage que ses 135 chambres de 1981 aient beaucoup vieilli. Seules, les 35 chambres "supérieures", qui donnent sur la plage, sont à peu près agréables. Restaurant, bar, plongée, piscine, 2 tennis (mais impossible d'y jouer m'écrit un lecteur), terrain de basket (mais pas de ballon), jacuzzi, sauna.

Au nord de Cebu : Pour trouver un hôtel décent, il faut aller presqu'aussi loin qu'au sud :

- *Alegre Beach Resort*****, Calumboyan, Sogod, T : 32-312061 (à Paris, T : 43 22 65 65). Ouvert au début des années 90 à environ 90 mn de Cebu, c'est le plus confortable de cette partie de l'île. Perché sur une petite falaise dominant une belle plage de sable, ses chambres climatisées sont décorées avec goût. Restaurant, piscine, tennis, billard, sports nautiques.

- *Club Pacific****, Sogod, T : 79.147. A 60 km de Cebu, c'est aller bien loin pour trouver une plage sans charme particulier et une architecture pavillonnaire assez peu réussie. Prix assez élevés. Restaurant, bar, plongée.

De l'autre côté de l'île :

- *Badian Island Beach Hotel*****, T : 61.306 à Cebu (A Paris, T : 43 22 65 65). Sans doute l'un des deux ou trois meilleurs hôtels de plage de l'île Cebu, mais malheureusement, cela représente trois bonnes heures de route depuis l'aéroport, puis une petite traversée d'une dizaine de minutes en banca, une bien grande expédition, même si la route n'est pas sans intérêt. Cet hôtel pavillonnaire est construit sur une petite île coralienne de 110 hectares, situé à 100 kilomètres au sud-ouest de Cebu. 40 bungalows non climatisés, mais très agréables, avec terrasse, douche, W.C., bidet, eau chaude et froide. 2 restaurants, 2 bars, piscine, salle de jeux, tennis, volley-ball, belle plage, plongée, windsurf, location de bateaux, excursions organisées.

Restaurants

Fruits de mer :

- *Alavar's Seafood*, Gorordo Avenue, T : 96.120. Bonne adresse, mais assez cher. Fermé le dimanche.
- *Seafood City*, Salinas Drive, Lahug. Ici, vous choisissez votre poisson vivant dans un vivier.
- *Pistahan Seafood*, 329 Gorordo Avenue. Poissons, mais aussi des spécialités philippines comme le *crispy pata*.
- *Light House*, Gen. Maximon Ave (près de Philippines Airlines) : Bons fruits de mer et orchestre.

Cuisine philippine :

- *Golden Cowrie*, La Guardia, Lahug. Bon et pas cher du tout.
- *Maynila*, Nivel Hills, Lahug (face au casino Filipino). Plats locaux.
- *Chika-An Sa Cebu*, Century Plaza Complex, Osmena St. T : 73.943.

Cuisine continentale :

- *Don Sergio's*, Hôtel Cebu Plaza, T : 92.431. Pour l'instant, le seul restaurant huppé de la ville. Bonnes viandes.
- *Amparito's*, Gen. Maxilom Avenue. Cuisine fort convenable.
- *Eddie's Log Cabin*, Briones St, Aduana Port Area. Une institution pour les steaks.
- *King's Tavern*.
- *Swiss Restaurant*, Gen. Maxilom Avenue, T : 52.776. Fondues bourguignonnes et escalopes panées.

Cuisine chinoise :

- *Tung Yan*, Gorordo Avenue (au coin de Arch. Reyes). La cuisine chinoise (de Shanghaï et de Pekin) la plus réputée, mais assez cher.
- *Lee Gardens*, Nivel Hills, Lahug. Cuisine cantonaise et canard de Pekin.

- *Ding How Dim Sum*, Colon Street. Pour des déjeuners bon marché.
- *Talk of the Town*, 117 Gorordo Avenue, Lahug. Plats chinois, mais aussi internationaux.

Cuisine Thaïe :
- *Krungthep*, 3 Kamagong, Lahug. Prix raisonnables.

Cuisine Japonaise :
Il n'en manque pas, car la clientèle japonaise est nombreuse. Citons seulement :
- *Ginza*, Belvic Complex, Gen. Maxilom Avenue.
- *Mikado*, Mango Plaza, Maxilom Avenue.

Soirées

Les meilleures boîtes sont la *Bai* du Cebu Plaza et le *Ball's* (Gen. Maxilom Avenue).
Autre disco : *St Gotthard*, Fulton Street, Lahug. A partir de 20h.

Coeurs solitaires

Si vous êtes difficiles, votre coeur risque de demeurer longtemps solitaire. Si vous savez vous adapter... essayez la *Porto Rico Disco*, vous devriez trouver une âme soeur, mais certainement pas désintéressée.

Shopping

Le *Carbon Market* est le meilleur endroit pour acheter des fruits, mais aussi de la vannerie.
Pour l'artisanat classique voir :
- *Artevalmann Handicraft Market*, Bakilid, Mandaue City (entre Cebu et l'île de Mactan).
- *Cebu Sea Treasures & Gift Shop* : Gorordo Avenue et Buyong Beach, Mactan.

Grands magasins : Bien qu'il n'y ait pas de magasins inoubliables, citons tout de même :
- *Robinson's* : Fuente Osmena.
- *Gaisano Main* : Colon Street.

Adresses utiles

- Aerolift : 5 Gorordo Avenue, T : 72.786. Et au Cebu Plaza. Aéroport, T : 88.100.
- Pacific Air : Aéroport de Lahug, T : 92.854.
- Philippine Airlines : Gen. Maximom Avenue, T : 94.664/79.154.
- Consul honoraire de Belgique : Mr Benedicto, Benedicto and Sons Building, Plaridel St., T76.616/74.251.
- Marsman Travel : T : 52.513.
- Aboitiz Lines : Osmena Blvd, T : 75.440/93.075.
- Escano Lines : Reclamation Area, T : 93.311/62.122.
- Gothong Lines : Reclamation Area, T : 73.107.

- Sulpicio Lines : Reclamation Area, T : 73.839/79.956.
- Sweet Lines : Arellano Blvd, T : 97.415/77.431.
- William Lines : Reclamation Area, T : 92.471/73.619.

CHOCOLATE HILLS (Bohol)

Accès

Autocars réguliers au moins toutes les heures depuis le marché de Tagbilaran. Les Collines de Chocolat sont situées à 54 kilomètres de Tagbilaran, capitale de l'île de Bohol, en direction de Carmen, mais cela prend quatre heures de tape-fesses. On peut aussi louer une voiture avec chauffeur auprès des hôtels.

Hôtels

Il y a une auberge très simple, relativement propre et peu attractive de 8 chambres avec douche et W.C., ainsi que deux dortoirs. Le restaurant adjacent, à la cuisine bien grasse, pratique par contre des prix pour touristes. Piscine peu engageante.

CORON (Busuanga)

Accès

PAL, Aerolift et Pacific Air desservent Coron depuis Manille deux ou trois fois par semaine (70 minutes de vol).

Hôtels

Plutôt que de loger à Coron, on préférera sans doute aller loger sur une plage. Le *Club Paradise**** (à Paris, T : 43 22 65 65) est l'hôtel le plus agréable, car il est situé sur l'île paradisiaque de Dimakaya, à près d'une heure de pumpboat de Coron. 40 bungalows, plage de 750 m de sable blanc, plongée, windsurf, hobbie, piscine d'eau douce, tennis. Séjour en pension complète uniquement.

A Coron même, *Bert Lim Lodging House* a quelques chambres à louer.

DAET (Luzon)

Accès

Daet se trouve sur la ligne des autocars qui relient Manille à Legazpi, à une heure et demie de Naga.

Hôtels

- *Karigalan***, T : 2265. Hôtel correct disposant de quelques chambres climatisées avec bain. Très bon marché.

- *Mines**, T : 2483. Presque propre. Quelques chambres avec la climatisation.

Signalons à proximité de Daet, sur l'île d'Apua, le *Apua Grande Island Resort****, un ensemble très agréable de bungalows. Piscine, tennis, windsurf, hobie-cat, plongée.

DAGUPAN (Luzon)

Accès

Dagupan est un carrefour routier important, ce qui explique les nombreuses liaisons avec le reste de Luzon : Autocars fréquents depuis Manille (en 5 heures), Vigan, Alaminos, Baguio (en deux heures et demie), etc.

Hôtels

La seule justification d'une étape à Dagupan sera d'avoir manqué sa correspondance.
- *Tondaligan Beach House**, T : 2593. Situé à Bonuan en bord de mer et à 3 kilomètres de Dagupan, c'est l'hôtel le plus agréable, car loin du bruit et de la pollution. Un ensemble de bungalows avec climatisation ou ventilateur. Restaurant de fruits de mer.
- *Victoria**, Fernandez Avenue, T : 2081. En ville même, le moins mauvais des hôtels. Chambres propres avec climatisation ou ventilateur.
Il y a enfin une auberge de jeunesse, la *Villa Milagrosa Youth Hostel*, Zamora Street, T : 4658.

DAPITAN (Mindanao)

Accès

Autocars depuis Dipolog (15 km en une demi-heure). Dipolog est relié quotidiennement par avion à Manille, Cebu et Zamboanga.

Hôtels

La raison principale d'un détour par Dapitan sera le séjour au *Dakak Park and Beach Resort***** (T : 721 04 26. à Manille, ou à Paris auprès de **Back Roads**, T : 43 22 65 65). Situé dans la superbe baie de Dapitan, on y accède par vingt minutes d'une très agréable croisière, qui permet justement de découvrir cette baie. Le cadre de Dakak est de toute beauté, au fond d'une petite baie très abritée. La végétation est luxuriante et la plage, longue de 700 mètres, est de sable blanc. 100 très beaux bungalows, avec climatisation (bruyante), salle d'eau, TV ; les plus agréables sont les bungalows dits superdeluxe (une dizaine), qui sont situés en bord de mer, avec comme "plus" un mobilier de bon goût, un mini-bar et un réfrigérateur.

Restaurant (les repas sont très bon marché pour cette catégorie d'hôtels), bar, piscine, un tennis, disco, bowling, billards, jacuzzi, sauna, sports nautiques (plongée, windsurf, hobie-cat).

Et maintenant, le côté négatif : l'eau de la mer, bien que propre, est loin d'être très limpide (visibilité d'un mètre), sauf en juillet et août, qui sont les deux mois les plus recommandés pour venir ici, contrairement à la plus grande partie des Philippines. Enfin, le propriétaire a des projets mégalos du genre Disneyland. Pourvu qu'il ne les réalise pas...

DAVAO (Mindanao)

Accès

- Par avion depuis Manille, Cebu, Iloilo, Cagayan de Oro et Zamboanga.
- Par bateau de la Sweet Lines depuis Zamboanga (une fois par semaine en 20 à 23 heures), Cebu (une fois par semaine en 26 heures).

Hôtels

- *Insular Hotel Davao*****, Lanang, T : 76.051 (à Paris, T : 43 22 65 65). Situé en dehors de la ville, au bord de la mer (mais malheureusement sans plage !), ce luxueux hôtel, qui faisait autrefois partie de la chaîne Inter-Continental, a fait beaucoup pour la promotion de la ville. Le fait est que le site et le jardin sont très beaux. L'hôtel lui-même est confortable, avec 163 chambres et suites, climatisées, mais sans luxe ; quant à l'accueil, il est tout juste passable. 3 restaurants, 2 bars, tennis.

- *Apo View****, J. Camus Street, T : 74.861 (à Paris, T : 43 22 65 65). Dans le centre de Davao (à côté de l'office de tourisme), c'est le meilleur hôtel et il a même une piscine. Mais s'il demeure cher au coeur des touristes solitaires, c'est surtout à cause des charmantes jeunes filles que l'on peut y rencontrer (dommage qu'elles ne soit pas désintéressées). Piscine.

- *Evergreen Hotel****, 59 R. Magsaysay Ave. T : 622.26 : un excellent rapport qualité-prix. Chambres climatisées avec TV et téléphone. Bon restaurant.

- *Al'Jems Hotel***, A Pichon St. : hôtel récent avec chambres climatisées très propres. Restaurant.

- *El Gusto Family Lodge**, A. Pichon Street, T : 638.32. Lui aussi est propre, mais il a même en plus quelques chambres clmatisées.

Sur l'île de Samal : (bateau toutes les 20 mn - 15 à 30 mn de traversée)
- *Pearl Farm Beach Resort**** (à Paris, T : 43 22 65 65) : Charmant ensemble de bungalows en bambou avec climatisation, dont une vingtaine sur pilotis au-dessus de l'eau. 35 chambres et 6 suites. Jolie plage, tennis, piscine, ski nautique, planche à voile, plongée, promenades en mer. Accès en une demi-heure de bateau.

- *Coral Reef Beach Resort** : Au nord de la plage de Paradise Island Beach. Le confort est simple, mais au moins ici, on peut se baigner.

- *Paradise Beach Hotel* : plusieurs bungalows de bambou avec ventilateur et grand lit. Douches et W.C. communs, mais propres. Nombreux moustiques (amener une moustiquaire).

Adresses utiles

D.O.T. : Apo View Hotel, Camus St. T : 64.688.
Philippines Airlines : Magallanes Street, T : 734.74 (ou 789.22 à l'aéroport).
Aboitiz Lines : T : 76.893.
Compania Maritima : T : 75.891.
Sulpicio Lines : T : 78.877.
Sweet Lines : T : 78.923.
William Lines : T : 73.141.

DUMAGUETE (Negros)

Accès

- Vols quotidiens de Manille (en deux heures) et Cebu.
- Par bateau depuis Tagbilaran (chaque samedi en trois heures), Cebu (tous les jours), Manille (les lundis et mercredis en une vingtaine d'heures), Dipolog en 6 heures et demie, Zamboanga (trois fois par semaine en 16 heures environ).
- Plusieurs autocars quotidiens depuis Bacalod (313 km en 9 heures environ).

Hôtels

- *South Sea***, T : 2857. Situé sur la plage de Silliman, ce sera peut-être le meilleur choix, bien que la plage ne soit pas propre (et surtout pas pour nager, ce qui est dommage pour une plage). Vous aurez le choix entre des chambres avec salle de bain et climatisation ou avec ventilateur. Agréable restaurant en plein air. Piscine. Prix excessifs.
- *El Oriente Beach Resort**, Mangnao. En dehors de la ville, mais en bordure de mer. Logement en bungalows. Ici aussi, on a le choix entre la climatisation et le ventilateur.
- *El Oriente**, Real Street, T : 3486. En ville-même. Même propriétaire que le précédent. Chambres propres avec sanitaires complets. Quelques chambres avec climatisation. Le restaurant de cet hôtel est l'un des meilleurs de Dumaguete (bons poissons et steaks), mais tout est relatif.
- *Opena's**, Katada Street, T : 3462. Un peu moins cher que le précédent, mais tout aussi propre et avec le même confort.

Sur la plage de Langmating (à 6 km au nord de Dumaguete) :
- *Sibulan Panorama Haus** : Agréable pension tenue par un Suisse.

A Zamboanguita (à 45 minutes de Dumaguete) :
- *Salawaki Beach Resort**. Agréable établissement balnéaire, bien que sans prétention. Quelques bungalows avec douche. On peut y louer un bateau pour aller sur l'île d'Apo.

Restaurants

Outre le restaurant de l'Oriental Hotel, on peut essayer le *Chin Lun*, sur Rizal Boulevard (cuisine chinoise) et surtout le *143*, sur M.F Pardiess St. (cuisine locale propre et bon marché).

EL NIDO (Palawan)

Accès

Les privilégiés qui logent au El Nido Resort ou au Pangalusian Resort peuvent venir ici en avion-taxi depuis Puerto Princesa ou Manille, puisque El Nido a une piste d'atterrissage (avions de 19 places depuis Manille). Les routards, par contre devront se payer sept heures de *pumpboat* depuis Port Barton, ou un bateau depuis Tabuan et Embarcadero.

Hôtels

- *Ten Knots Resort****, T : 818 26 40 à Manille. (A Paris, s'adresser à **Back Roads**, T : 43 22 65 65). Ce n'est peut-être pas l'hôtel de plage le plus luxueux des Philippines, mais c'est sans doute l'endroit le plus fabuleux pour passer quelques jours de détente ou de plongée (voir aussi troisième partie), encore que la pêche à la dynamite par les pêcheurs locaux esquinte de plus en plus les fonds. Cet ensemble de bungalows géré par des Japonais est situé sur l'île de Miniloc, à 20 mn de banca du village d'El Nido. Le cadre est de toute beauté : l'hôtel est niché sur une jolie plage de sable au pied de falaises de marbre noir entouré d'une eau limpide. Les 22 bungalows ont la ventilation, mais pas la climatisation ; certains sont sur pilotis au-dessus de l'eau. Les sanitaires sont regroupés dans le centre du complexe. Malgré ce mi-confort, les prix sont élevés, mais il faut savoir que tout est inclus : La pension, le bateau et deux plongées par jour (léger supplément pour les plongées de nuit). On peut aussi faire gratuitement du ski nautique, du windsurf, de la voile et de la pêche. Rénové en 1994.
- *Pangasulian Island Resort**** (à Paris, T : 43 22 65 65), Ile de Pangasulian. A 45 mn en banca du village, délicieux et confortable ensemble de bungalows de style local avec terrasse en bordure de plage dans un cadre encore une fois enchanteur. Ces bungalows de 1992 en remplacent d'anciens beaucoup plus simples, mais les prix ont naturellement fait un bond considérable. La plage est longue et belle. Centre de plongée, location de bateaux.
- *Bayview Inn* : A El Nido même, le moins mauvais ensemble de bungalows. Propre et très bon marché.

GENERAL SANTOS CITY (Mindanao)

Accès

- Autocar plusieurs fois par jour depuis Davao (en quatre heures environ).
- Bateau hebdomadaire de Davao en une dizaine d'heures.

Hôtels

- *Oscar Country Inn****, National Highway, T : 2313. En dehors de la ville, mais assez agréable. Chambres climatisées, restaurant.
- *Matutum***, P. Acharon Boulevard, T : 4901. Central, avec confort standard. Certaines chambres ont la climatisation.

GUIMARAS (Panay)

Accès

L'île de Guimaras est accessible par bateau depuis Iloilo (toutes les heures). le principal port de débarquement est Jordan, où l'on trouvera des tricycles à moteur pour circuler dans l'île.

Hôtels

- *Guimaras Hotel and Beach Resort*** : A 2 km à l'ouest de Jordan, c'est l'hôtel le mieux équipé, mais, c'est un comble, il n'a pas de plage. Bungalows corrects avec douche, 2 piscines, disco, windsurf.
- *Nagarao Island Resort*** : Sur la petite île de Nagaro (Réservations auprès du bureau d'Iloilo, 113 Seminario St, Jaro, T : 78.613) : Assez bons bungalows avec douche ; restaurant, windsurf.
- *Isla Naburot Resort***. Sur la petite île de Naburot. Bungalows propres en bord de mer également.

HIDDEN VALLEY (Luzon)

Accès

Hidden Valley est à une heure et demie de Manille par autocar Philtranco ou BLTB (jusqu'à Alaminos, mais attention, ne vous trompez pas, demandez Alaminos, province de Laguna - c'est la ligne de Manille à Naga et à Legaspi). D'Alaminos à Hidden Valley, il vous faudra louer une jeepney, mais c'est souvent l'arnaque.

Hôtels

- *Hidden Valley Resort***, T : 509.903 à Manille. Bungalows agréables, mais relativement chers. Evitez d'y aller en week-end, il y a un monde fou.

HUNDRED ISLANDS (Luzon)

Accès

On y accède par bateau depuis Lucap, le port d'Alaminos (on trouve facilement un tricycle qui vous emmènera d'Alaminos à Lucap). Les prix de la traversée sont affichés, et l'on doit en plus payer un droit d'accès aux îles (symbolique). Evitez de vous y rendre en week-end, c'est aussi fréquenté que le bois de Boulogne (mais sans les Brésiliennes). Emportez votre pique-nique et surtout de quoi boire, car il n'y a rien sur l'archipel.

Hôtels

On ne peut loger sur les îles, sinon sous la tente (et il y fait chaud). Il vous faudra voir à Lucap, à la rigueur à Alaminos ou mieux à Lingayen (voir à Alaminos pour Alaminos et Lucap ; voir aussi plus bas à Lingayen).

ILIGAN (Mindanao)

Accès

- Par avion de la PAL depuis Manille et Cotabato entre autres.
- Par autocar depuis Cagayan de Oro en une heure et demie, mais à l'heure actuelle, cette région n'est guère recommandée.

Hôtels

- *Iligan Village Hotel****, Pala-O, T : 21.752. Excentré, mais c'est l'hôtel le plus agréable. Chambres climatisées, jardin. Prix très raisonnables.

ILOILO (Panay)

Accès

- Par avions quotidiens depuis Manille, Puerto Princesa et Cebu. L'aéroport est situé à 7 km du centre (taxis).
- Par bateau depuis Manille (quasiment tous les jours en plus de 24 heures !), Cebu (au moins une fois par semaine en 16 heures environ), Zamboanga (en 14 heures - fréquences variables), Bacolod (trois à cinq fois par semaine en trois petites heures).

Hôtels

- *Amigo Terrace****, Iznart Street, T : 748.11. Le plus confortable de la ville. Chambres climatisées avec bain et TV. Petite piscine, cafétéria et restaurant chinois.
- *Del Rio****, M.H. Del Pilar Street, T : 755.85. Confort presque aussi bon, piscine, mais nous sommes presque à l'extérieur de la ville (ce qui n'a rien de dramatique si vous avez les moyens de vous offrir un taxi). Piscine, restaurant correct.
- *Casa Plaza***, General Luna Street, T : 734.61. Bon confort, propreté, mais prix un peu élevés pour la catégorie.
- *New River Queen**, Bonifacio Drive, T : 764.43. Un assez bon rapport qualité-prix, mais seulement relativement propre. Choix entre chambres climatisées ou avec ventilateur.
- *Centercon**, J.M. Basa Street, T : 734.31. Ses prix sont sensiblement les mêmes que ceux du précédent, mais tout en étant propre, c'est un moins bon choix.

Restaurants

- *Ang Kamalig*, Delgado Street. Spécialités philippines et prix modérés.

Adresses utiles

Office de Tourisme : Sarabia, General Luna Boulevard. Bureau dans l'aéroport.
Philippines Airlines : T : 735.11.
Negros Shipping Lines : T : 777.41.
Sulpicio Lines : T : 722.02.
Williams Lines : T : 760.66.

IRIGA (Luzon)

Accès

- Avion depuis Manille
- Autocar depuis Manille (en 10 heures), Naga City (en une demi-heure) et Legazpi (en une heure et demie).
- Train depuis Manille en 14 heures.

Hôtels

- *Ibalon***, T : 352/353. Une très bonne surprise. Bonnes chambres climatisées, mais également quelques chambres très simples et propres pour les jeunes au budget serré. Restaurant, disco.

ISABELA (Basilan)

Accès

La capitale de l'île de Basilan est accessible cinq fois par jour par bateau depuis Zamboanga (une heure et demie de traversée).

Hôtels

L'insécurité qui a régné, et qui règne encore parfois, n'a pas encouragé les investisseurs. Le *New Basilan Hotel** est le plus acceptable, mais ses chambres n'ont pas la climatisation.

KALIBO (Negros)

Accès

- Par avion de Manille.
- Autocar depuis les autres villes de l'île, dont Iloilo (en cinq heures), Caticlan (Embarcadère pour Boracay - en deux heures), Roxas en en 3 heures et demie.

Hôtels

Attention ! Lors du festival d'Ati-Atihan, il sera en principe impossible de trouver une chambre ou, si vous en trouvez une, ce sera à un prix astronomique évidemment.
- *Bayani Resort***, Old Busuang. Excentré, mais très convenable, avec climatisation et salles d'eau. Piscine.
- *Glowmoon***, S. Martelino Street : Fort convenable et des prix dans les normes. Climatisation dans certaines chambres.
- *The Green Mansion**, M. Laserna St. T : 22.44. Propre également.

Restaurants

Le meilleur est un chinois, le *Peking House*, Martyrs Street.

LAOAG

Accès

- Avion depuis Manille.
- Autocar toutes les heures depuis Vigan (en deux heures) et Manille (10 heures par Maria de Leon Transportation ou par Phil. Rabbit).

Hôtels

- *Fort Ilocandia Resort*****, Plage de Suba, Calayab, T : 221.167. A l'extérieur de la ville et au sud de l'aéroport, c'est l'hôtel le plus confortable, le plus agréable, mais il est en même temps très cher. 125 chambres climatisées, restaurants, bars, piscine, disco, tennis, windsurf, hobie-cats.
- *Texicano***, Rizal Street. La partie ancienne de cet hôtel est simple, mais très abordable. La partie moderne est beaucoup plus confortable (climatisation), mais un peu plus chère.
- *Pichay Lodging House**, Primo Lazaro Avenue. Très bon marché, mais cependant très propre, avec même quelques chambres climatisées.

LEGASPI (Luzon)

Accès

- Par avion quotidien depuis Manille et Cebu (toutes deux à une cinquantaine de minutes de vol), Masbate (en 40 minutes, deux fois par semaine), Virac (en 35 minutes).
- Par train depuis Manille. C'est surtout pour le folklore, car cela prend l'éternité (pas loin d'une vingtaine d'heures), et en plus le train n'arrive pas jusqu'à Legaspi même, mais s'arrête à Camalig, à 14 km de Legaspi. A la gare de Camalig, les jeepneys vous attendent pour vous transférer dans la capitale de la province.
- Par les autocars Pantranco, Philtranco ou Sarkies depuis Manille (Pantranco South Express Terminal, EDSA à Pasay City). C'est nettement plus rapide que le train (douze à treize heures "seulement" pour parcourir les 544 km). Iriga est à une heure et demie, Naga à deux heures.

Informations

D.O.T. : Rizal Street, T : 2732.

Hôtels

- *La Trinidad****, Rizal Street, T : 2951 à 5. Un bon hôtel en centre-ville, mais on risque d'y attraper une pneumonie, car la climatisation n'est pas réglable. Restaurant, bar, piscine.
- *Legaspi Plaza***, Lapu Lapu Street, T : 3344. Tout nouveau, tout beau. Chambres climatisées ou avec ventilateur. Restaurant et disco.
- *Casablanca***, Penaranda Street, T : 31.30. Dernière bonne adresse. Chambres climatisées.
- *Rex**, Aguinaldo Street, T : 2743. Simple, mais assez propre. Chambres avec ventilateur (certaines avec salle de bain).

- *Tanchuling International House**, T : 2788. Excellent rapport qualité-prix dans la catégorie très économique. On y trouve même quelques chambres climatisées.

Voir aussi à Tiwi.

Restaurants

Mieux vaut faire confiance aux chinois, mais même eux ne sont pas inoubliables. Plusieurs se trouvent sur Peneranda Street.

Signalons quand même pour la curiosité, le *Waway*, qui sert des plats régionaux, comme la saucisse de Bicol.

LINGAYEN (Luzon)

Accès

Autocars depuis Manille, Alaminos et Dagupan.

Hôtels

- *Lingayen Resort***, Capitol Grounds, T : 159. Encore très convenable, bien que sans climatisation.

LUCAP (voir Alaminos)

LUCENA (Luzon)

Accès

Lucena se trouve sur les lignes d'autocars et de chemin de fer de Manille à Legaspi. Le plus court est de prendre l'autocar (à peine quatre heures).

Hôtels

- *Lucena Fresh Air Resort***, T : 712.424. A la sortie de la ville, un assez agréable hôtel avec des chambres de confort divers et à tous les prix.

MAMBAJAO (Caminguin)

Accès

- Avions depuis Cebu.
- Un bateau hebdomadaire depuis Cebu en 14 heures minimum.
- Plusieurs bateaux quotidiens de Balingoan sur Mindanao, mais il accoste à Binone, au sud de Mambajao (environ une heure et demie de traversée).

Hôtels

La capitale de l'île ne dispose dans ses environs que de petites pensions ou bungalows très sommaires, tels les *Tia's Beach Cottages*, à peu près propres.

A Mahinog :
Un peu au sud de la capitale, en face de l'île de Magsaysay, on trouvera le correct ensemble de bungalows *Mychellin Beach Resort** (avec salles d'eau).

A Binone :
Si vous accostez à Binone, vous pourrez loger sur les rives d'un ravissant lagon, au *Travel Lodge Lagoon*, qui possède quelques bungalows simples, mais avec salle d'eau. Rien de luxueux certes, mais il y a même de l'électricité à certaines heures.

MAMBUCAL (Negros)

Accès

Jeepneys depuis Bacalod, située à une heure de route.

Hôtels

- *Mambucal Tourist Inn* : Quelques chambres assez propres avec ventilateur et salle d'eau.
- *Pagoda*. Correct pour le prix, mais douches communes.

MAMBURAO (Mindoro)

Accès

- Avions depuis Manille.
- Bateaux depuis San Jose (en 11 heures), via Sablayan.

- Par jeepney pendant la saison sèche (de décembre à mai). Cela représente 8 heures depuis San José

Hôtels

- *Mamburao Beach Resort****, T : 815 27 33 à Manille : La bonne surprise : A quelques kilomètres de Mamburao-même, un bel ensemble de bungalows confortables en bordure de plage, mais attention aux prix. Windsurf, hobie-cats.

MANILLE (Luzon)

Aéroport

L'aéroport international de Manille porte désormais le nom de Ninoy Aquino, en l'honneur de celui qui fut assassiné sur cet aéroport en 1986. Il est situé à 12 kilomètres de Rizal Park, et sensiblement autant de Makati. Dans le hall d'arrivée, une fois la douane passée, se trouve un bureau de change, qui vous permettra d'avoir un peu de monnaie pour payer votre taxi (les taxis ont rarement de la monnaie). Il y a aussi un petit bureau de l'Office de Tourisme (**DOT**), mais n'en attendez pas trop, si ce n'est une aide pour trouver une chambre (en hôtels 3 ou 4 étoiles et luxe uniquement), ce qui n'est déjà pas mal. Attention, le terminal des lignes domestiques ne se trouve pas au même endroit (un bon kilomètre).

Pour se rendre en ville, le meilleur moyen est de prendre un taxi, car les tarifs sont ridiculement bas, tout au moins si l'on a pris soin de vérifier que le compteur marchait. Si le chauffeur prétend que le compteur ne marche pas, changer de taxi. Ici, ce n'est pas Paris, les taxis ne manquent théoriquement pas.

Si la bagarre avec un taxi ne vous tente pas après une vingtaine d'heures de vol, vous avez deux possibilités :

- Prendre l'une des navettes-bus de l'aéroport qui fait la trournée des hôtels à prix fixe. Cela vous montrera du pays, mais vous n'êtes pas prêt de vous glisser dans vos draps.

Ils opèrent selon trois routes : deux en direction d'Ermita, une en direction de Makati.

- Utiliser les limousines *G & S*. C'est bien, les véhicules sont climatisés, en bon état et leurs chauffeurs parlent bien l'anglais, mais les prix sont exagérés, au moins quatre fois plus chers qu'un taxi, si vous avez su marchander.

Attention ! Au départ vers l'étranger, vous aurez à vous acquitter d'une taxe d'aéroport à payer en pesos (à titre indicatif : 500 P en 1994).

L'aéroport domestique est situé à plus d'un kilomètre de l'international, et il y a en principe des navettes gratuites (adressez-vous au service d'information). Il est composé de deux terminaux, le terminal

MANILLE

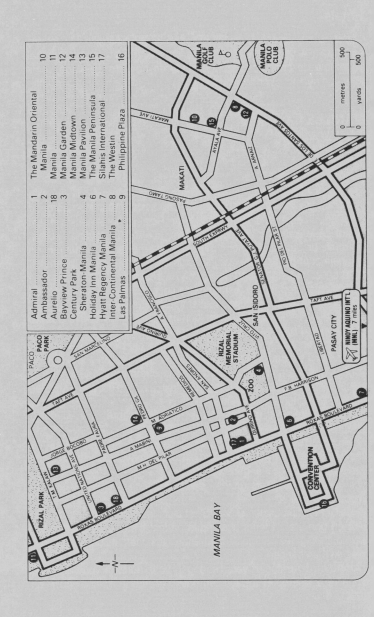

Admiral	1	The Mandarin Oriental	10
Ambassador	2	Manila	11
Aurelio	18	Manila Garden	12
Bayview Prince	3	Manila Midtown	14
Century Park		Manila Pavilion	13
Sheraton-Manila	4	The Manila Peninsula	15
Holiday Inn Manila	6	Silahis International	17
Hyatt Regency Manila	7	The Westin	
Inter-Continental Manila	8	Philippine Plaza	16
Las Palmas	9		

N°2 étant en principe réservé aux vols PAL vers Cebu, le terminal N°1 aux autres vols de PAL. A côté du terminal N°2, se trouvent les hangars des petites compagnies Aerolift et Pacific Air, qui desservent notamment Boracay et Busuanga.

Transports urbains

Taxis

Il y en a quelque 6 000, et il n'est pas trop difficile d'en trouver. Ce sera le meilleur moyen de se déplacer, car ils sont parmi les moins chers d'Asie. Ils sont par contre souvent en mauvais état et assez effrayants par la façon dont ils sont conduits. Ayez de la monnaie, veillez à ce que le compteur fonctionne (de plus en plus rare), sinon descendez (si vous le pouvez) ou fixez le prix de la course à l'amiable, mais avant de démarrer. Il faut compter en moyenne 80 à 100 P entre Intramuros (ou Rizal Park) et l'aéroport, et 50 à 70 P entre Rizal Park et Makati. Cela dit, même en taxi, vous n'échapperez pas aux embouteillages. Aller d'Intramuros ou de Rizal Park à Makati représente de 45 minutes à une heure à n'importe quel moment de la journée.

Les autobus

Il en est de plusieurs sortes. Les moins inconfortables sont les "Love bus", des autobus climatisés de couleur bleue, qui suivent les grands itinéraires, mais dans ces derniers, comme dans n'importe quels transports en commun, faites attention aux pickpockets. Ayez de la petite monnaie, car on ne vous en fera pas. Les prix sont "donnés" dans les bus normaux (de l'ordre du peso pour les quatre premiers kilomètres et 25 cents pour le kilomètre suivant - Les *Love Bus* sont nettement plus chers - une dizaine de pesos).

La plus empruntée de ces lignes par les touristes est celle reliant "Medical Center" à "Escolta-Ayala" (ce sont les terminus qui apparaissent à l'avant du bus). Elle dessert en effet Binondo, Ermita et le centre commercial de Makati. Cela dit de Binondo à Makati, vous mettrez plus d'une heure...

Les jeepneys

Institutions des Philippines, ces jeeps, transformées au goût philippin avec force couleurs, sont assez difficiles à utiliser en ville, sauf pour des parcours très simples. On y est tassé comme des sardines, et la suspension est totalement inexistante. Les prix sont les mêmes que ceux des autobus.

Le métro

Métro est un grand mot. Le **Metrorail** ou **LRT** (*Light Rail Transit*) est une ligne de métro aérien, qui n'existe que sur un seul itinéraire : Il traverse la ville du sud au nord, de Baclaran à Caloocan City en suivant Taft Avenue, puis après avoir traversé la Pasig, en suivant Rizal

Avenue. Peu utilisé par le commun des touristes, ses seuls point
d'intérêt sont les gares des autocars :
Du nord au sud, les principales stations sont :
- North Terminal : Terminal des lignes d'autocars *Victory Liner*
Caloocan.
- R. Papa Station : Terminal des autocars *Philippine Rabbit*
Baliwag Transit.
- Abad Santos : Cimetière chinois.
- Tayuman : Terminal des autocars *Dangwa* et *Farinas Trans.*
- D. Jose : Terminal *Philippine Rabbit* de Santa Cruz.
- Carriedo : Chinatown et le marché de Quiapo sont à un petit kilo
mètre.
- Central Terminal : Terminal d'autocars *Lawton* ; Intramuros et l
grande poste sont à environ un kilomètre.
- United Nations : Rizal Park, Office de Tourisme, hôtel Pavilion.
- Pedro Gil : Bureau des téléphones longues distances.
- EDSA : Terminal des autocars du sud de Luzon (Cars *BLTI*
Philtranco, Victory Liner.
- South Terminal : Marché aux puces et église de Baclaran.

Excursions organisées

Les agences de voyages proposent les excursions suivantes :
- Tour de ville (durée 3 heures).
- Pagsanjan (avec déjeuner et excursion en bateau inclus). Journé
complète.
- Hidden Valley (déjeuner compris).
- Corregidor (durée 6 heures).
- Dîner spectacle.
- Plantation de Villa Escudero avec déjeuner.
- Excursion à Las Pinas et Tagatay (lac Taal - durée 5 heures).

Informations touristiques

Les agences de voyages sont le plus souvent les meilleure
sources d'informations, mais il existe aussi un Ministère du Tourism
(**DOT** pour **Department of Tourism**), dont le siège se trouve Agrifir
Circle, Rizal Park (T : 599.031/ 501.928). Il y a un bureau d'informa
tion au rez-de-chaussée de l'immeuble, qui traite désormais les info
mations sur ordinateur. Il peut donc vous sortir un listing de rense
gnements pratiques sur chaque grande destination touristique. Il e
ouvert 7 jours sur 7 de 8h à 18h. Il y a un autre bureau à l'aéroport
un troisième dans le Nayong Pilipino, mais ces derniers ne jouisser
pas du même équipement.
Il existe enfin un service d'assistance téléphonée aux touriste
(**T.A.U.** pour Tourist Assistance Unit) en appelant le 50 17 28. Ou l
59 90 31.

Hôtels

La fin des années 70 a vu un boom hôtelier exploser dans Manille, et pendant près d'une dizaine d'années, du fait de l'abondance des chambres, Manille était devenue la capitale la moins chère d'Asie. Depuis la fin des années 80, les choses ont changé avec l'amélioration (toute relative) de la situation économique et politique, ce qui explique que le niveau des prix ait remonté de façon significative. Qu'on se rassure, on est encore loin d'atteindre les prix effrayants de Hong Kong, de Séoul ou de Tokyo. Ce sont ces bas prix des hôtels de luxe, qui ont provoqué le désintéressement vis à vis des hôtels standard, et aujourd'hui que les prix remontent, les touristes commencent à souffrir du manque d'hôtels propres à prix modérés.

Il existe de nombreux très bons hôtels, mais la qualité des services n'y est pas toujours en rapport. Ce n'est pourtant pas le problème majeur qui se pose aux voyageurs. Le problème n° 1 est de choisir le quartier où l'on va séjourner. Il y a trois quartiers principaux, auxquels on ajoutera celui de l'aéroport :

- **Makati**. C'est le quartier des affaires. Si vous n'êtes venu que pour faire du tourisme, évitez-le, vous aurez besoin de près de trois quarts d'heure pour vous rendre dans le Manille historique ou sur le bord de mer, car les embouteillages sont sans fin. Par contre, l'homme d'affaires y trouvera la plupart des meilleurs hôtels de la ville.
- **Ermita et Roxas Boulevard** : C'est le quartier préféré des touristes, qui y trouvent des hôtels de bon confort, mais abordables, de même que quelques hôtels de catégories supérieures (dont le plus prestigieux hôtel du pays). Les restaurants, les boîtes, les boutiques ne manquent pas, pas plus que les douces créatures qui épancheront les larmes des coeurs solitaires. Enfin, nous sommes proches de la vieille ville.
- **Binondo et Quiapo** : Ce sont des quartiers forts bruyants, et les hôtels, s'ils sont économiques, n'y sont pas terribles. Par contre, celui qui est venu pour la foule sera servi. De jour, c'est merveilleusement vivant et... fatigant.
- **L'aéroport** : Compte-tenu des embouteillages monstres que connaît Manille, ce sera un bon choix pour un transit entre deux avions, une fois que l'on aura fait un premier séjour dans le centre.

- *Manila Hotel (Luxe)*, Rizal Park, T : 470.011 (à Paris, T : 43 22 65 65). C'est le plus bel hôtel des Philippines (et aussi le plus coûteux). Construit en 1912 par les Américains, le Manila allait devenir en 1935 le quartier général de Mac Arthur. Rénové et agrandi en 1976, il est devenu depuis le lieu de séjour des têtes couronnées et chefs d'Etats d'Eisenhower à Nixon. Tout est remarquable dans cet hôtel. Sa situation d'abord : Il domine la baie d'un côté et la vieille ville de l'autre. Ses parties communes ensuite : Son hall est l'un des plus distingués du monde.

Ses restaurants encore : Le *May-Villa*, avec ses dîners-spectacles traditionnels, est le plus élégant du pays, mais il faut encore mentionner la *Champagne Room* avec ses arbres de cristal ou le *Cowrie Grill*, avec son extraordinaire décoration de coquillages.

Ses chambres enfin, qui allient modernisme et décoration philippine. 570 chambres et suites (dont trois luxueuses suites à plus de

1 000 $ US la nuit, et parmi elles, la suite qu'occupa plusieurs années le général Mac Arthur).

6 restaurants, 2 bars, discothèque, business center, health center, salle de conférence ou de réception pour 1 800 personnes et 8 salles de séminaires. Piscine, tennis.

- *Mandarin Oriental (luxe)*, Makati Avenue, Makati, T : 816 36 01 (à Paris, T : 43 22 65 65). Au coeur du quartier des affaires, voici celui qui convient le mieux au voyageur individuel exigeant. Comme dans les autres maillons de cette prestigieuse chaîne, pas d'immenses volumes où l'on se sent écrasé, mais qui conviennent aux groupes et aux congrès. Ici, c'est l'individu que l'on veut choyer et qui doit trouver tout ce dont il a besoin, sans parcourir des kilomètres de couloirs ou de halls.

431 grandes chambres et 33 suites élégantes (la plus grande, la suite Mandarin, avec piscine intérieure a trouvé un client régulier dans le baron Krupp, qui a fait de Manille sa retraite dorée).

Restaurant français (*l'Hirondelle*), un restaurant international (le *Tivoli* avec de délicieuses pâtisseries et confiseries), caféréria de classe (*The Marquee*), bar. Piscine avec bar, *health club* et *business center*.

- *The Manila Peninsula (Luxe)*, Corner of Makati and Ayala Avenues, Makati, Metro Manila, T : 819 34 56 (à Paris, T : 43 22 65 65). On a préféré donner à ce Peninsula une touche moderne plutôt que rétro comme chez ses cousins de Hong Kong ou de Bangkok. Cela lui a enlevé la chance d'être le meilleur hôtel de Makati, car son hall réfrigère le visiteur. Les chambres sont de bon standing, mais sans luxe d'imagination. Le Peninsula est cependant bien situé, face au centre commercial de Makati. 514 chambres et 21 suites, restaurant suisse (*The Chesa*), restaurant espagnol (*La Bodega*) et grill (*Old Manila*), bar, cafétéria et snack en bordure de la piscine. Business center.

- *Shangri-La (Luxe)*, Ayala Ave. (au coin de Makati Ave.), T : (à Paris, T : 43 22 65 65). Le dernier né des grands palaces, celui-ci est également fort bien situé pour les hommes d'affaires et d'un excellent confort, puisque appartenant à la même chaîne que le célèbre Shangri-La de Singapour. 608 chambres et 94 suites, plusieurs restaurants servant les cuisines internationale, chinoise, thaïe et philippine. Centre d'affaires, salles de congrès jusqu'à 1 750 places, gymnase, piscine, tennis.

- *Inter-Continental (Luxe)*, Makati Commercial Center, Makati, Metro Manila, T : 815 97 11 (à Paris, T : 43 22 65 65). Situé au coeur du centre commercial de Makati, cet hôtel déjà ancien a subi une cure de jouvence dans les années 80. Il était temps. Ses atouts principaux sont sa très agréable piscine et son emplacement.

360 chambres et 56 suites, piscine, deux restaurants et une cafétéria.

- *Silahis International*****, 1990 Roxas Boulevard, T : 573 811 (à Paris, 43 22 65 65). Situé sur le boulevard du bord de mer, pas très loin du centre historique, cet hôtel, outre qu'il offre à ses hôtes de superbes couchers de soleil sur la baie, présente un bon rapport qualité-prix. 600 chambres et suites où l'inspiration traditionnelle philippine est évidente dans la décoration. Les meilleures affaires sont les "Bayview suites", vastes et jouissant de la meilleure vue (évitez toutefois le 18ème étage à cause du bruit de la discothèque). Piscine, business center, restaurant italien, cafétéria, bar, disco (le *Stargazer*, l'une des meilleures de la ville), casino (black jack, baccara), mais son *Play Boy Club* a été fermé. Salles de réunions pour 15 à 500 personnes.

- *Century Park Sheraton*****, Vito Cruz/Adriatico, Malate, T : 522 10 11 (à Paris, T : 43 22 65 65). Un très bon hôtel, situé dans l'un des grands centres commerciaux de la ville à 10 minutes d'Ermita, un quart d'heure de l'aéroport et une demi-heure de Makati. 508 chambres et suites, quatre restaurants (continental, japonais, chinois, cafétéria), bar, dancing, piscine, sauna, gymnase, tennis (en face de l'hôtel dans le Rizal Memorial Complex), business center, salles de réunions pour 500 personnes.

- *Manila Pavilion*****, United Nations Avenue, T : 573.711 (à Paris, T : 43 22 65 65). C'est l'ancien Hilton. Au coeur d'Ermita, cet hôtel a été longtemps le favori des hommes d'affaires, mais aussi des touristes célibataires aisés, à cause de sa situation dans le quartier des restaurants et des boîtes de nuit. Les hommes d'affaires ont tendance à le délaisser désormais, car les embouteillages handicappent chaque année d'avantage ces mêmes hommes d'affaires appelés à travailler à Makati. Pour le touriste aisé, cela demeure par contre un bon choix et un bon rapport qualité-prix. 400 chambres et 26 suites, cinq restaurants (rôtisserie, chinois, japonais, continental, cafétéria), casino, dancing et trois bars. Piscine, sauna, massages. Salles de réunions pour 600 personnes.

- *Holiday Inn*****, 1700 Roxas Boulevard, T : 597.961 (à Paris, T : 43 22 65 65). Lui aussi est situé sur le boulevard du bord de mer. C'est un bel hôtel de 300 chambres et 32 suites, deux restaurants (français et cafétéria), piscine, health club, business center. Tout proche des boîtes de nuit.

- *Philippine Plaza*****, Cultural Center Complex, Roxas Boulevard, T : 832 07 01 (à Paris, T : 43 22 65 65). Situé sur la baie de Manille, le *Westin* de Manille est une usine immense conçue pour les grands congrès et les groupes importants. On y trouve de nombreuses et vastes salles de conférences, des couloirs sans fin que l'on aimerait parcourir en jeepney, mais aucune intimité. Il a pourtant une qualité majeure : Il est le seul hôtel directement en bord de mer, et son jardin et sa superbe piscine sont les plus séduisants de Manille, car ils permettent justement d'oublier que nous sommes dans une ville bruyante et polluée.

Les 673 chambres (dont 53 suites) sont d'un excellent confort et viennent de subir un lifting bienvenu. On trouvera également trois restaurants (continental, fruits de mer, cafétéria), discothèque, bars, health club, gymnase, putting garden, tennis. Et puis, vous y rencontrerez sans doute les seuls portiers déguisés en torreros...

- *Hyatt Regency*****, 2702 Roxas Boulevard, T : 831 26 11 (à Paris, T : 43 22 65 65). Le site est loin d'être parfait, car tout en étant assez proche de l'aéroport (10 mn en taxi), nous sommes quand même à un bon quart d'heure d'Ermita en taxi et à trois quarts d'heure de Makati. C'est pourtant un bon hôtel de taille relativement modeste : 230 chambres et 30 suites, quatre restaurants (japonais, continental, nouvelle cuisine, cafétéria), 2 bars, discothèque, piscine.

- *Philippine Village Hotel*****, Nayong Philippino, Pasay, T : 833 80 81. Situé entre l'aéroport domestique et l'aéroport international, c'est le rêve pour une nuit de transit. Bon confort, restaurants, piscine agréable et navettes avec les aéroports.

- *Ambassador****, 2021 A Mabini Street, Malate, T : 506 011-19 (à Paris, T : 43 22 65 65). Correct hôtel standard pas trop cher et central.

- *Bayview Prince****, Roxas Boulevard, Ermita, T : 503.061. Très bien situé lui aussi, c'est un assez bon hôtel de 297 chambres, mais vous aurez du mal d'y trouver un lit, car il est accaparé par les touristes japonais depuis qu'il est géré par une chaîne nippone.

- *City Garden****, 1158 A Mabini St. Ermita, T : 536.1451 (à Paris, T : 43 22 54 54). Un bon choix, car au coeur d'Ermita (à l'angle de la rue Padre Faura). 42 chambres et 42 suites confortables et propres. Cafétéria.

Autres hôtels standard (climatisation, salles de bain, propreté, mais aussi bruit) :

- *Admiral****, 2138 Roxas Boulevard, Malate, T : 572.081-94.

- *Sundowner***, 1430 A Mabini Street, Ermita, T : 521 27 51. Prix élevés pour le standard. Salle à manger frigorifique.

- *Aurelio***, Roxas Boulevard (coin de Padre Faura), T : 50 90 61. Récemment rénové. Chambres avec ventilateur ou climatisation. Piscine, restaurant.

Viennent enfin quelques pensions correctes dans le quartier d'Ermita et qui seront les meilleurs choix pour les petits budgets.

- *Kanumayan Inn**, 2317 Leon Guinto St. Malate, T : 57 36 60. L'un des meilleurs choix. Les chambres sont propres, ont la TV et la climatisation, et surtout, il y a une piscine (mais hélas pas très propre).

- *Majestic Apartments**, 1038 Roxas Boulevard, T : 507.606. Bien situé à l'angle de United Nations Avenue, une bonne adresse dirigée par un Français. Studios et appartements équipés.

- *Hotel Sorriente**, 545 A. Flores (coin de J. Bocobo), T : 59 91 06. Rue calme. Chambres climatisées et propres avec salle de bain. Cafétéria ; prix modérés.

- *Malate Pensionne*, 1771 Adriatico St. Malate, T : 58 54 89. Central, chambres climatisées ou non et avec bain ou non. Cafétéria, jardin.

- *La Soledad Pension House**, 1529 Mabini Street, T : 500.706. Quelques chambres climatisées et propres.

- *The White House Tourist Inn**, 465 Pedro Gil, T : 521 94 44. Propre et agréable, mais bruyant.

- *Pensione Adriatico**, 1723 Adriatico Street, T : 581.118. Encore un bon choix, mais plus calme que le précédent. Climatisation dans certaines chambres.

Restaurants

Cuisine philippine

Il existe à Manille une dizaine de restaurants philippins qui méritent la visite. Ici enfin, vous pourrez faire connaissance avec la vraie cuisine bourgeoise des Philippines.

- *Josephine*, Roxas Boulevard, T : 591.550. Très bonne table et prix modérés. Spécialités de poissons et de *Lechon de leche*.

- *Ang Bisro sa Remedios*, 1903 M. Adriatico Street, Malate, T : 521 80 97. Plus populaire, avec comme spécialités les *Pancit molo* à la façon d'Iloilo, ainsi que le *Kamansing Bukid*. Modéré.

- *Maynilia*, Manila Hotel, T : 470.011. Chic et cher, mais le cadre est exceptionnel. Spécialités d'*Asadong Sugpo sa Labong* (des crevettes royales pochées servie avec une sauce d'huitres), de *Sinabawang Laman ng Dagat* (bouillabaisse philippine), d'*Adobong Sugpo sa Gata* (grosses crevettes dans une crème de coco), de *Lomo Basilan* (steak farci à la chair de langouste)...

- *Kamayan*, 47 Pasay Road, Makati, T : 815 14 63. (Autre restaurant à Ermita). On y mange avec les doigts, mais cela ne veut pas dire qu'on y mange mal, au contraire. Spécialités de *Lechon de Leche*, de ragoût de fruits de mer épicés et d'*Asadong Alimango* (crabes femelles cuites dans leur graisse - Attention, s'il est en principe aisé de reconnaître un crabe femelle, on se méfiera tout de même des travelos). Modéré.

- *Kusina ni Maria*, 108 Jupiter Street, Bel Air II, Makati, T : 817 07 54. F. lundi et jeudi. Spécialités d'*Asadong Curacha* (crabe en sauce), de *Kinunot na Pagi* (petite raie dans de la crème de noix de coco), de poisson (le *blue marlin*) et de *Kare kare*. Modéré.

- *Nielson Tower*, Ayala Triangle, Makati Avenue, Makati, T : 817 11 80. Spécialités philippines et espagnoles. *Baluts*, Ventres de *Bangus*, Langue braisée, et crevettes piquantes. Modéré.

- *Pinausukan*, 1207 Maria Orosa St., Ermita, T : 583.555. *Lechon de leche, Sinigang na Ulo ng Isda*. Bon marché.

- *Barrio Fiesta*, Buendia Avenue, ainsi qu'à Ermita : Chaîne de restaurants typiques d'une assez bonne qualité et à prix modérés. *Crispy Pata, Kare-kare, Inihaw na Bangus*.

Cuisine chinoise

Les restaurants chinois ne manquent pas, mais les meilleurs se trouvent souvent dans les grands hôtels.

- *East Ocean*, Greenhills Shopping Center, San Juan, T : 722 28 53 et dans l'hôtel Sheraton. Bonne cuisine cantonaise. Spécialité de pigeon rôti, lapu-lapu poché et crabe frit. Modéré à cher.

- *Gloriamaris*, CCP Complex (à côté de l'hôtel Philippine Plaza. Cuisine cantonaise. Cher.

- *Peacock*, Century Park Sheraton Hotel, Vito Cruz, T : 582.228. Cuisine cantonaise et canard de Pékin. Très modéré.

- *Lotus Garden*, Manila Midtown Hotel, Pedro Gil Street (au coin d'Adriatico), T : 573.911. Déjeuners de *dim sums* à prix très modérés. Soupes aux nids d'hirondelles et canard de Pékin.

- *North Sea Fishing Village*, 3 Crossroad Arcade, San Juan, T : 721 67 22. Bons poissons à la cantonaise. Modéré à cher.

- *South Villa*, Greenhills Shopping Arcade, San Juan, T : 721 04 96. Spécialités cantonaises. Bon et modéré.

- *Szechuan House*, Aloha Hotel, 2150 Roxas Boulevard, T : 599.061. Cuisine épicée. Modéré.

- *Jade Garden*, Makati Commercial Center, Makati, T : 850.409.

Cuisine cantonaise, mais aussi canard de Pékin. Modéré.

- *Toh Yuen*, Manila Pavilion Hotel, U.N. Avenue, Ermita, T : 573.711. Spécialités de différentes provinces chinoises. Modéré. F. dimanche.

- *Emerald Garden*, 1170 Roxas Boulevard, T : 599.821. Cuisine de Taïwan et poissons. Modéré.

- *Luk Yuen*, Makati Commercial Center, Makati, T : 876.982. *Dim sums* le midi. Bon marché.

Fruits de mer

- *Bahia*, Hôtel Inter-Continental, Makati, T : 815 97 11. Buffets bon marché pour le déjeuner. Modéré le soir.

- *Nandau*, Greenbelt Park, Legaspi St, Makati, T : 816 06 21. Spécialité de *blue Marlin*, crabes et coquillages. Modéré.

- *Pier 7*, Hôtel Philippine Plaza, T : 832 07 01. Poissons frais, mais aussi de bons steaks. Cher.

- *Via Mare*, Greenbelt Square, Paseo de Roxas, Makati, T : 852.746. Poissons frais, prix modérés.

- *Seafood Market*, 1190 Jorge Bacobo Street, Ermita, T : 505.761. Ainsi que : 7829 Makati Avenue, Makati, T : 862.107.

- *Island Fisherman*, Romero Salas. Dernier né des bons restaurants de poisson.

Cuisine espagnole

- *El Comedor*, 1555 M. Adriatico Street (au coin de Herran Street), T : 502.828. Spécialités de porcelet rôti (*Cochinillo Asado*), d'agneau rôti, de paella et de plateaux de poissons grillés. Modéré.

- *Illustrado*, Intramuros. Bonne cuisine dans une veille maison espagnole. Modéré.

- *Ninay Pacita*, 826 Pasay Rd, Makati, T : 816 38 52. Spécialités espagnoles et philippines : Porcelet rôti, paella, *Bangus a la pobre* et *pancit molo*.

- *Muralla*, Plaza San Luis Complex, Gen. Luna, Intramuros, T : 496.381.

- *Patio Guernica*, 1856 Jorge Bocobo Street, Remedios Circle, Malate, T : 581.228. Paella, *Lengua* et *Callos*. Modéré.

Cuisine française

Les bons restaurants français ne faillissent pas à leur réputation : Ils sont chers.

- *L'Hirondelle*, Hôtel Mandarin Oriental, Makati, T : 816 36 01. Le meilleur de Manille. Nouvelle cuisine. Cher.

- *Champagne Room*, Hôtel Manila, T : 470.011. Chic et cher : Le *nec plus ultra* de la cuisine traditionnelle. Le midi, pourtant, le buffet est une excellente affaire. F. le samedi midi et le dimanche soir.

- *Le Soufflé*, Greenbelt Square, Makati. Dernier né des bons français. Cher.

- *Le Cheval Blanc*, Hôtel Shangri-La. Bonne table. Cher.

- *Prince Albert*, Hôtel Inter-Continental, T : 815 07 11. Nouvelle cuisine. F. les samedis et dimanches midi. Cher.
- *VIP Room*, Play Boy Club, hôtel Silahis, T : 573.811. Plats originaux. Cher. F. le dimanche.
- *The Chesa*, Manila Peninsula Hotel, T : 819 34 56. Cuisine franco-suisse. Spécialités de fondues et d'escalopes. Modéré à cher.

Cuisine italienne
- *Roma*, Hôtel Manila, T : 470.011. Le plus coûteux. Cuisine du Nord très élaborée. Modéré à cher. F. le dimanche soir et le midi pendant le week-end.
- *La Primavera*, Greenbelt Drive, Legaspi Village, (au coin de Legaspi Street), Makati, T : 818 19 42. Bonne cuisine de l'Italie du nord. Modéré.
- *Capriccio*, Hôtel Silahis International, Roxas Boulevard, T : 573.811. Spécialités de veau et de pâtes, mais il y a aussi de bonnes pizzas. Modéré à cher.
- *Prego Trattoria*, 1900 M. Adriatico, Remedios Circle, Malate, T : 521 66 82.
- *Di Mark's Pizzeria*, 7841, Makati Avenue, Makati, T : 818 88 68. Pizzas correctes. Bon marché.

Cuisine japonaise
- *Aoi*, Hôtel Century Park Sheraton, T : 506.041. Excellent *Tappanyakis* et *Nabemonos*. Modéré à cher.
- *Benkay*, Hôtel Nikko Manila Garden, Makati, T : 810 41 01. Excellent, mais très cher. *Sushi, Sashimi, Sukiyaki, Tempura* et *Shabu-shabu*.
- *Gojinka*, Hotel Manila Garden, T : 857.911. Spécialités de poissons à la japonaise. Modéré à cher.
- *Sugi*, Greenbelt Shopping Arcade, Makati, T : 816 38 86. Carte intéressante et variée. Modéré.
- *Furosato*, 1712 Roxas Boulevard, Pasay, T : 582.358. Modéré.

Steaks et grillades
- *Pier 7*, Hôtel Philippine Plaza, T : 832 07 01. Excellent, mais cher.
- *Las Conchas*, 626 Makati Avenue, Makati, T : 880.444. Portions à l'américaine. Modéré. F. dimanches et jours fériés.
- *Steak Town*, 7840 Makati Avenue, T : 866.267.

Cuisine internationale
Signalons d'abord les buffets offerts par la plupart des grands hôtels le midi, et parfois aussi le soir. Ce sont généralement de très bonnes affaires. Pour le soir, si vous préférez plus élaboré :
- *Abelardo's*, hôtel Philippine Plaza, T : 832 07 01. Poissons, viande de boeuf importée, canard et soufflés. Très cher.
- *Baron's Table*, Hôtel Holiday Inn, T : 597.962. Cuisine américaine.

- *Bistro Burgos*, 5007 P. Burgos St. Makati, T : 880.411. Plats philip-pins et internationaux. Cher. F. le dimanche midi.
- *Cowrie Grill*, Hôtel Manila, T : 470.011. Spécialités internationales. Très cher. F. le dimanche midi.
- *Rotisserie*, Hôtel Pavilion, T : 573.711. Idem.
- *Sud*, Hôtel Century Park Sheraton, T : 501.21. Cuisine américaine, mais aussi de la Bouillabaisse et des escargots. Modéré à cher. F. le dimanche.

Cuisine thaïe
- *Flavour and Spices*, Garden Square, Greenbelt, Makati, T : 818 02 60.
- *The Thaï Room*, Makati Creekside, Amorsolo Street, Legaspi Village, Makati, T : 818 61 33.

Cuisine indienne
- *Kashmir*, 7844 Makati Avenue, Makati, T : 816 01 03. La meilleure cuisine d'Inde du Nord. Modéré.

Fast Food
Que les G.I.'s se rassurent, ils trouveront abondance de Mac Donald, Kentucky Fried Chicken, Pizza Hut et autres anti-diététiques.

Soirées

Discothèques
Les meilleures sont dans les grands hôtels.
- *Stargazer*, Hôtel Silahis International : La plus cotée.
- *Euphoria*, Hôtel Inter-Continental. La plus chic.
- *Tipanan*, Hôtel Manila Peninsula, Makati.
- *Lost Horizon*, Hôtel Philippine Plaza.
- *Coco Banana*, 619 Remedios Street, Malate. Plus interlope. Ici, c'est une institution. Autrefois c'était le rendez-vous exclusif des homosexuels, maintenant tout le monde s'y retrouve (ou au moins essaye de s'y retrouver).

Bars et night-clubs
- *Hard Rock Cafe*, 1786 M. Adriatico Street, Remedios Circle. Petit frère des Hard Rock Cafés californiens.
- *Firehouse*, International Food Center (derrière le Holiday Inn). Le bar le plus célèbre (musique).
- *Bistro RJ*, Olympia Bldg, Makati Avenue, Makati : Bonne musique et rocks des années 60.
- *Jazz Rythm*, Jupiter Street, Bel-Air II, Makati.
- *Cafe Adriatico*, Sunvar Plaza, Makati.
- *Birdland*. 302 Tomas Morato Street, Quezon City. Le meilleur jazz de la ville, mais c'est loin du centre.
- *Calesa Bar*, Hôtel Hyatt Regency. Jazz.

Pubs

Il y en a une forte concentration sur la rue M. H. del Pilar, tels le *Silver Bar* ou *Guernica* (qui fait aussi restaurant espagnol), ainsi que sur Mabini Street. On peut y manger et écouter de la musique.

- *My Father's Moustache*, Del Pilar St. Malate : Musique country.

- *Hobbit House*, Mabini Street, Malate : Ensembles philippins assez bons.

Spectacles folkloriques

- Le *CCP* n'a rien d'un compte-chèque postal. C'est le *Cultural Center of the Philippines* (en face du Philippine Plaza Hotel). Il présente régulièrement de bons spectacles de tous genres, des variétés au classique.

- *Kayumanggi Restaurant*, Pistang Pilipino Complex, Mabini St. Ermita. Dîners-spectacles de bonne qualité.

- Le *Pistahan* est le restaurant-spectacle de l'hôtel Westin Philippine Plaza. Il présente chaque soir de bons ensembles folkloriques.

- *Zamboanga Restaurant*, Adriatico Street à Malate offre d'intéressants dîners de fruits de mer et des danses folkloriques.

- Le restaurant *Maynila* de l'hôtel Manila a également des spectacles de qualité tous les soirs sauf le dimanche.

Casinos

Bien que par souci de morale, le maire de Manille tente périodiquement d'interdire les casinos dans sa ville, La raison économique l'emporte régulièrement, et les casinos du Silahis Hotel et du Manila Pavilion ont encore, en principe, de beaux jours devant eux.

Coeurs solitaires

Il n'y a aucune raison que votre coeur souffre très longtemps, il suffit que vous ne soyez pas trop romantique et que vous ayez prévu suffisamment de dollars. Par souci de morale, les autorités ont fermé les boîtes d'Ermita. Cela a obligé ces dernières à aller rouvrir un kilomètre plus loin, autour de l'International Food Center situé derrière le Holiday Inn, mais la morale est sauve... Le touriste pressé fréquentera des clubs comme *Firehouse*, *Faces* ou *Mars* de ce nouveau quartier chaud, mais il ne sortira jamais sans son imperméable. Pour le cas où il l'oublierait, je lui signale la Manila Health and Hygienic Center, situé fort à propos dans ce même quartier (T : 521 6603), mais il ne soigne pas le SIDA.

Adresses utiles

Poste

La poste principale ou GPO (Manila Centre Post Office) se trouve près de Rizal Park, Liwasan Bonifacio. C'est là que se trouve la poste restante.

Il existe plusieurs autres bureaux, dont les plus utilisés par les touristes sont ceux de Mabini Street, Rizal Park (près de l'hôtel Manila) et celui de l'aéroport international (hall des arrivées).

Ambassades

- France : 16ème étage, Pacific Star Building, Makati Avenue (au coin de Sen. Gil Puyat Ave, Makati, T : 810 19 81.
Attaché commercial de l'Ambassade de France : Asian Reinsurance Building, Makati, T : 810 76 51.
- Belgique : Don Jacinto Bldg, De La Rosa St. Legaspi Village, Makati, T : 87 65 71.
- Canada : 9ème étage, Alied Bank Center, 6754 Ayala Avenue, Makati, T : 815 95 36.
- Corée : 140 Alfaro St, Salcedo Village, Makati, T : 817 57 05.
- Indonésie : Salcedo St., Legaspi Village, Makati, T : 85 50 61.
- Japon : 375 Sen. Gil Puyat Ave. T : 818 90 11.
- Malaysia : 107 Tordesillas St. Salcedo Village, Makati, T : 817 45 81.
- Singapour : 219 Salcedo St. Legaspi Village, Makati, T : 816 17 64.
- Suisse : 777 Paseo de Roxas, Makati, T : 819 02 02.
- Thaïlande : 107 Rada St. Legaspi Village, Makati, T : 815 42 19.

Organisations et firmes françaises

Alliance Française : Allied Bank Building, 315 Gil Puyat Avenue, Makati.
Ecole Française de Manille : 15 Hernandez Street, San Lorenzo Village, Makati.
Chambre de Commerce européenne : Electric House, Makati, T : 85 47 47.
Banque Indosuez : Corinthian Plaza, Paseo de Roxas/Legaspi Street, Makati, T : 810 42 91.
Société Générale : Même adresse.

Compagnies aériennes

Aerolift : 851 Pasay Rd, Makati, T : 817 23 61/817 23 69.
Pacific Air : Aéroport Domestique, T : 832 27 31.
Philippines Airlines : PAL Bldg, Legaspi Street, Makati, T : 816 66 91. Autre bureau important, Roxas Blvd, près de l'hôtel Silahis. Comptoirs dans les hôtels Manila et Inter-Continental.

Divers

Bureaux de l'Immigration : Magallanes Drive, Intramuros.
American Express : Corinthian Plaza, Roxas Boulevard, T : 818 67 31.

Shopping

Le shopping est peut-être la principale des activités auxquelles se livrent les touristes de passage, et il faut dire, que sur ce plan là,

Manille est bien équipée. Il existe en effet d'immenses centres commerciaux, mais il ne faudrait pas négliger pour autant les forums traditionnels, même si les objets qu'on y trouve sont destinés d'avantage à la consommation locale.

Centre commerciaux

- *Makati Shopping Center* : A Makati, c'est peut-être le plus complet et le plus adapté à la clientèle touristique. On y trouve aussi une importante boutique hors taxes (présenter son passeport) et quelques bons restaurants.
- *Harrison Plaza Shopping Center*, Harrison Street, Malate. A côté de l'hôtel Sheraton. C'est le meilleur centre commercial proche d'Ermita.
- *Greenhills* : A San Juan a quelques bonnes boutiques, et surtout d'excellents restaurants.
- *Philippine Center for International Trade* (ou Philtrade) : Roxas Boulevard. Produits de l'artisanat de luxe.
- *Araneta Center* : EDSA (au coin de Aurora Boulevard à Cubao). L'un des plus importants avec plus de 200 boutiques.

Marchés

Soyez très vigilants vis-à-vis des pickpockets.
- *Pistang Pilipino*, A. Mabini St. Ermita. Le principal marché d'artisanat.
- *San Andres Market*, San Andres Street, Malate. Bon marché pour les fruits et légumes. Ouvert 24 heures sur 24.
- *Quiapo Market*, Quezon Bridge. Egalement appelé le Quinta Market, c'est un bon endroit pour acheter de l'artisanat populaire bon marché.
- *Divisoria Market* : Santo Cristo Street, San Nicolas.
- Marché aux puces de Baclaran : Roxas Boulevard. Les meilleurs jours sont le mercredi et le dimanche.
- *Central Market* : Quezon Boulevard, Santa Cruz. Produits populaires.

Boutiques spécialisées

- *National Bookstore* : 701 Rizal Avenue, Santa Cruz. La plus importante librairie de la ville, mais pour trouver des livres sur la culture des Philippines, aussi bien que des romans en anglais, mieux vaut visiter sa succursale située dans le Makati Shopping Center.
- *Alemar's* : United Nations Avenue, Ermita. Petite librairie assez bien documentée.

Sports

Golf

Le golf le plus central est celui de Fort Bonifacio (Intramuros). T : 819 06 41.

La banlieue de Manille compte plusieurs beaux golfs, dont certains sont ouverts aux étrangers :

- Le Canlubang Golf and Country Club à Laguna, à trois quarts d'heure de Makati (T : 883.402) a mis au point des forfaits journaliers pour les visiteurs.

Tennis

Outre dans certains hôtels de luxe possèdant des courts (voir plus haut), on peut jouer au *Makati Sports Club* (Salcedo Vilage, Makati, T : 817 87 31) : 6 tennis, squash, mais il faut être patronné.

Le Rizal Memorial Sports Complex, Vito Cruz St, a des courts publics.

Natation

La plupart des hôtels de catégories supérieures possèdent une piscine.

Partir de Manille

Par autocar :

Comme on peut s'y attendre, c'est de Manille que rayonnent les grandes lignes d'autocars appartenant à quelques grandes compagnies et desservant tout Luzon :

- **Dagupan Bus** dessert Dagupan, Lingayen et Alaminos près des 100 Iles. Terminal : New York Street à Quezon City ; T : 976.123.

- **Dangwa Tranco** dessert Baguio et Banaue depuis le 1600 Dimasalang Street à Sampaloc. T : 731 28 59. (Métro Tayuman).

- **Pantranco North Express** dessert essentiellement Alaminos, Baguio et Banaue. Le terminal se trouve 325 Quezon Avenue à Quezon City. T : 99 70 90/95 10 81.

- **Pantranco South Express** (ou Philtranco) dessert Legaspi et Sorsogon. Le terminal se trouve sur E. de Los Santos Avenue (ou EDSA) à Pasay City. On y accède par le Metrorail (station EDSA). T : 833 50 61.

- **Philippine Rabbit Lines** dessert San Fernando, Vigan, La Union et Baguio. Le terminal se trouve au 819 Oroquieta à Santa Cruz (mais l'entrée se fait par l'avenue Rizal). T : 711 58 11/58 19. Il est desservi par le Métrorail (station D. Jose).

- **BLTB** dessert Batangas. Son terminal est le même que Pantranco (Metrorail EDSA). T : 833 53 01. Il utilise aussi le nouveau terminal Liwasang Bonifacio ou Lawton Terminal, situé près de l'hôtel de ville.

- **Victory Liner** dessert Baguio, Olongapo et Zambales depuis le terminal EDSA (Metrorail EDSA). T : 833 50 19.

- **Farinas Trans** dessert Vigan et Laoag depuis M. De la Fuente Street (au coin de Laong Laan St.) à Sampaloc. T : 731 45 07. (Métro Tayuman).

- **Maria de Leon** dessert Vigan et Laoag depuis l'angle de Gelino Street et Dapitan Street à Sampaloc (Métrorail Bambang).

Par train :

La seule ligne de quelque intérêt est celle desservant Camalig, un peu avant Legazpi, à la pointe sud-est de Luzon. La gare (Tutuban) est située à Binondo.

Par bateau

Vers les autres îles, les bateaux partent pour la plupart du North Harbor àTondo, juste au nord de l'embouchure de la Pasig. Le calendrier des départs paraît chaque jour dans *The Manila Bulletin*. Les agences de voyages sont le plus souvent à même de vous vendre les tickets sur les principales lignes. Voici néanmoins l'adresse des principales compagnies :

- **Aboitiz** : Kings Court Building, Pason Tamo, Makati, T : 816 48 75. Ses bateaux partent du quai N°4 pour les îles de Panay et de Romblon.

- **Negros Navigation** : Negros Navigation Building, 849 Pasay Rd, Makati, T : 818 38 04. Dessert les îles de Negros, Panay et Romblon depuis le quai N°2.

- **Sweet Lines** : Arnaiz Avenue, Makati, T : 20 17 91/26 35 27 et Quai N°6, North Harbor. Dessert Cebu et Mindanao.

- **William Lines** : 1508 Rizal Avenue Extension, Caloocan, T : 361 07 64. Départ du quai N°14 vers Cebu, Leyte, Mindanao, Palawan, Panay (Boracay notamment), Romblon et Samar.

- **Sulpicio Lines** : 414 San Fernando St. San Nicolas, T : 47 96 21/47 53 46. Départ du quai N°12 vers Cebu, Masbate, Leyte, Mindanao, Negros, Palawan et Samar.

- **Carlos Gothong Lines** : Quai 10, North Harbor, T : 213.611. Dessert Cebu, Mindanao et Panay.

- **Palawan Shipping** : 551 Victoria St. Intramuros, T : 405.294 ; Dessert Palawan bien sûr, mais aussi Panay depuis le quai N°10.

MARAWI (Mindanao)

Accès

Jeepneys et taxis collectifs depuis Iligan en trois quarts d'heure.

Attention ! A l'heure où nous écrivons, cette route se trouve en territoire fréquenté par la guérilla.

Hôtels

- *Marawi Resort*, MSU Campus. C'est l'auberge du campus, mais elle accepte en principe les touristes.

MOUNT DATA (Luzon)

A 2 400 m d'altitude et à mi-chemin entre Bontoc et Baguio, on pourra faire étape dans un chalet extrêmement agréable, et appartenant au Ministère du Tourisme, le *Mount Data Lodge*** (T : 810 47 41 à Manille ou 43 22 65 65 à Paris). Malheureusement, il n'a que huit chambres (mal chauffées).

NAGA CITY (Luzon)

Accès

- Vols PAL depuis Manille.
- Naga City se trouve sur la ligne des autocars Philtranco (8 heures et demie depuis Manille) et sur la ligne de chemin de fer qui relient Manille à Legaspi.

Hôtels

- *Aristocrat***, Elias Angeles Street, T : 5230. Le plus confortable de la ville. Presque un trois étoiles. Il y a cependant une partie des chambres très simples et économiques. Restaurant, disco.

PAGSANJAN (Luzon)

Accès

- Autocars depuis Manille (Laguna Transport depuis le Lawton Terminal à Santa Cruz) en trois heures.
- Excursions organisées par les principales agences de voyages de Manille.
Vous trouverez abondance de *bancas* à louer pour remonter les rapides. Les prix sont affichés, il n'y a donc pas lieu de marchander, mais au retour, les bateliers insisteront lourdement pour obtenir un pourboire. Il est vrai que l'essentiel de la location ne va pas dans leur poche et que ce sont eux qui bossent.

Hôtels

- *Pagsanjan Rapids****, T : 654 12 58. Le plus ancien hôtel, mais aussi le cadre le plus agréable, en bordure de rivière. C'est ici que séjournèrent Francis Ford Coppola et son équipe, lors du tournage d'*Apocalypse Now*. Vous y aurez le choix entre des chambres climatisées ou ventilées. La cuisine s'est bien améliorée depuis quelques années.

- *Pagsanjan Falls Lodge***, T : 1251. Confort presque aussi bon et prix similaires. Piscine. Les meilleures chambres sont les N° 10, 11 et 12, directement sur la rivière ;
- *Camino Real**, 39 Rizal Street, T : 2086. Il n'a pas la vue sur la rivière, mais ses prix sont moins élevés que ceux des précédents et il est calme et propre, encore que très spartiate.
- *Pagsanjan Village***, Garcia Street, T : 2116. Encore un assez bon choix, mais un peu plus bruyant. Ici aussi, on peut avoir une chambre climatisée.
- *Pagsanjan Youth Hostel*, 237 General Luna Street, T : 2124. Dortoirs bon marché et relativement propres.

PANGLAO (Bohol)

Accès

L'île de Panglao est reliée par deux ponts à l'île de Bohol. Autocars peu fréquents depuis Tagbilaran (à 3 km des ponts).

Hôtels

Il y a deux bonnes plages, celle du Bohol Beach Club et, 3,5 km plus loin, celle d'Alona. Sur cette dernière se trouvent plusieurs ensembles de bungalows corrects.
- *Bohol Beach Club****, T : 522.230 (A Paris, auprès de **Back Roads**, T : 43 22 65 65). A 14 km de Tagbilaran, le plus bel ensemble de loisirs de Panglao, mais aussi de Bohol, avec 48 chambres climatisées, un peu tristounettes toutefois. Restaurant (cher), bar, piscine, belle plage de sable blanc de 3,5 km, mais à marée basse, attention aux oursins ; sports nautiques.
- *Hoy-Hoy** : Entre le Bohol Beach Club et la plage d'Alona, ce petit ensemble de 1990 jouit d'un cadre superbe sur une falaise dominant la plage. 10 bungalows charmants, restaurant.
- *Crystal Coast***, Plage d'Alona, 10 chambres en dur et en duplex. Ouvert en 1990, la qualité de la construction laisse craindre que le "tout beau-tout neuf" changera vite. Par contre le cadre est beau et la plage très belle.
- *Bohol Diver's Lodge**, Plage d'Alona (à 17 km de Tagbilaran) : Tenu par un Français, cet ensemble de 10 bungalows avec électricité (certains avec salle de douche) possède son centre de plongée (35 à 45 $ la journée) et loue des planches à voile. Assez bonne plage.
- *Alona Kew Cottages**, Plage d'Alona, T : 2964. à Tagbilaran. Autre sympathique ensemble pavillonnaire. Confort et prix similaires au précédent. 26 chambres, dont certaines fort agréables.

- *Alona Cave**, Plage d'Alona. 3 sympathiques bungalows tenus par Anne, une Belge. Ils ne sont pas directement sur la plage, mais un peu à l'écart dans la forêt, ce qui les met à l'abri du vent en saison. douche, ventilateur et réfrigérateur. Restaurant, billard.

Sur l'île de Balicasag

L'île de Balicasag est située à 10 km de Panglao (45 minutes de *banca*). Excellent endroit pour la plongée, on y trouve le *Balicasag Island Dive Resort** avec 10 bungalows propres, mais simples. T : 2482 à Tagbilaran.

PORT BARTON (Palawan)

Accès

En 5 heures de Jeepney depuis Puerto Princesa (141 km).

Hôtels

- *Elsa's Inn :* Le plus sympathique ensemble de bungalows. 2 sur les 9, situés en bord de mer sont particulièrement agréables. Salle d'eau terrasse, et un très bon restaurant.
- *Swissipini Cottages* : 18 bungalows de conforts divers et tenus par un Suisse.

PUERTO GALERA (Mindoro)

Accès

De Manille, le moins coûteux est de prendre un autocar BLTB (depuis le terminal d'EDSA) jusqu'à Batangas (deux heures et demie à trois heures de route). Prendre de préférence les autocars desservant l'embarcadère.

Pourtant, il y a mieux à faire : Prendre l'autocar climatisé qui part depuis l'hôtel Sundowner sur Mabini Street et qui est en correspondance avec le transbordeur de la fin de la matinée (départ de Manille vers 9h).

De Batangas, il y a désormais au moins trois traversées par jour directement sur Puerto Galera (en deux heures). Cette formule est de loin préférable à la traversée classique vers Calapan, d'où vous êtes obligés de subir un pénible trajet de deux heures en jeepney jusqu'à Puerto Galera.

Hôtels

Loger dans le village n'a d'intérêt qu'économique. Il existe par contre maints endroits de rêve abordables en bordure de mer :

Autour du village

Dans le village même, on trouvera plusieurs pensions très simples ou des chambres chez l'habitant. Il y en a cependant deux ou trois de particulièrement propres :
- *Tanawin Lodge**,* T : 522 14 35 à Manille. A 1 km de Puerto. Cadre superbe, piscine, restaurant.
- *Villa Margarita White House*.* Même confort.
- *Outrigger Hotel*.* Hôtel du type motel américain. Salles d'eau et ventilateurs.
- *Puerto Galera Lodge*** : En contrebas de l'église, construit en bambou. Très propre.

Plage de Boquete

- *Halcon Reef Inn**** : A un quart d'heure à pied du débarcadère et en bordure de mer, c'est encore un hôtel agréable et confortable, mais les prix sont assez prohibitifs.
- *Cathy's Inn** : A un quart d'heure à pied du débarcadère ou trois minutes de banca, voici une auberge sans prétention, mais sympathique. Salle d'eau dans les bungalows.

Plage de Coco Beach

- *Coco Beach Resort**** (A Paris réservation auprès de **Back Roads**, T : 43 22 65 65) : Ensemble paradisiaque de 35 bungalows exotiques, étagés sur une colline dominant une plage minuscule (mais le bateau de l'hôtel vous emmènera sur des plages paradisiaques. Les bungalows, extrêmement agréables dans leur architecture et par le matériau utilisé, ont une véranda et une salle d'eau. Restaurant, école de plongée, piscine, 2 tennis. Cet hôtel peut organiser le transport directement depuis Manille (Hôtel Sundowner, Mabini Street, T : 521 59 58).

Plage de Sabang

- *Terraces Garden Resort*** : Cadre agréable, bungalows sympas et propres.

Plage de White Beach

- *Summer Connection** : Ici aussi, le cadre est fort agréable. Bungalows corrects à l'extrémité occidentale de la plage. Calme et accueil sympathique. Prix très modérés

Plage de Tamaraw

- *Tamaraw Beach Resort** : Encore une sympathique adresse. Bungalows propres avec douche. Volley Ball.

Enfin, si votre choucroute quotidienne vous manque, allez dîner au *Hilltop Inn* : l'ancien prêtre allemand du village leur a appris à cuisiner léger...

PUERTO PRINCESA (Palawan)

Accès

- Par avion quotidien PAL depuis Manille et Cebu.
- Par bateau depuis Manille (une fois par semaine en 25 heures avec Sulpicio Lines).

Hôtels

- *Asiaworld Resort*****, National Rd, T : 2022/2111. L'ex-*Rafols* est le seul bon hôtel de la capitale de Palawan. Rénové en 1990, il n'est guère attractif de l'extérieur, mais ses chambres ont tout le confort. Restaurant, bar, disco, piscine.
- *Emerald Plaza***, Malvar St. T : 2611/2263. Pourrait être presque agréable s'il était rénové. Chambres avec douche et climatisation. Piscine en attente de rénovation.
- *Badjao Inn**, Rizal Ave. T : 2761. Correct avec quelques chambres climatisées.
- *Palawan Hotel**, Rizal Ave. T : 2326. Assez propre, mais les chambres sont tristounettes. Restaurant convenable.

Restaurants

Le *Kalui*, sur Rizal Avenue (la route de l'aéroport et presque en face du *Badjao Inn*), offre un cadre agréable et de bons plats de poissons et crustacés pour des prix très raisonnables.

ROMBLON (Romblon)

Accès

- Les avions de Manille n'atterrissent pas à Romblon, mais à Tugdan, sur l'île voisine de Tablas. De l'aéroport, il faut prendre une jeepney jusqu'à San Agustin et, de là, un transbordeur jusqu'à Romblon. Au total quasiment la journée.
- Un ou deux bateaux par semaine depuis Manille (en une quinzaine d'heures).

- D'autres bateaux relient les différentes îles de l'archipel de Romblon aux îles voisines, mais seulement une ou deux fois par semaine.
- de Boracay à Looc/Tablas deux fois par semaine en deux heures. Traversée dangereuse.

Hôtels

- *Villa des Mar*** : C'est en fait la résidence de l'archevêque, et ce sera le meilleur choix.

ROXAS (Palawan)

Accès

Jeepneys et autocars depuis Puerto Princesa (144 km)

Hôtels

Sur Coco-Loco Island
- *Coco Island Resort* : On y accède par le bateau de l'hôtel amarré près de la station Petron. La plage est assez paradisiaque et les bungalows sont propres, même si toilettes et sanitaires sont communs. Le propriétaire, Jean-Pierre Riccio, tient une agence de voyages à Puerto Princesa où l'on peut réserver sa chambre à l'avance (T : 2388). Plongée, ski nautique, promenades en bateau.

ROXAS (Panay)

Accès

Nombreux autocars depuis Iloilo en 4 heures et demie, ainsi que depuis Kalibo en 3 heures et demie.

Hôtels

Allez loger sur la plage de Baybay :
- *Marc's Beach Resort*** : Bungalows trés agréables en bordure de mer. Choix entre climatisation et ventilateur. Tennis. Prix très modérés.

SAGADA (Luzon)

Accès

- Autocar Dangwa quotidien depuis Banaue en sept heures et depuis Baguio en huit heures.
- Plusieurs autocars quotidiens depuis Bontoc, ainsi que des jeepneys (une heure de trajet).

Hôtels

Il y a quelques pensions très simples, mais souvent à peu près propres, comme la *Julia's Guest House*, la *Sagada Guest House* ou encore la *San Joseph Guest House*. Toutes sont très bon marché.

SAN FERNANDO LA UNION (Luzon)

Accès

Plusieurs autocars journaliers de Manille (Phil. Rabbit notamment en 6 heures), Baguio (en 2 heures), Dagupan (en 2 heures) et Vigan (en 2 heures et demie) notamment.

Hôtels

Si vous avez manqué votre correspondance, vous y trouverez des logements propres :
- *Plaza***, Quezon Avenue, T : 2996. Assez bon hôtel avec chambres climatisées ou avec ventilateur.
- *Casa Blanca**, Rizal Street, T : 3132. Très bon marché, mais propre. Il y a même quelques chambres climatisées.

On trouvera des hôtels en bord de plage entre San Fernando et Bauang, mais il vaut mieux disposer d'une voiture. Le meilleur choix se trouve à **Paringao** :
- *Bali Hai Beach Resort***, T : 2504 ; Un agréable ensemble de bungalows avec ventilateur ou climatisation.
- *Cabana Beach Resort***, T : 413.363. Même type de confort, mais piscine en prime.

SAN JOSE (Mindoro)

Accès

- Avions quotidiens depuis Manille.
- Jeepneys depuis Calapan en plusieurs heures (bon courage).
- Bateau hebdomadaire depuis Manille en 17 heures.
- Bateau hebdomadaire depuis Malay (Panay).

Hôtels

- *Big Newk***, Sur la route de l'aéroport, c'est l'hôtel le plus moderne. Chambres de confort divers, certaines avec climatisation.
- *Red Baron Lodge**, Plage d'Aroma. A proximité de l'aéroport, des chambres propres avec bain.

SIARGAO (Mindanao)

Accès

- De Surigao à Dapa, une traversée quotidienne en 4 heures 30, sauf le dimanche.
- De Surigao à Del Carmen, une traversée par jour.

Hôtels

- *Lucing's Carenderia*, Dapa. Des plus simples, mais très bon marché.
Il y a encore d'autres bungalows de confort similaire le long de la plage.

SORSOGON (Luzon)

Accès

Autocars fréquents depuis Legaspi.

Hôtels

- *Rizal Beach Resort***, Le seul hôtel réellement convenable de la région de Sorsogon. En bordure de plage (qui n'a rien d'extraordinaire), des chambres avec salle de bain et ventilateur.

SUBIC (Luzon)

Deux hôtels simples en bord de mer, le *Sirena Beach** et le *Marazul Beach**. On trouve cependant mieux : Le *White Rock Resort***.

SURIGAO (Mindanao)

Accès

- Autocar depuis Cagayan de Oro en 6 heures, Butuan en 2 heures et demie, Davao en 8 heures (bus Philtranco).
- Bateau depuis Liloan sur l'île de Leyte en trois heures et demie.

Hôtels

- *Tavern Hotel***, Borromeo Street, T : 293. Pas désagréable avec son restaurant en bord de mer. Choix entre chambres climatisées ou ventilées. Salles d'eau dans presque toutes les chambres. Très bon marché, assez bon restaurant.
- *Garcia**, San Nicola Street. Même type de confort que le précédent, mais moins propre et prix encore moins élevés.

LAC TAAL (Luzon)

Accès

- Excursions organisées par les principales agences de voyages de Manille.
- Plusieurs autocars quotidiens de la compagnie BLTB vers Tagatay depuis Manille (Station d'EDSA à Pasay City). Il faut compter environ deux heures de trajet.

A Tagatay d'où vous jouirez du plus beau panorama, vous êtes encore à 17 kilomètres des bords du lac (San Nicolas, accessible par jeepney). De l'embarcadère de San Nicolas, vous pourrez louer une *banca* à prix fixe pour vous rendre jusqu'au volcan (plus de 200 P par embarcation).

Hôtels

- *Taal Vista Lodge****, Tagatay. Hôtel prétentieux dominant le lac de plusieurs kilomètres de distance, mais jouissant d'une vue merveilleuse.

- *Villa Adelaida****, Foggy Heights, T : 267 ou 876.031. à Manille. Les prix sont les mêmes, mais l'hôtel a plus de charme. Piscine.

On trouvera des auberges beaucoup moins chers (mais aussi moins confortables) à San Nicolas au bord du lac, comme le *Lake View*, le *Bonbon* ou le *Playa del Sol*, ce dernier ayant aussi la moins mauvaise cuisine.

A 17 km de Tagatay, le *Rosalina's Place* est également assez propre, mais simple. Quelques chambres avec douche.

Signalons enfin l'agréable ensemble de bungalows du *Volcano Beach Resort** en bord de lac à Talisay. Calme garanti (sauf en cas d'éruption).

TACLOBAN (Leyte)

Accès

- Par avion depuis Manille et Cebu.
- Par bateau dpuis Cebu (quasiment tous les jours en une douzaine d'heures), Manille (au moins deux fois par semaine), Samar et Mindanao.

Hôtels

- *Leyte Park****, Magsaysay Boulevard. Le meilleur hôtel de la ville, situé face à la mer. Chambres tout confort, restaurant, deux piscines.
- *Village Inn****, Imelda Avenue. Bon confort standard. Climatisation et salles de bain.
- *Tacloban Plaza***, Romualdez Street. Le bon choix dans cette catégorie. Lui aussi possède la climatisation. C'est ici que s'arrête l'autocar assurant le transfert depuis l'aéroport. Attention ! Certaines chambres sont très bruyantes.

TAGBILARAN (Bohol)

Accès

- Vols quotidiens depuis Cebu en 25 minutes et depuis Manille. L'aéroport est à un kilomètre du centre. Reconfirmer son vol à l'aéroport en arrivant.
- Bateau quotidien depuis Cebu en près de quatre heures, mais l'horaire est peu pratique (départ à 19h 30 ; cela fait arriver à près de minuit, ce qui n'est pas l'idéal pour se chercher tranquillement une chambre).

- Un bateau hebdomadaire pour Dumaguete en trois heures, et pour Ozamiz sur Mindanao en six heures.

Hôtels

Plutôt que de séjourner en ville, mieux vaut aller séjourner sur l'une des jolies plages de l'île de Panglao (voir à ce nom), mais si vous êtes à cours de temps :
- *Gie Garden****, M.H. Del Pilar Street, T : 3182. Cet hôtel est celui qui est généralement réservé par les agences de Manille pour les tours organisés. Il est confortable et propre, mais il n'a pas de charme spécial. Restaurant acceptable.
- *La Roca***, Graham Avenue, T : 3179. Un bon choix, car calme et propre. Certaines chambres ont la climatisation, d'autres se contentent d'un ventilateur.
- *LTS Lodge***, 27 Carlos Garcia Avenue, T : 3310. Encore un bon choix : Propre et assez confortable (même type de confort que le précédent).
- *Captain's Manor Pension House**, Landagan St, T : 411-3402. Une dizaine de chambres très propres, dont certaines climatisées
- *Traveller's Inn**, Carlos Garcia Avenue. Beaucoup plus simple, mais encore assez propre et pas cher. Chambres avec ventilateur.

Restaurants

- *Gobing* : Le meilleur restaurant de fruits de mer.
- *Seabreeze* : Cuisine chinoise et philippine.

TAYTAY (Palawan)

Accès

7 heures de jeepney depuis Puerto Princesa ou avion-taxi.

Hôtels

- *Club Noah Isabelle**** : Ile d'Apulit (à Paris, T : 43 22 65 65). Ouvert fin 1994 sur une petite île paradisiaque au large de Taytay, il offre une trentaine de bungalows de bon confort avec salle d'eau complète. Sports nautiques.
- Moins cher, sur l'île privée de Flowers, à 2 bonnes heures de *pump boat* au nord de Taytay, le *Flowers Island Beach Resort* appartient à un Français (décidément Palawan plait aux Français). Il n'y a certes que quatre bungalows (sanitaires communs), mais l'endroit est

encore une fois paradisiaque avec une plage de 700 m... Pour y accéder, se renseigner auprès du restaurant/disco *Pim's* à Taytay.

TERNATE (Luzon)

A une soixantaine de kilomètres de Manille, on y trouve le meilleur hôtel de plage à moins de deux heures de route :
- *Puerto Azul*****, T : 574.731 à 40. (A Paris : auprès de **Back Roads**, T : 43 22 65 65). Ensemble de blocs de bungalows de béton assez laids, mais très confortables, avec climatisation. Ils sont étagés sur la colline, jouissant ainsi pour la plupart d'une vue sur la mer. 4 restaurants, 2 bars, piscine, sports nautiques, golf 27 trous, tennis couverts et découverts, squashs, bowling.

TIWI (Sud Luzon)

La *Bano Youth Hostel* est simple, mais on y trouve une piscine et des bains thermaux.

VIGAN (Luzon)

Accès

Autocars depuis San Fernando La Union en 2 heures et demie, Manille en 7 heures et demie, ainsi que de Laoag en 2 heures.

Hôtels

- *Vigan Hotel***, Burgos Street, T : 2588. Cette belle et ancienne maison coloniale n'est malheureusement pas très gaie. Elle est cependant propre. Quelques chambres climatisées.
- *Cordillera Inn***, Mena Crisologo Street (au coin de General Luna Street), T : 2526. Quelques assez bonnes chambres climatisées.
- *Venus Inn**, Quezon Avenue. Assez bon rapport qualité-prix et propreté acceptable.

ZAMBOANGA (Mindanao)

Accès

- Par avion depuis Manille, Cebu, Davao, Dipolog, Cotabato, Jolo, Tawi-Tawi.

- Par bateau depuis Manille (au moins trois fois par semaine en une trentaine d'heures, voire plus), Dumaguete (trois fois par semaine en une vingtaine d'heures), d'Iloilo (deux fois par semaine en une quinzaine d'heures), Jolo (trois fois par semaine en une dizaine d'heures), de Davao (au moins deux fois par semaine en 18 à 30 heures selon l'itinéraire).

- Par autocar de Cagayan de Oro via Iligan en 15 heures et de Dipolog en 15 heures également.

Hôtels

- *Lantaka****, Valderrossa Street, T : 3931 (à Paris, T : 43 22 65 65). Sans être luxueux, c'est l'hôtel le plus agréable de Zamboanga. Merveilleusement situé en bord de mer à côté du port. Ses prix sont raisonnables. Ce n'est pas l'ouverture du luxueux *Plaza* qui a pu remettre notre choix en cause. Pas plus que pour les autres voyageurs, si bien que ce dernier hôtel, appartenant autrefois à la famille Marcos, a dû fermer ses portes.

- *Paradise***, R. Reyes Street, T : 2936. Sans charme certes, mais central, propre et confortable. Chambres climatisées.

- *Atilano's Pension House**, Mayor Jaldon St. T : 4225. Propre encore et calme. Cuisine correcte.

- *Casa de Oro**, Justice R.T. Lim Blvd. Agréable auberge avec de bonnes chambres (non climatisées).

- *D'Forest Lodge**, Tomas Claudio Street, T : 2824. Cette vénérable pension ne manque pas de charme et est encore assez propre.

Restaurants

- *Lantaka Hotel* : Agréables dîners-buffets et un très bon *kinalaw*.

- *Alavar's* : Fruits de mer, mais aussi des spécialités philippines et chinoises.

Adresses utiles

- Department of Tourism : T : 3931. A côté de l'hôtel Lantaka. Comptoir à l'aéroport.

- Philippines Airlines : Sultana Hotel (à côté du Lantaka Hotel), T : 3432. A l'aéroport : T : 1291.

TROISIEME PARTIE

LES PHILIPPINES PAS A PAS

Nos étoiles

****	Mérite à lui seul le voyage
***	A ne pas manquer
**	Mérite quelques kilomètres de plus
*	Si vous passez devant, arrêtez-vous
0	Pour information

LES GRANDS ITINERAIRES

Il y a trois principaux centres d'intérêt aux Philippines : Les beautés naturelles, l'ethnologie, les plages et les fonds marins.

Les îles de Luzon et Mindanao sont celles qui offrent le plus d'attractions touristiques, mais elles ne sont pas les seules à avoir de quoi retenir le touriste.

- Luzon est riche en beautés naturelles : les rizières de Banaue, le lac Taal, les chutes de Pagsanjan, le mont Mayon et Hundred Islands. Elle est également riche au point de vue ethnologique dans ses provinces des montagnes.

- Mindanao a peut-être des beautés naturelles moins exceptionnelles, mais ses richesses ethnologiques et culturelles, dues en partie à l'islam, peuvent aisément rivaliser avec celles de Luzon.

- Les Visayas sont surtout recherchées pour leurs plages, mais comptent aussi quelques paysages spectaculaires comme les Collines de Chocolat, sur l'île de Bohol.

- Palawan enfin, attirera le voyageur épris de nature grandiose et sauvage, ainsi que de plongée, mais aussi celui qui privilégie la découverte au confort.

L'idéal est donc de pouvoir combiner au minimum la visite de deux grandes îles pour un premier voyage. Pour les moyens de transport, il n'est pas mauvais de combiner avion et bateau. Par exemple aller à Mindanao en avion et en revenir par bateau. Si vous êtes à court de temps, le plus joli parcours en bateau est celui qui mène de Manille à Iloilo. Mais vous pouvez aussi faire une mini-croisière au départ de Manille que vous continuerez avec une visite en voiture du nord de Luzon (voir Guide pratique).

Si vous disposez d'une semaine

C'est beaucoup trop court pour voir même seulement les grandes curiosités ; utilisez l'avion au maximum.

Manille (1 nuit) ; Banaue (1 nuit) ; Baguio (1 nuit) ; Pagsanjan (1 nuit) ; lac Taal-Manille (1 nuit) ; Zamboanga (2 nuits).

Si vous disposez de deux semaines

Cela permet de voir les curiosités les plus célèbres.

Nord-Luzon (Banaue, Baguio, Pagsanjan, lac Taal) : 1 semaine ; Legaspi (2 nuits) ; Zamboanga (2 nuits) ; Cebu (1 nuit) ; Bohol (2 nuits).

Si vous disposez de trois semaines

Vous pouvez commencer à visiter sérieusement.

Nord-Luzon (10 à 12 jours) : comme ci-dessus, plus Hundred Islands ; Palawan (5 nuits) ; Cebu (1 nuit) ; Bohol (2 nuits) ; Zamboanga (3 nuits) ; Boracay ou Puerto Galera (3 nuits).

Si vous disposez de quatre semaines

C'est l'idéal pour un premier voyage.

Nord-Luzon (15 jours) ; Mindanao (1 semaine) ; Visayas (5 jours à 1 semaine), Palawan (5 jours à une semaine).

Programme-type de visite de chaque région

Formule qui vous permet de combiner entre elles ces diverses régions :

- Luzon**** (Une semaine)

1er jour : Manille - 2ème jour : Manille-Lac Taal-Pagsanjan - 3ème jour : Pagsanjan-Manille - 4ème jour : Manille-Banaue - 5ème jour : Banaue - 6ème jour : Banaue-Mont Data - 7ème jour : Mont Data-Baguio - 8ème jour : Baguio-Manille.

- Luzon*** (Deux semaines)

1er au 7ème jour : Voir circuit précédent - 8ème jour : Baguio- Vigan - 9ème jour : Vigan-Les Cent Iles - 10ème jour : Les Cent Iles-Manille - 11ème jour : Manille-Legaspi-Mont Mayon-Legaspi - 12ème jour : Legaspi-Province de Sorsogon-Legaspi - 13ème jour : Legaspi-Manille - 14ème jour : Manille.

- Luzon et Mindoro***

1er jour : Manille - 2ème jour : Manille-Banaue - 3ème jour : Banaue - 4ème jour : Banaue-Bontoc-Mont Data - 5ème jour : Mont Data-Baguio - 6ème jour : Baguio-Manille - 7ème jour : Manille- Pagsanjan - 8ème jour : Pagsanjan-Batangas-Puerto Galera - 9ème et 10ème jours (voire plus) : Puerto Galera - 11ème jour : Puerto Galera-Batangas-Naga - 12ème jour : Naga-Legaspi - 13ème jour : Legaspi-Mont Mayon-Legaspi - 14ème jour : Legaspi- Manille (ou Cebu) par avion.

- Visayas***

1er jour : Manille (ou Cebu)-Bohol - 2ème jour : Bohol (Collines de Chocolat) - 3ème jour : Bohol-Cebu - 4ème jour Cebu-Boracay - 5ème et 6ème jours (voire plus) : Boracay - 7ème jour : Boracay-Manille (ou Cebu).

- Mindanao***

1er jour : Manille (ou Cebu)-Zamboanga - 2ème et 3ème jours : Zamboanga - 4ème jour : Zamboanga-Dipolog-Dakak - 5ème et 6ème jours : Dakak - 7ème jour : Dakak-Dipolog-Manille (ou Cebu).

- Palawan***

1er jour : Manille-Puerto Princesa - 2ème jour : Puerto Princesa-Port Barton - 3ème jour : Port Barton (excursion par bateau à la Rivière souterraine) - 4ème jour : Port Barton-El Nido (par bateau) - 5ème et 6ème jour (voire plus longtemps) : El Nido - 7ème jour : El Nido-Manille (par avion).

Exemple de Circuit "Philippine Express"

1er au 8ème jour : Luzon (voir plus haut : circuit Luzon d'une semaine) - 9ème jour : Manille Tagbilaran (par avion) - 10ème jour : Excursion aux Collines de Chocolat - 11ème jour : Tagbilaran-Cebu - 12ème jour : Cebu-Zamboanga - 13ème jour : Zamboanga - 14ème jour : Zamboanga-Manille.

A ce circuit, on peut bien sûr prévoir d'ajouter un séjour de plage à Boracay, à Puerto Galera ou ailleurs.

Exemple de circuit "Panorama des Philippines"

1er jour : Arrivée à Manille - 2ème jour : Visite de Manille - 3ème jour : Manille-Banaue - 4ème jour : Banaue, visite des environs - 5ème jour : Banaue-Bontoc-Sagada - 6ème jour : Sagada-Mont Data-Baguio - 7ème jour : Baguio-Vigan - 8ème jour : Vigan-Hundred Islands - 9ème jour : Hundred Islands- Manille - 10ème jour : Manille-Las Pinas-Tagatay-Lac Taal- Hidden Valley - 11ème jour : Hidden

Valley-Pagsanjan-Batangas- Puerto Galera - 12ème et 13ème jours : Puerto Galera - 14ème jour : Retour à Manille - 15ème jour : Manille-Legaspi par avion- Tour du mont Mayon - 16ème jour : Visite de la province de Sorsogon - 17ème jour : Envol pour Cebu, visite de la ville
- 18ème jour : Envol pour Tagbilaran, Nuit sur l'île de Panglao - 19ème jour : Excursion aux Collines de Chocolat - 20ème jour : Envol pour Zamboanga via Cebu - 21ème jour : Zamboanga - 22ème jour : Zamboanga- Manille.

A ce programme, on peut ajouter une semaine à Palawan.

Exemples de circuits semi-sportifs avec petit trekking (10-12 jours chacun). Actuellement une partie de ces treks ne peuvent être réalisés pour cause de problèmes de sécurité.

Luzon

Manille-Bagabag (trekking : Bocos-Batad-Bangaan-Banaue) Bontoc (trekking : Bugnay-Malicong-pays Kalinga) Bontoc- Sagada-Mont Data-Sagangan (trekking : grottes de Kabayan) Baguio-Hundred Islands-Manille.

Mindanao

Davao-Calinan (trekking : pays bagobos) Davao-Kindapawan (trekking : ascension au mont Apo) Buluan-Suri Alah-Koronadal (trekking tiboli) Ubo-General Santos (trekking : pays bilaan) Davao.

SI VOUS DEVEZ FAIRE UN CHOIX

Vous aimez :

Les beautés de la nature
Les rizières de Banaue****
Tagatay et le volcan Taal***
Les rapides de Pagsanjan***
Palawan***
Legazpi-Sorsogon**
Bohol**
Davao-Mont Apo**
Hundred Islands**

L'ethnologie et le folklore
Nord-Luzon (Banaue-Bontoc)***
Cotabato***
Zamboanga-Basilan***
Jolo-Tawi Tawi***
Davao**
Marawi**

Palawan**
Mindoro**

Les plages et les activités marines
Boracay****
El Nido (Palawan) ****
Puerto Galera**
Cebu**
Bohol**
Dumaguete**
Davao**
Batangas**
Hundred Islands**
Zamboanga**
Caminguin**

Les lieux historiques et l'archéologie
Vigan**
Cebu*
Manille*

Les marchés
Zamboanga**
Baguio**
Davao**

Le shopping
Zamboanga**
Manille**
Cebu**
Baguio**
Davao*

LUZON

L'île de Luzon, riche de 19 provinces, est la plus grande des Philippines et aussi peut-être la plus intéressante. Il y a tant de beautés naturelles à y découvrir, que l'on peut y rester aisément une quinzaine de jours. Les principales curiosités à ne pas manquer étant dans l'ordre : les rizières de Banaue, le lac Taal, les rapides de Pagsanjan, le volcan Mayon et les Cent-Iles.

La meilleure époque pour admirer les rizières est l'hiver (janvier-février, encore qu'il y ait souvent du brouillard) ou la saison chaude mars-avril (il fait beau temps, les indigènes ne portent plus de cols roulés sur leur pagne, mais il y a moins d'eau dans les rizières) ; pour le reste de Nord- Luzon, la meilleure époque est janvier-février ; pour Bicol (Legaspi), c'est février-mars.

Visite de Luzon

Si vous n'avez pas peur de la façon de conduire des Philippins, vous pouvez vous hasarder à louer une voiture. Le seul problème est qu'il n'y a que deux endroits où vous puissiez la rendre : Manille et Baguio. Si vous louez une voiture avec chauffeur, vous pourrez l'abandonner où vous voudrez.

Vous pouvez aussi construire les circuits suivants, dont certains peuvent se combiner.

- Les environs sud de Manille. Deux à trois jours, 200 à 260 kilomètres.

- Un circuit nord de quatre à six jours : Manille-Baguio- Bontoc-Banaue-Manille, 700 kilomètres environ.

- Un circuit nord de sept à douze jours : Le même que le précédent, avec, en plus, Vigan et Hundred Islands. Soit huit à quinze jours au total de location de voiture.

Pour le sud de Luzon je ne recommande pas la location de voiture, car si le parcours Manille-Legaspi est intéressant, il faut refaire les mêmes 550 kilomètres en sens inverse pour rendre la voiture et cela semble bien long.

Principales distances dans Luzon (en kilomètres)

	Baguio	Batangas	Laoag	Legazpi	Lingayen	Manille	San Fernando	Vigan
Baguio	—	360	274	794	82	250	57	196
Batangas	360	—	596	486	317	110	379	518
Bauang	47	369	227	803	69	259	10	149
Bayombong	125	377	419	811	607	267	182	341
Bontoc	146	506	290	940	228	396	175	210
Calamba	304	56	540	490	261	54	323	462
Cavite	282	112	518	552	239	32	301	440
Daet	601	293	837	199	558	351	620	759
Dagupan	70	323	284	757	12	213	67	206
Iba	247	312	461	746	165	202	244	383
Laoag	274	596	—	1 030	296	486	217	78
Legazpi	794	486	1 030	—	751	544	813	952
Lingayen	82	317	296	751	—	207	79	218
Lipa	334	26	570	472	291	84	353	492
Lucena	386	78	622	408	343	136	405	544
Manille	250	110	486	544	207	—	269	408
Naga	693	385	929	101	650	443	712	851
Nasugbu	353	69	589	555	213	103	372	511
San Fernando*	57	379	217	813	79	269	—	139
San Pablo	334	51	570	454	291	84	353	492
Sorsogon	847	539	1 083	58	804	597	866	1 005
Tagatay	306	61	542	510	263	56	325	464
Vigan	196	55	78	952	218	408	139	—

* San Fernando, province de La Union.

MANILLE*

Ce n'est pas les Philippines... C'en est même loin. Pour être encore plus méchant, je dirai que le meilleur moyen d'apprécier la capitale des Philippines, c'est de s'en échapper le plus vite possible.

Ce n'est pas que ce soit une ville désagréable, il y a pis en Asie, mais la plupart des voyageurs qui visitent les Philippines connaissent déjà Bangkok ou Hong Kong, villes asiatiques, s'il en est. Or, Manille n'est guère asiatique ; elle est américaine pour sa plus grande partie, espagnole dans quelques quartiers. La seule couleur se trouve dans les bidonvilles de Tondo. Deux jours vous suffiront donc pour visiter les intéressants musées (Nayong Filipino principalement) et les quartiers populaires (Tondo surtout).

Histoire

Manille tire, paraît-il, son nom de plantes aquatiques, appelées ici *nilad*, qui poussaient le long de la rivière Pasig. La fondation de "May-nilad" est assez incertaine ; on sait que les Indiens, puis les Chinois avaient déjà occupé le fond de la splendide baie de Maynila. Au milieu du XIVème siècle, des musulmans de Bornéo y construisirent deux forts, celui de Maynilad et, à côté, celui de Tondo. La population qui s'élevait à l'époque à quelque deux mille âmes, était de souche malaise, comme dans la majeure partie des Philippines.

En 1750, Juan de Salcedo et Martin de Goiti, avec une flotte forte de cent-vingt Espagnols et six cents indigènes ralliés, décidèrent d'explorer l'île de Luzon afin d'y propager la foi chrétienne. Ils se heurtèrent au rajah Mura appelé aussi Soliman (ou encore Sulayman), qui était commandant de Maynila. Comme les fortifications étaient en bois, les Espagnols n'eurent guère de mal à réduire la ville en cendres et à chasser les occupants ; puis, songeant qu'il était plus urgent d'assurer le bonheur terrestre de leurs hommes que le bonheur spirituel des Philippins, les Espagnols pillèrent Maynila et repartirent aussitôt, de peur d'une contre-attaque musulmane.

L'année suivante, c'est Legazpi qui reprendra Maynila à la tête d'une troupe deux fois plus puissante, et au cours d'une bataille où Soliman trouvera la mort.

Le 24 juin 1571, Manille, "El Insigne y siempre Leal Ciudad" (la noble cité pour toujours loyale), sera officiellement fondée par Miguel de Legazpi, "El Adelantado", à l'emplacement du fort de Soliman. Legazpi entreprendra la construction de la ville "dans les murs" (Intramuros) jusqu'à sa mort en 1572.

Après avoir failli être rasée (sinon limée) en 1574 par le pirate chinois Limahong, la ville sera finalement fortifiée en 1590 par le gouverneur de l'époque, Gomez Perez Dasmarinas, le fort prenant le nom de Santiago.

Au XVIème siècle, les Chinois avaient commencé à immigrer à Luzon, et devant leur nombre croissant (8 000 vers 1580 à Manille), le gouverneur Ronquillo les avaient regroupés sur la rive gauche de la rivière Pasig (près de l'actuelle grande poste), dans le quartier appelé Parian, nom qui sera donné par la suite aux ghettos chinois des Philippines. En 1603, les Chinois ayant eu peur d'être massacrés par les Espagnols, se soulevèrent, brûlèrent Quiapo et Tondo, et faillirent prendre la ville fortifiée. Mais ils furent finalement battus pas des renforts arrivés de province, et composés de Pilipinos et d'Espagnols.

Ce ne sera pas la fin des ennuis de Manille, qui aura à essuyer successivement le feu des Hollandais en 1646, des Anglais en 1762 (les Anglais occupèrent Intramuros pendant deux ans), puis enfin des Américains de l'amiral Dewey en 1898.

Ce ne sera pas la fin des ennuis de Manille, qui aura à essuyer successivement le feu des Hollandais en 1646, des Anglais en 1762 (les

Anglais occupèrent Intramuros pendant deux ans), puis enfin des Américains de l'amiral Dewey en 1898.

Le 2 janvier 1942, pour éviter la destruction par les Japonais, Manille sera déclarée ville ouverte, ce qui préservera les magnifiques édifices espagnols. Malheureusement, ce n'était que partie remise ; en 1945, les Américains, qui ne savaient quoi faire de leurs énormes stocks de bombes, détruiront la plus grande partie de la ville en la reprenant.

De 1948 à 1976, Quezon City, alors faubourg de Manille fut choisie pour devenir la capitale administrative du pays.

En 1976, la création du Grand Manille ou Metro Manila marqua un tournant : Elle englobait les quatre cités de Manille, Quezon City, Pasay et Caloocan, ainsi que treize anciens petits villages devenus villes satellites. Véritable métropole, Manille fut de nouveau choisie comme capitale des Philippines, après l'échec de l'implantation administrative à Quezon City. Metro Manila avec dix millions d'habitants (quatre millions pour Manile proprement dite) et ses 630 km2, est une des villes les plus étendues du monde.

Lorsque vous arrivez à Manille, la première chose que vous remarquerez (à part la chaleur et la pollution), et qui ne cessera de vous réjouir dans toutes les Philippines, ce sont les jeepneys : Des jeeps-taxis collectifs, pouvant transporter souvent jusqu'à une quinzaine de passagers, et dans lesquelles s'exprime toute la fantaisie philippine. Bariolées, surdécorées, protégées par madones et saints, souvent équipées de musique stéréo, elles grouillent partout et circulent dans toutes les directions. Avant la Seconde Guerre mondiale, il y avait des minibus kaki, et un personnel en uniforme qui faisaient le service entre Manille et Pasay pour 5 centavos. Après la guerre, on a récupéré les stocks de jeeps de l'armée U.S. que des garages se sont mis à retaper en faisant de leur réparation un véritable art populaire par la variété des décorations, et représentant aussi parfois de véritables fortunes. Aujourd'hui, les jeeps japonaises (Toyota, Isuzu, etc.) ont pris le relais des jeeps américaines, et la jeepney demeure l'une des voitures les meilleurs marché des Philippines, si bien que nombre de Philippins s'en achètent pour leur usage personnel. Ces jeepneys, qui ont remplacé les vieilles calèches que l'on ne trouve plus qu'à Binondo ou en province, sont un danger pour elles-mêmes par les embouteillages qu'elles provoquent. Pour résoudre ce problème, on parle (sans trop y croire) de métro, mais la première ligne du Metrorail, réalisée dans les années 80 a été loin de resoudre ne serait-ce qu'une partie des problèmes. Les jeepneys tueront-elles les jeepneys ?

Orientation

Commençons par un tour d'orientation : La ville est née sur les rives d'une baie magnifique, protégée de la Mer de Chine par plusieurs îles, dont la plus célèbre est Corregidor. Manille s'est développée sur une plaine deltaïque inondable, si inondable que les Espagnols la prirent pour une lagune, Laguna de Bay, dont le nom s'applique toujours au plus grand lac intérieur du pays, situé à quelques kilomètres, et qui demeure relié à la mer par la rivière Pasig, la Seine de Manille. C'est sur les rives de la Pasig, qui coupe aujourd'hui la capitale en deux, et à proximité de son embouchure que grandit la première Maynilad. Aujourd'hui, la Pasig est traversée par sept ponts, dont six, dans Manille proprement dite.

Au sud de la Pasig

- Près de l'embouchure, sur la rive gauche, on rencontre d'abord les installations portuaires de **South Harbor**, puis la vieille ville historique fortifiée, appelée simplement **Intramuros.** Elle est bordée à l'ouest par l'ancien ghetto de **Parian**, celui des Chinois du temps des Espagnols, époque à laquelle seuls les Espagnols étaient autorisés à habiter "dans les murs". Le nom de Parian signifie "marché de soie". Ici se trouve l'Hôtel de Ville (**City Hall**), construit en 1939.

Au sud, Intramuros est bordée par le **parc Rizal**, le lieu de détente le plus populaire de Manille, et qui sépare la ville "ouvrière" des quartiers du tourisme d'Ermita et de Malate.

Le parc de Rizal est fréquenté au petit matin par les Chinois venant faire leur gymnastique si particulière qu'on la surnomme la boxe des ombres. A 17 heures, on peut assister à un concert gratuit.

- Le front de mer, en 1980, c'était encore **Roxas Boulevard,** une magnifique avenue qui avait pris le nom du premier président des Philippines indépendantes, après avoir porté celui de Dewey Avenue (de celui de l'amiral américain qui avait vaincu les Espagnols en 1898). Déjà, la seconde guerre mondiale avait vu détruire la plupart des riches demeures bourgeoises qui la bordaient. On avait par la suite construit quelques immeubles d'affaires, le **Metropolitan Museum**, la Banque Centrale et quelques hôtels. Sans retrouver sa noblesse passée, Roxas Boulevard avait au moins pour le touriste le charme d'une promenade des Anglais asiatique. Malheureusement, un projet en cours d'exécution est en train de conquérir de grands espaces sur la mer, de sorte que Roxas Boulevard devient peu à peu un simple boulevard intérieur. Tant pis pour une bonne partie des grands hôtels.

Deux ensembles ont déjà été réalisés sur la mer : L'un comprend le **Centre Culturel des Philippines**, le **Coconut Palace** et le gigantesque hôtel Philippine Plaza ; l'autre ensemble, plus récent, comprend le centre des expositions.

Le seul endroit qui ne sera pas touché se trouve devant le Rizal Park et devant l'ambassade américaine.

- Entre Roxas Boulevard et l'avenue parallèle de Taft Avenue (Taft fut gouverneur des Philippines avant de devenir président des Etats-Unis en 1909), s'étendent les quartiers touristiques d'**Ermita** et de **Malate**. Taft Avenue est désormais parcourue par la première ligne de métro aérien de Manille.

- Beaucoup plus loin au sud-est, se trouve **Makati** avec la Senator Gil Puyat Avenue (autrefois appelée Buendia Avenue) et Ayala Avenue. Makati est né après la seconde guerre mondiale, lorsque le richissime Ayala (propriétaire entre autre de la bière San Miguel) a entrepris un important programme d'urbanisation. Quartier très moderne, on y trouve les immeubles des grandes banques, des compagnies multinationales, de très grands centres commerciaux, des hôtels de grand luxe et, plus loin, les quartiers des multi- millionnaires.

Ces derniers quartiers, tels **Forbes Park, Dasmarinas, Bel Air** ou **San Lorenzo** sont de véritables camps retranchés, protégés par des barbelés et des miradors, et où l'on ne peut entrer qu'en montrant patte blanche, contraste saisissant avec les bidonvilles de Tondo que nous visiterons plus loin.

- Au sud de Roxas Boulevard, **Baclaran** possède l'une des plus grandes églises des Philippines, **Notre Dame du Perpétuel Secours**, construite dans les années 1950, et objet d'un pèlerinage tous les mercredis de l'année. Baclaran conserve également un marché aux poissons pittoresque.

- A l'est de Baclaran, sur la commune de **Pasay City**, s'étendent les deux aéroports de Manille, le national et l'international, ainsi que le musée en plein air de **Nayong Pilipino**. Nous sommes à une douzaine de kilomètres de Rizal Park.

- Toujours plus au sud, nous rencontrons enfin les communes de **Paranaque** et de **Las Pinas**, intégrées depuis 1976 dans Metro Manila, mais que nous décrirons dans notre circuit des environs sud de Manille.

Au nord de la Pasig
- Passons maintenant sur la rive droite de la Pasig par le pont de Jones, situé entre les bureaux de l'Immigration et la Poste principale (ce pont porte le nom de l'auteur de l'Acte d'Autonomie des Philippines de 1916). L'**Arche de la Bienveillance** (Arch of Goodwill) nous avertit que nous entrons dans le quartier populaire de **Binondo**, le Chinatown de Manille (le quartier des Chinois chrétiens).

- A l'ouest, directement en bordure de mer, se trouvent les installations portuaires de **North Harbor**, d'où partent la plupart des bateaux réguliers vers les autres îles de l'archipel.

- Si nous traversons la Pasig plus à l'est, par le pont MacArthur ou par celui de Quezon, nous arriverons d'abord dans le quartier populaire et populeux de **Quiapo**.

- Toujours plus à l'est, le pont Ayala donne accès au quartier de **San Miguel**, où furent installées les premières brasseries de la célèbre

MANILLE

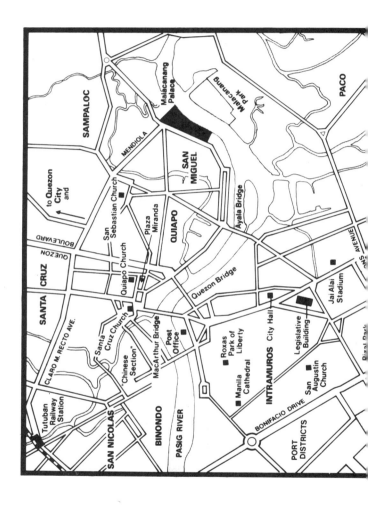

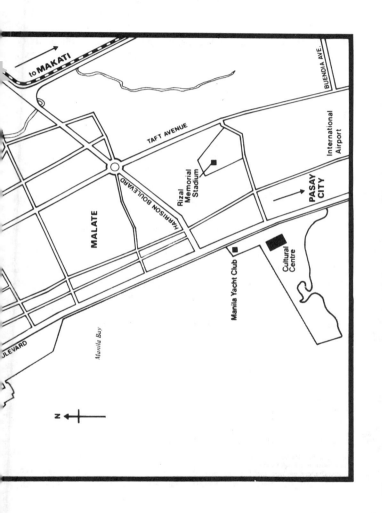

bière. On y trouve aussi l'église Saint Miguel, mais l'histoire ne dit pas si l'eau bénite était autrefois remplacée par de la bière bénite. C'est dans ce quartier que se trouve le **Palais présidentiel de Malacanang**.

- Au nord de Binondo, s'étend le quartier de **Divisoria**, transpercé par l'avenue Recto. Divisoria est le quartier des bonnes affaires. C'est ici que grouille de vie le plus grand marché de Manille, et qu'est située la gare principale des chemins de fer (ou **Tutuban Railway Station**).

- Plus au nord encore, nous découvrirons le quartier miséreux de **Tondo**, autrefois quartier d'artisans, puis enfin, toujours plus au nord, le **Cimetière chinois**.

Tondo**

Avant de visiter les musées, allez donc vous promener à Tondo. Mieux qu'un musée, c'est une exposition sociologique des méfaits de la démographie galopante dans un pays du Tiers-Monde : Six ou huit enfants par famille, entassés dans des bidonvilles. Parce que l'on a cru qu'à Manille la vie était plus facile que dans les champs, et parce qu'un cousin y avait trouvé du travail, alors on est venu. Mais le travail, tout le monde ne peut en trouver dans un pays où la population a doublé en 20 ans et où le nombre d'industries est encore limité. Alors on vit "sur le cousin" et, en attendant, on bricole ou l'on fait d'autres enfants ; des enfants malgré tout rieurs et heureux tout plein, lorsqu'un rare étranger daigne se promener dans leur quartier (mais ne vous y hasardez pas de nuit). Tondo, cela représente quelque 180 000 Philippins abrités dans un peu moins de 20 000 baraques, mais en fait, Tondo héberge à peine 10 % des habitants de la capitale vivant dans des taudis.

Voyez aussi le marché de Tondo, près de Sande Street.

Lorsque vous aurez vu Tondo, les autres quartiers vous paraîtront d'un intérêt très moyen.

San Nicolas est le quartier du **marché de Divisiora**, l'un des plus colorés de Manille où il est difficile de se frayer un chemin, à pied comme en voiture. Vous y trouverez des mômes qui se promènent avec des seaux contenant les fameux *baluts*, les oeufs de canards, dont nous avons parlé dans la première partie de ce guide.

Binondo*

C'est le quartier chinois pas très chinois, en ce sens qu'on n'y trouve pas la débauche d'enseignes à idéogrammes que l'on trouve à Singapour, Hong Kong ou même Bangkok. C'est pourtant là que vous irez si vous voulez manger à peu près bien et pas cher.

Les rues y sont si étroites, que ce serait folie de s'y aventurer en voiture ; c'est même le dernier endroit de la capitale où l'on touve encore les "kalesas", ces fiacres rustiques. **Ongpin Street** est l'artère principale de Chinatown. Elle tient son nom du premier marchand chinois à avoir porter le barong tagalog, la chemise nationale. Elle n'est pas la seule rue de quelque intérêt : **Nueva Street** est la rue du cuir, depuis les chaussures, jusqu'au sacs ; **Gandara Street** est la rue des quincaillers, **Carvajal Street** était autrefois celle des parapluies, mais aujourd'hui elle est devenue celle de la restauration rapide, et puis, un peu partout, on rencontrera les petits commerces chinois, les marchands d'aphrodisiaques, d'herbes médicinales, les artisans...

L'église de Quiapo*

Vous irez ensuite à **Quiapo** en passant par l'église et la place de Santa Cruz, où se trouvent les changeurs de dollars au marché noir (méfiez vous de l'arnaque) et l'artère commerçante de Rizal Avenue. L'**église de Santa Cruz** de 1608 a malheureusement été détruite en 1945 et reconstruite depuis.

Vous arriverez ainsi à l'**église du Nazaréen noir** appelée aussi tout simplement l'église de Quiapo. L'église actuelle ne remonte qu'en 1935, et est l'oeuvre d'un architecte local, Juan Nakpil. Elle remplace trois églises qui ont été détruites successivement, soit par le feu, soit par des tremblements de terre (les calamités ne manquent pas dans ce pays), et dont la plus ancienne fut élevée en 1586.

A longueur de journée, les pèlerins et les fidèles font la queue pour baiser les pieds d'une statue d'un christ noir sculpté au Mexique par un Aztèque converti (du moins c'est ce que nous dit la tradition) et introduit aux Philippines au XVIIème siècle. Une grande fête a lieu le 9 janvier, pendant laquelle la statue du Nazaréen est promenée en procession dans tout le quartier.

Le marché de Quinta*

En sortant de l'église de Quiapo, vous rencontrerez des marchands d'amulettes : Si le Christ ne peut rien, ça peut toujours servir. A côté de l'église et sous le pont de Quezon, se trouve le **marché de Quinta**, où vous pourrez acheter des objets de vannerie en abaca, aussi bien que des oeufs salés reconnaissables à leur peinture mauve, ou les fameux barongs tagalogs (mais achetez plutôt ces derniers dans les beaux quartiers).

Dans ce quartier, vous remarquerez, comme ailleurs, la manie des Philippins de faire faire toutes leurs pièces de vêtements sur mesure, des chaussures au chapeau.

Rizal Avenue

L'artère principale qui part du pont MacArthur, c'est **Rizal Avenue**, une artère extrêmement vivante. On y trouvait autrefois l'Opéra, qui eut le privilège d'accueillir la Patti et Pavlova.

L'Université de Santo Thomas

Le pont de Quezon, pour sa part, donne accès à l'Avenue Quezon. Cette artère mène notamment à l'**Université de Santo Thomas**, la plus vieille des Philippines et même d'Asie du Sud-Est. Elle fut en effet fondée sous le nom de Colegio Seminario de Nuestra Senora del Rosario par les Dominicains, en 1611 et à l'intérieur de Intramuros. Devenue par la suite le Collège de Saint Thomas, elle s'enorgueillit d'avoir formé la fine fleur de l'élite philippine, comme le Père Burgos, José Rizal, M. H. Del Pilar ou Manuel Quezon.

Ce n'est que sous les Américains en 1924, qu'elle s'ouvrit aux jeunes filles. Cette époque correspond au début de son transfert sur ces lieux, un transfert qui avait été décidé dès 1911, mais qui n'avait pu être réalisé plus tôt, faute de fonds. En 1942, elle fut transformée en camp d'internement par les Japonais et quelque 10 000 prisonniers y souffrirent. Aujourd'hui elle accueille plus de 30 000 étudiants.

Elle comprend aujourd'hui une bibliothèque riche en vieux manuscrits, un musée anthropologique et archéologique, une collection numismatique, et abrite même un tableau du Greco.

Intramuros**

Retraversez la Pasig, et vous voilà à l'entrée d'Intramuros qui n'est malheureusement plus que l'ombre d'elle même. Intramuros, à la belle époque, c'était une enceinte fortifiée de quatre kilomètres de périmètre, à l'intérieur de laquelle s'élevaient une vingtaine d'églises et de chapelles, plus de quatre-vingt édifices publics, près de quatre cents demeures privées, ainsi qu'une université et un hôpital. Les rues étaient à angle droit et découpaient soixante-quatre patés de maisons. Seuls les Espagnols bon teint avaient le droit d'y vivre, Chinois et Philippins devaient s'installer à l'extérieur de la cité. Le tremblement de terre de 1863, qui détruisit la cathédrale et de nombreux bâtiments, décida pourtant le gouverneur à s'établir hors les murs, dans le palais de Malacanang.

L'église San Augustin***.

(Ouvert de 8 h à 12 h et de 13 h à minuit, tous les jours, sauf le Vendredi Saint).

C'est l'un des monuments les plus intéressants d'Intramuros, et surtout le seul à ne pas avoir souffert du temps et des bombardements. Les Augustins sont arrivés à Manille en même temps que Legazpi, et c'est ce dernier qui a désigné au père Diego Herrera l'endroit où pourrait être édifiée l'église. Le premier bâtiment construit, le fut en bois léger (palmier nipa pour être précis). Il fut incendié en 1574 par le pirate chinois Limahong. L'église actuelle fut reconstruite par les Augustins à partir de 1587 sous la supervision de Juan Macias et Antonio Herrera, et curieusement consacrée à Saint Paul. Ses dimensions intérieures sont de 60 mètres pour la longueur, 27 mètres pour la largeur et 18 mètres pour la hauteur de la nef. Ce bâtiment connut bien des malheurs, avec les tremblements de terre successifs, les typhons et les bombardements, mais elle réussit à tenir bon. Aujourd'hui, elle passe pour la plus ancienne église de pierre du pays. Copiée sur le style colonial déjà essayé au Mexique, l'église fut achevée en 1606. Assez lourde d'aspect, elle possède néanmoins quelques beaux détails, comme la chaire baroque inspirée du paysage tropical, les chaises du choeur en bois de molave (un bois dur local), incrusté d'ivoire, le crucifix Legazpi (mort en 1692 - son gisant est l'oeuvre de Joaquin Rubio Camin), ainsi qu'un beau plafond en trompe-l'oeil de 1875.

Le monastère, qui lui est contigu, a lui aussi été restauré plusieurs fois. Un second monastère a dû être détruit pendant la Seconde Guerre mondiale. On remarquera des autels de bois sculpté aux quatre coins du cloître. La bibliothèque du XVIIème siècle a malheureusement été pillée par les Britanniques en 1762. Un superbe musée d'objets religieux a été aménagé dans les salles donnant sur le cloître pour abriter la **collection d'art religieux de Luis Arneta****, la plus importante de ce type aux Philippines. On y admirera des peintures sur bois du XVIIème siècle, un lutrin imposant, des statues en ivoire, de nombreuses sculptures sur bois et des vêtements sacerdotaux. L'une de ces salles porte le nom de Salle de la Capitulation, car c'est ici que les Espagnols signèrent leur reddition le 13 août 1898.

Le fort Santiago et le sanctuaire de Rizal*.

Le fort Santiago, du nom de Santiago de Vera, premier gouverneur espagnol de Manille, fut élevé à la fin du XVIème siècle sur les plans de Leonardo Iturriano, à l'emplacement du petit fort du Rajah Soliman. Situé à l'angle nord-ouest de la cité, il contrôlait ainsi l'embouchure de la Pasig.

Pendant l'occupation japonaise, il servit de prison où furent torturés de nombreux prisonniers. Réduit en ruines par les Américains en 1945, il est aujourd'hui transformé en mémorial à la gloire du Dr Rizal, le père de la Patrie.

Sur la place extérieure, se tenaient les parades sous l'occupation espagnole. Aujourd'hui, on y expose des tacots, un vieux canon espagnol et des souvenirs du général Luna, autre héros philippin. Une porte imposante relie cette cour à la cour intérieure ou place d'Armes. On y a construit un théâtre en plein air en 1967, et l'on y a produit de temps en temps des zarzuelas.

Au nord de la place, la cellule chapelle de Rizal, où il passa les dernières 23 heures de sa vie. Le sanctuaire proprement dit se trouve dans les anciens baraquements restaurés, et renferme de nombreux objets et images se rapportant à la vie de Rizal. Ce petit homme (il mesurait à peine 1,50 m) eut une vie fascinante, mais bien courte pour le moins. Né en 1861, il allait remplir de façon intense, les brèves trente-cinq années de sa vie. Fils d'un riche planteur, métissé d'Espagnol et de Chinois, il devint d'abord ophtalmologiste, afin de pouvoir soigner la vue de sa mère. Mais il n'était pas seulement doué pour les sciences ; parlant sept langues, il était doué également pour le dessin, la sculpture, la littérature, mais trouvait aussi le temps de tomber toutes les femmes qu'il rencontrait.

Une porte donne sur sa prison où se trouve la table sur laquelle il écrivit son "Ultimo Adios".

La Plaza Roma

C'est l'ancienne Place d'Armes ou Plaza Mayor des Espagnols, là même où avaient lieu les courses de taureaux et où s'élevaient l'**Ayuntamiento** (l'Hôtel de Ville détruit en 1945) et le **Palacio del Gobierno** ou Palacio Real (le Palais du Gouverneur espagnol détruit par le tremblement de terre de 1863), aujourd'hui reconstruit en immeuble de bureaux. On y trouve encore la cathédrale, ainsi qu'un monument de Solomon Saprid à la mémoire des trois premiers religieux qui moururent pour l'indépendance, Padre Burgos, Padre Gomez et Padre Zamora. La place, qui s'appelait Place McKinley sous les Américains, fut rebaptisée Plaza Roma en 1956, pour remercier les Romains d'avoir baptisé du nom de Manille l'une de leur places.

La cathédrale*

Située sur la Plaza Roma, elle est dédiée à l'Immaculée Conception. Reconstruite de 1956 à la fin des années 70, par Fernando Ocampo, cette cathédrale à trois nefs, la sixième église à avoir été élevée en ce lieu, n'a plus beaucoup de charme ni de décorations de valeur, sinon ses portes de bronze fondues par les Italiens Nagni et Monteleone, quelques mosaïques, un sol en marbre de Carrare et quelques vitraux ; ces derniers, oeuvres du Philippin Galo Ocampo, illustrent la vie de la Vierge. Signalons tout de même encore son orgue de 4 500 tuyaux, et originaire des Pays-Bas.

Musée de Casa Manila*

(9 h à 12 h et 13 h à 18 h - Fermé lundi, payant)

Située sur General Luna Street, c'est une belle demeure bourgeoise espagnole, qui a été restaurée et décorée avec du mobilier du XIXème siècle.

Rizal Park*

C'est dans ce parc de 60 hectares, autrefois appelé **Luneta** à cause de la forme en croissant de lune qu'il affecta un temps, que s'élève le mémorial au plus grand des héros philippins, exécuté à quelques pas le 30 décembre 1896. Le monument lui-même fut érigé en 1913 par Carlo Nicoli et Richard Kissling. Des plaques reproduisent les vers du célèbre poème de Rizal, "Mi ultimo Adios", déjà cité. On notera au passage que près de ce monument, un grand mât portant le drapeau philippin sert de kilomètre "0" du système routier de l'île de Luzon.

- C'est encore tout près de cet endroit également que furent exécutés d'autres patriotes, notamment le Père Burgos (en 1872).

- Ce parc et sa périphérie sont parsemés de monument coloniaux, américains pour la plupart, et devenus presque tous des bâtiments administratifs, tels que l'**Office du Tourisme** (Agrifina Circle), la **Bibliothèque Nationale** ou le **Musée National**.

Ermita et Malate

Limité au nord par le parc Rizal et à l'ouest par le front de mer, Ermita est le quartier N°1 des touristes à petit budget. On y trouve des hôtels à prix modérés, de nombreux restaurants et boutiques, une foule de bureaux de change, le marché d'artisanat de Pistang Pilipino, ainsi que des boîtes de nuits et des bordels relativement discrets. Les deux rues principales y sont Mabini et Del Pilar.

En prolongement d'Ermita, de l'autre côté de la rue Pedro Gil se trouve un quartier assez similaire, Malate. Ici, entre ces rues de Mabini et de Del Pilar, à l'angle de la rue San Andrés, se trouve une église intéressante, l'**Eglise de Malate***, de son ancien nom Nuestra Senora de Los Remedios. Construite vers la fin du XVIIIème siècle à l'emplacement d'une ancienne église de la fin du XVIème siècle, elle conserve une belle façade de style mudejar, mais est ornée également de colonnes de style typiquement colonial mexicain.

Le Centre Culturel des Philippines*

Sur un terrain gagné sur la mer à l'ouest de Roxas Boulevard, trois belles réalisations modernes ont été réalisées dans les années 1960-70, à l'initiative de Imelda Marcos. Elles sont l'oeuvre de l'architecte philippin Leandro Locsin ; ce sont :

- Le très beau **Centre Culturel des Philippines** (C.C.P.), inauguré en 1969, comprend une salle de concerts de 2 000 places, un théâtre de 400 places, une bibliothèque, un musée et une galerie d'art.

- **Le Centre International de Congrès** : Ouvert en 1976 à l'occasion de la Conférence du Fond Monétaire, il peut accueillir 6 000 participants.

- **Le théâtre des Arts Populaires** (Folk Art Theatre), inauguré en 1974, est un théâtre en plein air de 8 500 places.

Les musées

Le Nayong Pilipino ou Village philippin**
(9 h à 18 h - Payant)
De création relativement récente, il se trouve le long des pistes de l'aéroport national. C'est certainement l'endroit où il faut vous rendre avant d'entreprendre la visite des Philippines, car il s'agit d'un résumé

explicatif des paysages, du folklore, de l'artisanat et de la faune du pays. Très agréablement présenté sur 30 hectares de parc, des maisons de six grandes régions ont été amenées ou reconstruites, vous pourrez y voir exécuter l'artisanat local. Ne manquez surtout pas le musée passionnant où sont représentées, soit en photos, soit par leur artisanat, les principales minorités philippines, des tribus montagnardes du Nord-Luzon aux tribus musulmanes de Mindanao.

Avant de partir, voyez encore l'aquarium de poissons et coquillages ; il y a quelques petites merveilles. A noter que des jeepneys sillonnent les allées pour vous transporter gratuitement.

Le musée Ayala*

(Face au Makati Shopping Center - Ouvert de 9 h à 18 h sauf lundi - Payant).

Soixante dioramas présentent les principaux événements de l'histoire des Philippines. A côté, nous découvrirons une belle exposition de maquettes de bateaux, depuis les galions espagnols jusqu'aux jonques chinoises (entrée payante). On pourra aussi admirer une jolie volière d'oiseaux tropicaux. Elle est située derrière le musée.

Le palais Malacanang*

(Lundi et mardi de 9 h à 15 h et Jeudi et vendredi de 8 h 30 à 11 h, visite guidée payant au prix exorbitant de 10 US $).

- Les jeudi et vendredi, cela ne coûte que 10 pesos, mais on ne laisse entrer que 100 personnes, d'où des queues plus d'une heure à l'avance - Fermé mercredi, samedi et dimanche)

C'était, jusqu'en 1986, le palais présidentiel. Il se trouve sur la rive droite de la rivière Pasig, dans le faubourg de San Miguel.

Cette demeure d'architecture coloniale date de 1802 ; quant à son nom, il serait la déformation de "May Lakan Diyan", ce qui en tagalog signifie plus ou moins "Résidence d'un Noble". Le Noble en question s'appelait Don Luis Rocha. Il est intéressant de noter que pour financer son acquisition en 1825, le gouvernement taxa la communauté chinoise de 6 pesos par tête. A partir de 1863, après la destruction de l'ancien Palacio Real par le tremblement de terre, ce palais servit de résidence aux gouverneurs espagnols. Par la suite, les gouverneurs américains s'y installèrent également, puis Manuel Quezon fut le premier chef d'Etat philippin à en faire sa résidence. Les autres présidents suivirent son exemple jusqu'à la chute de Ferdinand Marcos en 1986. Cory Aquino se fit un devoir de l'abandonner comme siège du gouvernement du pays pour se réfugier dans le pavillon des invités situé à l'extérieur du parc du palais. Peu après, le palais de Malacanang fut ouvert au public comme "Musée des Valeurs historiques". L'actuelle présidente ne se rend au palais que pour le conseil des ministres du mercredi.

On y visite une partie des appartements où dominent marbre, chandeliers de cristal, porcelaine chinoise, et une galerie de peinture avec les portraits de tous les présidents philippins, sans oublier la garde-robe et les chaussures de l'ancienne "First Lady".

Coconut Palace**

(9 h à 11 h 30 et 13 h à 16 h 30 - Fermé lundi - Payant et très cher)

Situé à côté de l'hôtel Philippine Plaza, le Palais de Noix de Coco, appelé aussi Tahanang Pilipino, fut construit entre 1978 et 1981 par l'architecte philippin Francesco Manosa. Le président Marcos avait en vue le voyage du pape Jean XXIII et voulait le lui proposer comme résidence. L'originalité de ce bâtiment est d'avoir été construit en bois locaux (dont 70 % de cocotier). Il comprend des salons, ainsi que sept chambres, chacune décorée sur un thème différent, mais représentant chacune l'une des grande culture philippines. C'est très beau, mais aussi très hollywoodien, et l'on comprend que le pape ait préféré aller loger chez l'archevêque.

Le musée national*

(De 9 h à 12 h et de 13 h à 17 h, sauf dimanche matin et samedi après-midi).

Situé dans le bâtiment qui servit autrefois de Parlement (Old Congress Building), ce musée n'ajoute pas grand-chose au musée ethnologique du Nayong Filipino, sinon les restes de l'homme de Tabon, l'homme de Cro-Magnon de Palawan.

Le bâtiment lui-même, dessiné par Burnham et achevé en 1934, présente le long de sa façade les statues des anciens présidents Quezon et Osmena.

Musée des Coquillages Carfel*

(1786 Mabini Street, Malate - 9 h à 18 h - Fermé dimanche - Payant)

C'est peut-être la plus riche collection de coquillages et de coraux de toutes les Philippines.

Ce que vous pouvez encore voir et faire à Manille

Le Marché au poissons*

Si vous êtes matinal, allez au petit marché aux poissons qui se tient le long de Roxas Boulevard, à hauteur du quartier de Baclaran. Les pêcheurs vendent directement leurs poissons et il y a de jolies barques colorées.

Le cimetière chinois*

Dans le quartier de la Loma, ce cimetière est assez curieux par la prétention que mettent les Chinois dans leur dernière demeure, alors qu'ils laissent rarement apparaître leur richesse de leur vivant dans des maisons somptueuses. Le mur extérieur contient 10 000 tombeaux de chinois moins aisés.

Le Mémorial et le cimetière américain

A 10 kilomètres du sud-est de Rizal Park, dans la réserve militaire de Fort Bonifacio (à l'est de Forbes Park), le Mémorial et le cimetière américain forment un impressionnant ensemble avec ses 17 208 tombes de jeunes soldats américains, morts pour la plupart entre 1941 et 1942. C'est le plus grand mémorial aux soldats américains en dehors des Etats-Unis.

Le soir enfin (mais cela n'a aucun rapport avec les deux visites qui précèdent), vous pouvez aller dîner dans des restaurants de poissons sur Roxas Boulevard et finir la soirée dans les boîtes de ce même Roxas Boulevard, de Mabini Street ou de Del Pilar Street.

LES ENVIRONS SUD DE MANILLE***

(Manille - Las Pinas - Tagatay - Calatagan - Lac Taal - Alaminos - Hidden Valley - Pagsanjan - Laguna de Bay - Manille)

Si Manille est une ville qui n'a pas de grands dépaysements à offrir, il n'en est pas de même pour les environs et principalement pour le Sud, appelé parfois Sud-Luzon. Les paysages sont splendides, la vie encore traditionnelle et les vieilles villes gardent toujours leur charme colonial espagnol.

Ce circuit peut se faire en trois jours, voire en deux jours, si l'on se limite à Pagsanjan et au lac Taal, mais c'est tellement joli que, si vous pouvez passer plus de temps, n'hésitez pas.

Las Pinas*

Avant de quitter Manille, la route de Tagatay longe le bord de mer, puis passe par **Paranaque**, où vous pourrez visiter la **fabrique de jeepneys Sarao** : Il est amusant de voir les Léonard de Vinci philippins travailler sur carrosserie japonaise ! (Fermé le dimanche).

Un peu plus loin, à Las Pinas (aujourd'hui intégrée dans Metro-Manila), l'**église San Jose**** mérite un arrêt. Cette église de la fin du XIXème siècle est célèbre par son orgue de bambou unique au monde. Ce dernier a été construit vers 1820 par le religieux Diego Cera. Envoyé dans les années 1970 en Allemagne pour être restauré, l'orgue est de nouveau en place, et vous pourrez l'écouter fonctionner (de 14 h à 16 h) ; haut de 5 mètres et lourd de trois tonnes et demie, il est constitué de 901 tuyaux de bambou.

Tagatay et le lac Taal***

56 kilomètres séparent Manille de **Tagatay**, 56 kilomètres à travers la province de Cavite, d'une route bordée de merveilleux vergers tropicaux : Champs de canne à sucre, rizière, plantation de coprah, papayes, café, bananes... d'où le surnom de plantation de cocktails de

fruits donné à la région. Arrêtez-vous pour déguster quelque merveilleux ananas à un prix ridicule.

Peu avant d'arriver à Tagatay, commence la route en corniche tracée sur la crête du volcan du **lac Taal** (vous êtes à 700 mètres d'altitude). L'une des meilleures vues s'obtient de la terrasse du Taal Vista Lodge, hôtel très agréable pour passer une nuit, ou de l'hôtel Sierra Grande un peu après Tagatay. La curiosité et la beauté de ce lac, situé entièrement dans la province de Batangas, résident dans le fait que la route de corniche d'où vous jouissez du panorama est le bord du cratère d'un ancien volcan, un cratère immense, à l'intérieur duquel se trouve un lac et au milieu de ce lac, un autre volcan, le plus bas du monde, et en activité celui-là ; en fait, on le croyait éteint, mais, en 1966, il s'est réveillé, tuant plusieurs centaines de parsonnes et détruisant plusieurs villages. Aujourd'hui il fume toujours.

L'éruption du volcan Taal rappelle celle de la montagne Pelée qui tua tous les habitants de Saint-Pierre de la Martinique, sauf un prisonnier. Le volcan Taal tua, pour sa part, tous les habitants du village sur les bords du lac, sauf un chien.

Il est possible d'accéder à ce volcan en activité et d'aller voir de plus près si les fumées sont bien naturelles.

Il existe plusieurs endroits sur les bords du lac où l'on peut louer un bateau pour s'y rendre. Nous avons choisi un lieu pas trop touristique : le village de **San Nicolas**, accessible en jeepney depuis Lemery. La région est ravissante en hiver, avec ses rizières blotties dans une profusion de cocotiers. Emportez des espadrilles pour escalader le petit volcan : comptez une heure de traversée aller-retour plus une heure d'ascension et de descente du volcan. Vous pourrez aussi prendre le bateau près de **Buko**.

Taal**
(120 km de Manille)

Revenons en arrière pour visiter la vieille ville de Taal : Sans avoir de monuments extraordinaires, encore que son église soit la plus vaste des Philippines, Taal a baucoup de charme avec ses vieilles maisons coloniales. C'est qu'elle fut d'abord fondée en 1572 autour d'une mission des Augustins, établie sur la crête même du lac Bombon, comme on appelait alors le lac Taal. Les multiples éruptions eurent cependant raison de la détermination des religieux, et la ville fut transférée à l'emplacement actuel au XVIIIème siècle. Elle devint alors capitale de la province de 1732 à 1754.

On flânera avec beaucoup de plaisir dans ses vieux quartiers qui conservent une bonne centaine de maisons coloniales. L'église principale, perchée au sommet d'une colline a malheureusement été détruite par un tremblement de terre au XIXème siècle et fut reconstruite à partir de 1856.

On cultive le café dans la campagne autour de Taal, mais en ville, on fabrique aussi les fameux barongs tagalogs, des chemises qui servent aussi d'habits de soirée ici. Et puis, vous pourrez déguster le poisson du lac Taal, le maliputo qu'on ne trouve, paraît-il que dans ce lac, et qui peut être délicieux quand il est bien cuisiné (il paraît que cela arrive).

Calatagan

De Tagatay, vous pourrez aussi, avant de descendre sur le lac, vous diriger vers Calatagan, région de villégiature célèbre pour l'hôtel de Punta Baluarte, proche de Talisay et à 130 kilomètres de Manille (voir plus loin).

De Taal à Pagsanjan

Du lac Taal, nous allons rejoindre la province de Laguna (capitale Santa Cruz), mais nous pourrions aller à Pagsanjan, directement de Manille en faisant le tour de la Laguna de Bay. Dans ce cas, le première localité de quelque intérêt serait **Calamba** (55 kilomètres de Manille), ville natale de José Rizal. La maison où naquit le héros national en 1861 a été restaurée et transformée en petit musée, mais certains auteurs prétendent que ce n'est pas la vraie maison de Rizal, j'espère que cela ne vous empêchera pas de dormir.

La Laguna de Bay

Notre route longe ensuite la **Laguna de Bay**, le plus grand lac des Philippines (90 000 hectares), autrefois relié à la baie de Manille par un canal navigable, que des coulées de lave auraient coupé de la mer. Cela expliquerait que son niveau soir à peine supérieur au niveau de la mer (de l'ordre d'un mètre). C'est de ce lac qu'est issue la Pasig qui arrose (parcimonieusement) Manille. Entourée des provinces de Rizal (700 000 habitants) et de Laguna (1,3 millions d'habitants), ainsi que des faubourgs de Manille, la Laguna de Bay est demeurée très pittoresque par ses villages de pêcheurs et ses élevages de poissons (le délicieux bangus notamment), mais les crocodiles, autrefois très abondants, ont disparu depuis plus d'un siècle.

Hidden Valley**

Vous pouvez suivre plusieurs routes à travers la province :
La plus longue passe d'abord par **Alaminos**, coquette petite ville à 5 kilomètres de laquelle se trouve la fameuse **Hidden Valley** ou "Vallée perdue" ; il s'agit d'un ancien cratère de 150 mètres de profondeur, aujourd'hui recouvert d'une végétation primaire luxuriante, et avec des sources jaillissant un peu partout. Le propriétaire de cette vallée a décidé, il y a quelques années, d'y construire un hôtel pavillonnaire, et d'y aménager le long des sources quelques petites piscines. L'endroit est paradisiaque, on y trouve des papillons merveilleux et c'est assez confortable, mais l'accès en est relativement cher (le prix de l'entrée est toutefois déduit des éventuels repas que vous y prendrez).

Los Banos

A 62 kilomètres de Manille et à 7 kilomètres de Calamba, **Los Banos** est, comme son nom l'indique, une station thermale avec des sources chaudes exploitées depuis le début du XVIIème siècle. Comme on ne pouvait pourtant l'y laver de ses péchés, on y exécuta le général japonais Yamashita, coupable de crimes de guerre.

Au sud de la ville, le **mont Makiling** (1 090 m), ancien volcan d'où sortent ces sources, est un joli parc national de 4 000 hectares, dont la végétation, les papillons et la vue sur la Laguna de Bay sont magnifiques. Imelda Marcos y fit construire en 1976 l'Institut International de Recherche sur le Riz, l'IRRI (visite sur rendez-vous), le Collège d'agriculture des Philippines et le National Art Center comprenant un auditorium de 2 500 places.

De la capitale, il existe un autre itinéraire, plus court, mais tout aussi joli, qui permet de voir les belles églises coloniales de **Santa Magdalena*** et surtout de Nagcarlan et Majayjay.

- **L'église de Nagcarlan*,** qui avait brûlé en 1781, a été aussitôt reconstruite, puis de nouveau restaurée en 1845. Elle est une des rares églises où l'on a utilisé des tuiles vernissées. Le cimetière de Nagcarlan est sans doute le plus remarquable de ceux qui demeurent aujourd'hui, et un bel exemple de style baroque colonial.

- **L'église de Majayjay*,** plus impressionnante que la précédente, se distingue par ses trois niveaux, exemple rarissime dans le pays. Malheureusement son cloître a été abandonné. L'église actuelle date de 1730, mais son toit a été restauré en 1892.

Majayjay est située à 120 kilomètres de Manille. De ce village, une randonnée à pied ou à cheval (à louer à la mairie) peut se faire au **Puente de Capricho** (le pont du Caprice), un vieux pont inachevé de 1850. Ce nom résume son histoire. Il fut entrepris par un prêtre franciscain, qui s'entêta à faire travailler ses paroissiens à la construction de son caprice. Les paroissiens de Majayjay, mécontents, obtinrent le transfert du prêtre et le pont demeura inachevé. La promenade est jolie, et on signalera, pour les cinéphiles, que des scènes "d'Apocalypse Now" y ont été tournées en 1976.

Pagsanjan**

Malgré l'afflux de touristes, Pagsanjan mérite toujours d'être visitée. A condition de les faire le matin de bonne heure, la remontée, puis la descente des rapides sont une des promenades les plus belles que l'on puisse faire aux Philippines.

Le site est tellement beau qu'il a séduit Francis Ford Coppola, réalisateur du "Parrain", qui y a réalisé le fameux "Apocalpse Now". Pour la circonstance, un faux temple khmer avait été construit sur les rives, ce qui a rajouté un peu de "folklore" pendant quelques années.

Découvertes par un missionnaire presbytérien américain qui les nomma ainsi, les chutes de Pagsanjan sont évidemment entourées de légendes : Selon l'une d'elles, autrefois, il y avait uniquement le confluent de deux rivières (confluent se dit pagsanjan). Deux frères, Balubad et Magdapio, vivaient paisiblement sur les rives d'une d'entre elles. Puis un jour vint la sécheresse qui détruisit les plantes, puis les animaux. Le plus âgé des frères, Balubad, mourut à son tour. Le mont où il est enterré porte maintenant son nom. Alors Magdapio remonta le lit asséché de la rivière jusqu'à la grande falaise, mais il ne trouva toujours pas d'eau. En désespoir, il frappa de sa canne les rochers et le miracle eut lieu. L'eau jaillit, les chutes apparurent ; c'est pourquoi celles-ci s'appelèrent d'abord chutes de Magdapio. D'autres légendes s'attachent à différentes parties des rapides, mais je vous laisse le soin de les découvrir auprès des bateliers.

Si vous passez la nuit dans l'un des hôtels situés sur les bords de la rivière (voir le Guide pratique), vous pourrez commander pour le lendemain une pirogue pour remonter les rapides. Les prix sont imposés, donc point besoin de marchander. Les pirogues, appelées ici *bancas*, sont manoeuvrées par deux *bankeros*, d'une habileté qui vous émerveillera et vous rassurera. Mêmes les vieilles ladies américaines leur font confiance, alors n'hésitez pas ! Offrez-vous la promenade (environ deux heures et demie aller- retour) passant par les chutes de Talahilo, Kaluykuy, "le Voile de la Mariée". Derrière la dernière et la plus grande des chutes (30 mètres) se trouve la **Grotte du Diable**, à laquelle on peut parfois accéder en suivant le niveau des eaux.

Le long du parcours, vous pourrez voir de beaux oiseaux et, si vous êtes chanceux, des singes et des lézards géants.

Le dernier dimanche de mai a lieu le Festival des Fleurs de Mai, auquel participent les plus jolies filles du coin, y compris les toutes petites. Ce festival est devenu assez touristique, bien que devant à l'origine honorer la Vierge Marie.

De Pasangjan, vous avez des autocars qui peuvent vous ramener directement à Manille, mais si vous n'êtes pas pressés, il y a encore quelques églises à voir en contournant la Laguna de Bay, si vous aimez :

Paete*

La façade de l'église Saint Jacques de 1840 est baroque. Paete, fondée en 1580, est aussi une ville où la sculpture sur bois est l'activité principale, mais cela se voit sur la superbe façade de l'église.

Nous quittons maintenant la province de Laguna pour entrer dans celle de Rizal (Capitale Pasig).

Tanay
(56 km de Manille)

L'église de cette petite ville fondée en 1606, fut reconstruite en 1783, mais a conservé sa forme originale du XVIIème siècle ; son couvent est un des rares à être entièrement en pierre.

Morong

A sept kilomètres de Tanay, l'église de San Jeronimo a une façade de style baroque tropical assez élégante de 1850, mais l'intérieur n'a pas grand intérêt.

CORREGIDOR

Il s'agit d'un îlot rocheux de 8 kilomètres carrés, 6 kilomètres de long, sur 800 mètres de large, qui commande l'entrée de la baie de Manille, d'où son intérêt stratégique déjà perçu par les Espagnols qui en avaient entrepris la fortification en 1876.

L'origine du nom de Corregidor (le Correcteur) est si peu poétique (sans doute le surnom du pénitencier que les Espagnols y avaient installé) que nous préférerons la légende : Il s'agit de l'amour impossible, au XVIIIème siècle, de deux jeunes gens qui fuirent leurs parents pour être ensemble, et qui furent rattrapés près de Bataan par un "redresseur de tort" (corregidor). La jeune Maria Velez devint *monja* (none) et le jeune homme *fraile* (moine). La montagne de Bataan prit le nom de la jeune fille, nom qui se déforma par la suite en Mariveles. Le rocher, par son aspect austère et inflexible, prit le nom de Corregidor.

Corregidor a connu la célébrité pendant la Seconde Guerre mondiale en devenant l'un des désastres de l'histoire militaire américaine, désastre glorieux toutefois. De nombreux films ont raconté ce que fut "l'enfer de Corregidor". Si les Espagnols n'avaient résisté que deux jours à l'escadre de Dewey en 1898, les Américains réussirent à tenir tête plusieurs mois aux Japonais. Corregidor est situé à 6 kilomètres au large de la presqu'île de Bataan et faisait partie, en même temps que Bataan, du système défensif principal de Manille.

Le commencement de la fin eut lieu le 9 avril 1942, lors de la chute historique de Bataan aux mains des Japonais. 80 000 soldats alliés furent faits prisonniers et emmenés au terme de la sinistre "Marche de la Mort" à Tarlac. Corregidor, qui avait été fortifiée dès avant la Première Guerre mondiale, possédait 23 batteries et des canons particulièrement efficaces ; ces derniers surent décourager longtemps la bonne volonté des Japonais, qui ne se sentaient quand même pas tous l'âme de kamikazes. C'est pourquoi depuis Noël 1941, le général Mac Arthur et le président philippin Quezon, qui ne se sentaient plus en sécurité au Manila Hotel, avaient déclaré Manille "Ville Ouverte" et avaient établi leur Q.G. sur l'île fortifiée, mais aussi protégée par quelque 12 000 soldats américains et philippins. Les fameuses galeries de Malinta abritaient de plus un matériel de guerre impressionnant.

- Le premier bombardement eut lieu le 29 décembre 1941, mais coûta également assez cher aux Japonais. Le 16 février, Quezon quitta prudemment Corregidor pour établir son gouvernement dans les Visayas.

ENVIRONS DE MANILLE

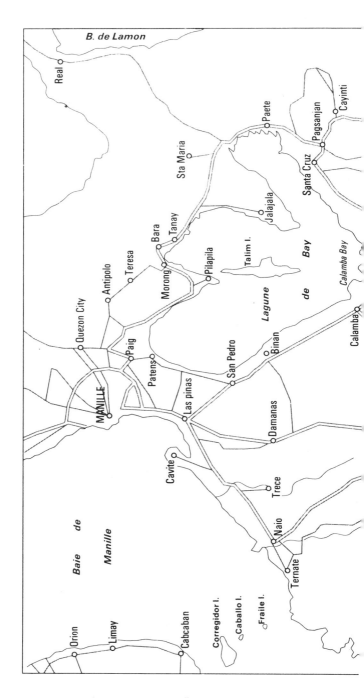

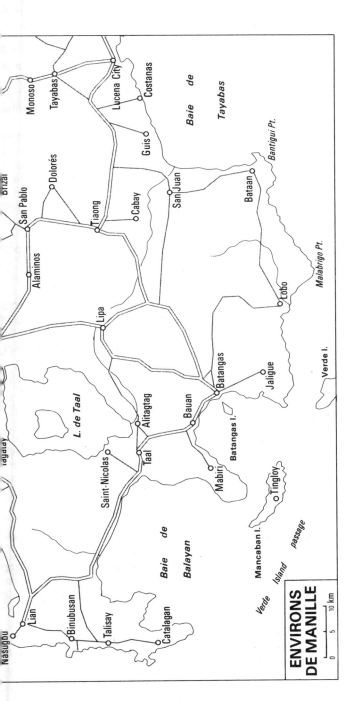

ENVIRONS
DE MANILLE

0   5   10 km

- Le 9 mars, Roosevelt ordonna à Mac Arthur de quitter Corregidor, conscient de sa chute imminente ; Mac Arthur évacué par sous-marin, devait être remplacé par le général Wainwright.

Quotidiennement, Corregidor fut alors bombardé soit par avion, soit par les batteries que les Japonais installèrent sur la côte en face de Corregidor.
- Le 9 avril, les Japonais utilisèrent les flancs du mont Marivales pour installer d'autres batteries et les bombardements devinrent permanents.
- Le 29 avril, anniversaire de l'empereur Hirohito, les Japonais décidèrent de lancer l'assaut final. L'enfer dura jusqu'au 6 mai à 12 heures, heure à laquelle les Américains hissèrent le drapeau blanc. Ils avaient, avec leurs alliés philippins, résisté au-delà de ce que l'on pouvait exiger d'eux.
- Corregidor sera repris symboliquement par MacArthur le 2 mars 1945.

Des visites guidées permettent de revivre ces événements. Un petit livre très complet et avec photos est en vente.

Pour aller à Corregidor, il existe deux moyens :
- L'excursion d'une demi-journée en hydroglisseur (quand il n'est pas en panne) depuis le Philippine Navy Warf, près du Cultural Center of Philippines à 7 h le dimanche et 8 h 30 en semaine (sauf le lundi). La traversée des 45 kilomètres qui séparent le port de Manille à Corregidor prend une cinquantaine de minutes.
- Une croisière de week-end (voir Guide pratique).

LES PLAGES DES ENVIRONS DE MANILLE

Dans les environs de Manille, les plages n'ont rien de fascinant, mais si vous venez dans la capitale pour travailler, vous aimerez sans doute vous évader le week-end. Il existe justement quelques "resorts" fréquentés par des touristes "pressés" :

Punta Baluarte*

Il est impossible de se baigner à Manille même, et aller à la plage c'est faire une escapade d'une journée au moins. Peu à peu, des ensembles touristiques se montent, essentiellement dans la province de Batangas (voir aussi Guide pratique).

C'est d'abord l'hôtel de Punta Baluarte près de Calatagan (Talisay), bien que la plage ne soit pas particulièrement remarquable. On peut, en louant un bateau, pratiquer la plongée dans les environs.

Nasugbu*

En remontant un peu la côte, à Nasugbu, se trouvent le *Maya Maya Reef Club*, où l'on peut plonger, faire du ski nautique, de la voile et de la pêche, et le *White Sands Beach Resort* plus modeste.

Puerto Azul*

Plus récent, le *Puerto Azul Beach Hotel* se trouve à Puerto Azul, au sud de Ternate, à la limite de la province de Cavite ; il offre les mêmes facilités.

L'île de Sandbridge*

De l'autre côté de Batangas, à côté de Padre Burgos (île de Pagbilao), se trouve la petite île de Sandbridge (à trois heures de route de Manille), accessible par bus ou train. On y trouve des bungalows et de petites criques.

A 20 minutes de bateau d'Anilao (à l'ouest de Batangas), ce sont Barrio Balangit et le *Scuba Haven Resort*, un club de plongée avec des bungalows simples.

Plongée

Les meilleurs endroits pour plonger à proximité de Manille se trouvent dans la province de Batangas. Ce sont :

- **Fortune Islands.** A deux heures et demie de route de Manille. Visibilité les meilleurs mois : 15 à 30 mètres, coraux à partir de 10 mètres de fond.
- **Maricaban Reef**. Profondeur de 9 à 20 mètres. Jolis jardins de coraux et d'anémones.
- **Layag Layag Reef**. Réservée aux plongeurs chevronnés (fonds de 30 mètres), fréquentés par les lapus-lapus, une immense barrière, mais un courant dangereux.
- **Mainit Point**. Visibilité moyenne de 20 mètres ; attention aux courants.
- **Bonito Island**. A une heure de bateau de Batangas, c'est un endroit très recherché pour la plongée, car la visibilité y est toujours bonne, et le courant faible. Il y a des bungalows (voir guide pratique).
- **Devils Point**. Pour bons plongeurs seulement.
- **Caban Islands**. A côté de Maricabon.

BANAUE

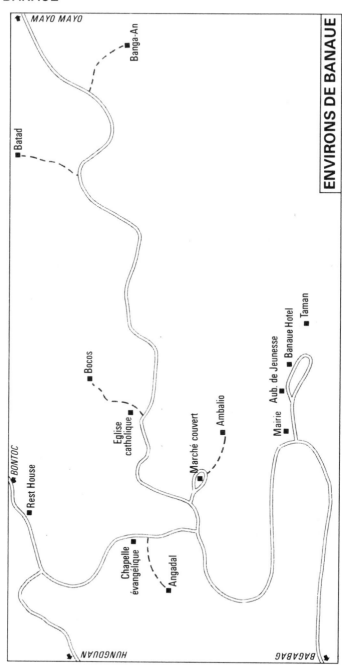

ENVIRONS DE BANAUE

MAYO MAYO

Banga-An

Batad

BONTOC

Rest House

Bocos

Eglise catholique

Marché couvert

Ambalio

Mairie

Aub. de Jeunesse

Banaue Hotel

Taman

Chapelle évangélique

Angadal

HUNGDUAN

BAGABAG

LE NORD DE LUZON****

Manille - Bagabag - Banaue - Bontoc - Baguio - La Union - Vigan - Les Cent-Iles - Manille (8 à 12 jours)

Ce circuit ne peut pas toujours être accompli ; c'est le cas pendant la saison des pluies (de juillet à septembre), lorsque les éboulements coupent les routes. La saison recommandée va en fait de novembre à mai). Vous pouvez l'effectuer en voiture de location, en autocar local ou en voyage organisé, combinant avion et voiture avec chauffeur, ce qui est évidemment l'idéal mais aussi le plus cher. La route, jusqu'à Bayombong (capitale de la province de Nueva Vizcaya avec 40 000 habitants), puis Bagabag (à 283 km de Manille), prend six bonnes heures en autocar, et ne présente pas grand intérêt, mais il faut bien l'emprunter. Elle passe très au large de la Sierra Madre, qui domine le Pacifique. N'allez pas vous y perdre : C'est la résidence des Ilongots qui, de nos jours, coupent encore des têtes, notamment à l'occasion d'un mariage et lorsqu'un chrétien s'égare...

De Bagabag à Banaue, les 54 kilomètres de route à travers la province d'Ifugao (130 000 habitants, capitale Lagawe) sont encore goudronnés. Cette route est splendide, puisque vous montez jusqu'à 1 000 mètres d'altitude à travers un paysage de rizières parsemées de huttes ifugaos, construites en principe sans clous, lorsqu'elles ont encore leur toit de paille.

Banaue ou Banawe***
(1 200 m d'altitude, 350 km de Manille)

La région de Banaue est surnommée la huitième merveille du monde, et si ça ne l'est pas, c'est tout comme. Les ancêtres des Ifugaos ont construit, il y a plusieurs siècles, 400 kilomètres carrés de terrasses de riz dans un paysage de toute beauté. Un exemple devenu inconnu de nos jours de ce que l'homme pouvait faire pour embellir la nature. Aujourd'hui, les descendants continuent d'entretenir ces rizières. Il faut voir ce paysage en décembre et janvier, lorsque les jeunes pousses de riz commencent à pointer hors de l'eau et inonder la montagne de leur couleur vert tendre, tandis que le soleil (rare à cette époque, avouons-le) joue à faire briller l'eau entre les touffes. SU...BLIME.

Le problème, en hiver, est triple : la fraîcheur amène une masse de brouillard et on ne peut voir l'ensemble des rizières que pendant une ou deux heures par jour en moyenne ; il fait frais, les Ifugaos vous aiment bien, mais ils ont froid, alors ils gardent la longue pièce de tissu qui, en été, leur sert d'unique vêtement, mais, par-dessus, ils mettent un col roulé ou un veston grand chic. Ted Lapidus n'y aurait pas pensé. Enfin, le brouillard et les petites pluies rendent le terrain très glissant. Comme les principales voies de communication sont les murets des rizières, il est devenu difficile d'aller visiter les villages ifugaos.

LE NORD DE LUZON

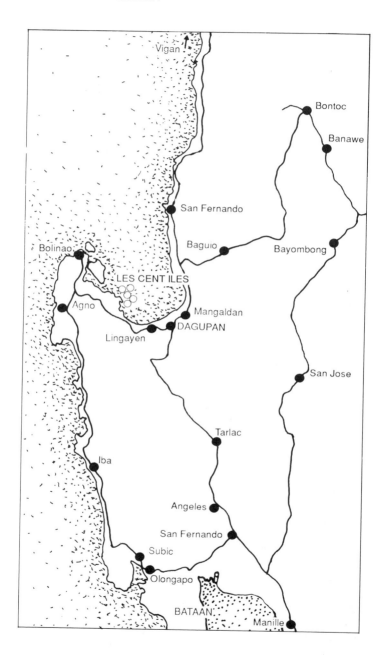

En été (ici de mars à mai), vous pouvez marcher, les Ifugaos ne portent plus que leur pagne de tissu ; il fait beau, mais le riz est haut et commence à dorer, et c'est peut-être moins joli. Moralité : allez-y en hiver et retournez-y à la saison chaude.

Banaue est un bon point de départ pour visiter les villages ifugaos, d'autant qu'il y a un assez bon hôtel, une auberge de jeunesse et de petits hôtels très simples.

Avant de quitter Manille, emportez une provision d'allumettes, car ici, comme à Bontoc, c'est l'un des cadeaux les plus appréciés des indigènes.

Au départ du Banaue Hotel, si c'est samedi, vous pouvez aller au marché. Il y a beaucoup d'indigènes des montagnes ce jour-là. Malheureusement, l'ancien marché a brûlé et le nouveau n'a rien de pittoresque dans son architecture.

Le point de vue sur les terrasses

Le meilleur point de vue sur l'ensemble des terrasses se situe à environ 4 kilomètres (une heure à pied ou 20 minutes en voiture) sur la route de Bontoc. On aperçoit l'ingénieux système d'irrigation qui utilise les torrents venus de la montagne.

Bocos, Batad, Banga An, Mayo Yao

En prenant la route qui part du marché vers Mayo Mayo, vous pourrez visiter des villages passionnants :

- Bocos est atteint par une montée d'environ 10 minutes à partir de l'école de l'Immaculée Conception. Les villageois conservent une idole en bois sculpté, appelée Bulul, que l'on baigne au moment des moissons dans un bain de sang d'animaux sacrifiés (poulet ou cochon). Si vous payez pour un poulet, on pourra faire la cérémonie pour vous.

- Pour parvenir à Batad, vous quittez la route à 12 kilomètres de l'hôtel Banaue et vous grimpez pendant une heure et demie environ : Une promenade parfois glissante, mais qui vous permettra de jouir d'une vue merveilleuse sur un amphithéâtre de terrasses de riz. Ici, on trouve encore de vieilles femmes entièrement tatouées, sculptées à vif. Ces femmes ont souffert pendant trois jours pour être enfin belles. Comme la plupart des Ifugaos, les femmes et les hommes portent constamment sur eux des boîtes de bétel, souvent en cuivre, ce qui leur donne ce beau sourire écarlate.

- S'il vous reste encore du temps, deux kilomètres après la jonction de la piste de Batad et de la route de Mayo Mayo, vous aurez encore une vue magnifique sur d'autres terrasses de riz. Ici, pour meubler le paysage, vous aurez en prime le pittoresque village de Banga An. A la saison chaude (mai) c'est là qu'il faut se rendre au coucher du soleil.

- La route continue sur Mayo Mayo où se trouvent encore d'autres terrasses de riz.

Ambalio et Tam-An

Si vous êtes à court de temps, visitez au moins l'un de ces deux villages : le premier se trouve à une centaine de mètres en contrebas du marché de Banaue ; il est célèbre ici pour la tombe de l'un de ses grands chefs, Ponchilan. Vous pouvez demander à voir un cercueil typique, dans lequel des restes humains sont conservés dans une couverture aux teintes vives. A côté du village, se trouve la tombe d'Otley Beyer, l'ethnologue qui a beaucoup contribué à faire connaître la civilisation ifugao.

Le village de Tam-An est, lui, juste en contrebas de l'hôtel Banaue, et vous pouvez y trouver quelques petites pièces artisanales ou de beaux *bolos* (couteaux). Remarquez les disques en bois ou en pierre qui isolent les maisons du sol et empêchent les rongeurs d'y pénétrer. Vous aurez sans doute l'occasion de voir des crânes humains chez ces anciens chasseurs de têtes ; pour la plupart, il s'agit de crânes de soldats japonais pris pendant la Seconde Guerre mondiale. Encore un exemple de la place prise par les produits japonais dans le Tiers-Monde...

Fêtes

Si vous arrivez pendant une cérémonie ou *canao* quelconque, y compris un enterrement, vous serez invité à partager les festivités. En février-mars, par exemple, se célèbrent les rites de remerciements des plantations *(ulpi)* ; c'est l'époque où l'on reste chez soi pour boire l'alcool de riz *(bayan)* ; en juillet, époque des moissons, on sacrifie, nous l'avons vu, poulets et cochons. C'est aussi l'occasion de grands banquets (enfin, tout est relatif), vous pourrez manger du chien bouilli, mais beaucoup moins bon que celui que vous pourrez déguster chez les Chinois.

On se remet à boire à partir du mois d'août jusqu'en octobre, en hommage aux os des ancêtres, le *gotad* est cette fête qui dure dix jours.

Bontoc**
(Altitude 870 m - A 146 km de Baguio)

De Banaue à Bontoc, la piste continue à être superbe, mais pour parcourir ces 45 kilomètres, il faut compter deux heures de route à à peine 25 kilomètres à l'heure, c'est du reste la moyenne entre Bagabag et Baguio, d'où le nombre d'heures considérables pour effectuer ce parcours, mais on a ainsi le temps d'admirer le paysage. Si vous faites le trajet tôt le matin, vous aurez l'occasion de croiser des femmes en route pour les travaux des champs. La province de Bontoc est passionnante. Les paysages, montagneux, sont magnifiques et la civilisation des Bontocs Igorots est tout aussi passionnante que celle des Ifugaos, sinon plus.

Enfin, Bontoc est le point de départ de grandes randonnées en pays kalinga et apayo. Pour les trekkings, il est indispensable de prendre des guides locaux. Les Kalingas, en particulier, n'acceptent pas toujours les étrangers, surtout pendant certaines cérémonies. Depuis peu, il est même devenu risqué de s'aventurer sur ces pistes. En effet, le projet de barrage hydro-électrique sur le Rio Chico, qui entraînerait des déplacements de population, a été fort mal accueilli. Les raisons en sont multiples : l'attachement à la terre, des dédommagements insuffisants, mais peut-être encore plus les superstitions. La tradition veut que les défunts soient enterrés à côté de leur placenta, sinon l'âme errera éternellement, c'est donc un problème crucial pour les vivants d'aujourd'hui, dont le placenta se trouve enterré dans cette vallée. La bonne vieille chasse aux têtes a failli reprendre. On a trouvé une tête en 1979 près de Batad. La résistance a été telle, que le gouvernement a dû faire marche arrière.

Bontoc a été civilisée par les Américains. C'est tout dire. Les Américains ont, par exemple, américanisé les noms des indigènes, parce que c'était plus facile à prononcer. Ils ont également demontré aux indigènes que les toits en tôle duraient plus longtemps que les toits de chaume (même si l'eau de pluie y fait un bruit désagréable).

Aujourd'hui, avec près de 20 000 habitants, Bontoc est la petite capitale de la Province des Montagnes, grande de 2 097 km2 et peuplée de 115 000 habitants.

Vous visiterez donc en ville le musée, ainsi que le studio de photos **Masferré** (ce dernier riche en documents anciens), puis vous pourrez vous rendre dans les villages des environs. Les hôtels sont assez simples, mais la ville est sympathique. Il y a une voiture qui passe toutes les 10 ou 20 minutes, mais je me suis fait reprocher (très gentiment du reste) par un policier local de ne pas traverser sur le passage protégé (aux trois quarts effacé) ; c'est ça la civilisation.

Le musée**

Il est petit, mais ne manquez pas de le voir. Il possède une collection de photos passionnantes, faites par un Américain au début de ce siècle. On y voit notamment l'enterrement d'un homme décapité et porté comme un cochon en barbecue. On remarque surtout que le Bontoc d'autrefois était bien joli avec ses toits en chaume. Dans le jardin, autour d'un parterre de patates douces, ont été installées de vieilles maisons bontocs authentiques : l'inévitable fosse aux cochons, la maison familiale, l'*ato*, siège du conseil des anciens et dortoir pour les hommes célibataires. Plus le toit d'une maison est pointu, plus la famille est riche. L'*ulog* est le dortoir pour les filles.

Mainit - Malegcong**

C'est une excursion de deux jours, qui se fera pour la plus grande partie à pied (c'est un peu fatigant parce qu'il faut grimper pendant environ quatre heures). Ces villages ont beaucoup de cachet et le panorama en redescendant de Maligcong vaut la peine. Cela dit il vous faudra coucher chez les villageois et partager leur nourriture ; cela n'a rien ni d'un palace, ni d'un restaurant gastronomique.

Les femmes des villages de cette région fument comme les Ifugaos chiquent ; elles portent souvent sur la tête des os de serpent ; ça protège contre le tonnerre et c'est également bénéfique pendant les accouchements. Par contre, ce sont surtout les bras que les femmes se font tatouer.

Comme chez leurs voisins ifugaos, on produit six à huit enfants par famille ; cela fait de la main-d'oeuvre pour les rizières. Ces Igorots ont également encore quelques têtes de Japonais à montrer, car c'est dans cette région (vers le mont Data) que se sont rendues les troupes japonaises du général Yamashita. Dans la masse, on ne s'est pas rendu compte de la disparition de quelques Japonais. On a fait bouillir les têtes avant de les faire sécher.

Pour vous remettre, vous pourrez boire un peu de vin de riz, ici appelé *tapoey*, en regardant les jeunes Igorots masser les plus vieux. Une manie du pays.

A noter qu'une nouvelle route carrossable par temps sec a été tracée relativement récemment entre Bontoc et Guina An, ce qui peut ramener l'excursion à un jour.

Bugnay**
(A une heure de Bontoc en jeepney)
Plus facile d'accès que Mainit, Bugnay se trouve à l'entrée du pays Kalinga, sur l'ancienne route de Lubuagan, qui mène aux provinces apayaos, mais qui est souvent impraticable, et en tout cas en sens unique alterné (renseignez-vous à Bontoc).

C'est à partir de Bugnay que l'on peut aller voir, en marchant un peu, les jeunes filles kalingas aux seins nus. du moins c'est ce que l'on vous dira, mais vous vous apercevrez qu'en fait ce sont surtout les femmes âgées, qui sont encore dénudées.

Par contre, plus vous pénètrerez dans le pays, plus vous découvrirez des traditions conservées.

Attention ! Ne vous hasardez pas dans cette région sans guide, il y a parfois des incidents avec les indigènes.

Sagada**
(Altitude 1 500 m)

A 18 kilomètres de Bontoc (accès par jeepneys et autocar), Sagada est une station d'altitude, où l'on admire encore de belles terrasses, notamment celles de **Banga'an****.

A 2,600 kilomètres au-delà du village, se trouvent les **grottes funéraires de Lumyang :** Des dizaines de cercueils sont empilés jusqu'au sommet des grottes. Lors du tremblement de terre de 1972, la plupart des cercueils sont tombés.

Mont Data*
(2 200 m d'altitude)

A peu près à mi-chemin entre Bontoc et Baguio, soit à trois bonnes heures de ces deux localités, ce n'est qu'un lieu de passage, très frais ; le gouvernement y a construit un petit hôtel très agréable. Nous entrons maintenant dans la province de Benguet (la capitale de cette province de 2 655 km2 n'est pas Baguio, comme on pourrait s'y attendre, mais une petite ville de 35 000 habitants, La Trinidad).

Les momies de Kabayan**

A une heure et demie au sud du mont Data, trois kilomètres avant le village de Sayagan, un panneau indique les grottes de Kabayan (ou de Timbac). Elles ne sont accessibles qu'en jeep ou à pied, soit 3 kilomètres de jeep plus une heure à pied ou trois heures aller-retour à pied (ne pas oublier la clé au village).

Ces grottes sont très intéressantes, mais elles n'ont rien à voir avec les momies égyptiennes : Ici pas de bandelettes, il s'agit de cadavres nus, séchés il y a trois siècles (sans doute comme l'on fait sécher du poisson), et qui n'ont donc plus que la peau sur les os ; mais ils sont si bien conservés que l'on reconnaît encore le sexe. C'est très impressionnant car les momies sont assises, les mains implorant comme les morts vivants que l'on rencontre sur quelque trottoir de Calcutta ou dans un film d'épouvante.

Notons aussi, que c'est depuis Kabayan que l'on peut entreprendre l'ascension du **Mont Pulog**, le plus haut sommet de Luzon (2 932 m). La route continue, égale à elle-même, c'est à dire de toute beauté. De temps en temps, on aperçoit une mine d'or ou une mine de cuivre, et même le **barrage d'Ambuklao**, l'un des plus hauts d'Asie (131 m de haut et 565 m à la base), et construit sur l'Agno. D'Ambuklao, nous ne sommes plus qu'à 40 kilomètres de Baguio.

Baguio*
(1 500 m d'altitude, 246 km de Manille)

Capitale d'été, Baguio (120 000 habitants - 300 000 habitants en été) est la ville préférée des Philippins et des résidents étrangers. C'est dans le climat qu'il faut chercher la raison de cette vogue. Ville tempérée (température moyenne maximum 24,5°), il y fait bon vivre toute l'année ; l'air y est frais et léger, la lumière douce, les pins odorants, tandis que l'on y cultive les seules fraises des Philippines et les meilleurs légumes. C'est un peu le potager de Manille. Toutes ces raisons font que le gouvernement et les diplomates s'y installent dès la saison chaude. Et ils ont bien raison.

La ville, très étendue (50 km2), a été dessinée au tournant du XXème siècle par Daniel H. Burnham qui avait aussi déssiné le plan de la Manille américaine.

Les Guérisseurs de la Foi

Ceci dit, il n'y a rien de passionnant à voir à Baguio, si ce ne sont les fameux guérisseurs de la foi.

Révélés en France et en Belgique par des émissions télévisées en automne 1976, ils provoquèrent un intérêt qui alla croissant jusqu'au milieu des années 80. Certaines agences de voyages européennes faisaient partir chaque semaine des groupes de malades ou de curieux faisant du Pines Hotel (incendié depuis) un Hôtel-Dieu de luxe, où se rencontraient Américains, Australiens et Tahitiens ; une aubaine dont profitèrent également les agences de voyages de Baguio et les hôtels qui allaient (et vont encore) jusqu'à commissionner certains guérisseurs pour avoir leur clientèle.

Les autorités ont beau être réticentes sur cette promotion particulière faite à leur pays, le phénomène, même s'il semble marquer un temps d'arrêt, se porte encore bien, mais si les malades sont satisfaits, tout est pour le mieux.

Qui sont ces guérisseurs qui s'attirent les foudres du corps médical constitué, les critiques de certains journalistes, la calomnie de jaloux, la vénération des gens simples ? Difficile à dire. Il y a des charlatans et puis les autres ; les autres se divisent en deux groupes : ceux qui font fortune et ceux qui ont un sacerdoce. Les plus célèbres, Agpaoa (aujourd'hui décédé), Placido Palitayan, Ramon (Jun) Labo (également décédé), Joséphine, Blanche (certains d'entre eux exerçant dans la région de Manille), d'origines diverses (Ilocano, Bontoc, Tagalog), reçoivent des patients du monde entier. Le plus riche d'entre eux, Agpaoa, ou, du moins la secte dont il était un peu le grand prêtre, avait acheté un ancien couvent sur une colline de Baguio, couvent qu'il avait transformé en hôtel pour ses patients (le Diplomat) ; sa femme, Lucy, dirigeait une agence de voyages portant le même nom. Ils disposaient de plusieurs voitures et minibus, d'une belle propriété et de nombreux coqs de combat de grande valeur. Comment voulez-vous ne pas avoir d'ennemis ?

Et pourtant il n'y a pas d'honoraires fixes. On fait des dons comme l'on fait des dons à une église. Car c'est bien d'une église qu'il s'agit ; chaque guérisseur se réclame d'une secte d'initiés et puise son pouvoir en Dieu. Pour beaucoup d'entre eux, le Christ a été le premier guérisseur de la foi. Il faut croire en Dieu suffisamment fort, et Dieu vous aidera à guérir. Tout se passe comme si le guérisseur servait de catalyseur entre l'énergie du patient et la force de Dieu. Le spiritisme occidental, les mouvements religieux tels que les rosicruciens n'ont aucun mal à comprendre que chacun porte en soi l'étincelle d'énergie divine. La méditation à l'indienne permet de concentrer cette énergie. Le Centre de Recherche théosophique des Philippines admet que le guérisseur utilise son énergie pour activer le mécanisme d'auto-guérison que chacun porte en soi et que seuls la foi et le désir de guérir peuvent faire fonctionner. Il s'agit du même mécanisme que pour les miracles. Mais alors que les miracles sont rarissimes, la présence des guérisseurs favorise l'avènement du miracle.

Jusque-là on arrive à suivre ; mais où cela se corse, c'est dans la façon dont ils opèrent. Certains d'entre eux ouvrent des plaies avec leurs doigts (ou en tous cas, semblent les ouvrir), extirpent soit du sang, soit de la matière, referment la plaie à la main et pfft...plus de cicatrice.

Prestidigitation ? comme vous, sans doute, cela a été ma première réaction, et je me suis moqué des journalistes qui avaient été assez gogos pour avaler cela. A force de rencontrer des témoins dans les hôtels de Baguio, je me suis quand même inquiété et je me suis rendu chez les guérisseurs, certain de découvrir la supercherie. Comme mes prédécesseurs et confrères, je n'ai rien décelé ; sans vouloir rendre les armes complètement, je suis prêt à admettre que s'il y a des choses paraissant irrationnelles et incompréhensibles à un esprit cartésien, ce n'est pas une raison de les rejeter en bloc. Notre civilisation est encore loin de détenir la vérité absolue, et certaines choses qui paraissaient aberrantes il y a quelques siècles, se sont avérées réelles depuis. Alors ? Si vous êtes sceptiques, allez voir et vous jugerez ; mais ne vous faites pas soigner, cela ne servirait à rien. Si vous êtes croyant, si vous êtes prêts à communier et si les médecins occidentaux ne peuvent rien pour ce que vous avez, essayez. Et ne voyez pas qu'un guérisseur, chacun à sa spécialité. L'un vous arrache les dents sans douleur, l'autre est spécialiste des maladies de la peau, des tumeurs ; certains opèrent réellement au bistouri, mais sans endormir. J'ai vu Blanche charcuter à vif des patients qui se relevaient en rigolant. Il faut pouvoir...

Le Marché**

Entre deux consultations, vous pouvez quand même visiter Baguio. Le marché est ce qu'il y a de plus intéressant. Très vivant et coloré, on y trouve de nombreux produits d'artisanat, des fraises et encore des fraises. Il est ouvert toute la journée, mais les meilleurs moments pour y aller sont le matin et le soir.

La base américaine John Hay (Camp John Hay)

Il s'agit en fait d'une base de repos dans un beau parc ; on y trouve notamment un bon restaurant pas cher (*Main Club* - Les steaks y sont excellents) ; mitoyen, le Golf Country Club est fort agréable.

La résidence de l'ambassadeur des Etats-Unis

Surplombant les vallées, la vue est magnifique. C'est dans cette maison que le général Yamashita, le Tigre de Malaisie, a signé la reddition de l'armée japonaise aux Philippines le 3 septembre 1945.

Le jardin Botanique

Autrefois appelé Imelda Park, du prénom de l'épouse de Ferdinand Marcos, c'est un charmant parc où l'on trouve les maisons des différentes tribus montagnardes, Binguet, Bontoc, Kalinga. En été, notamment, on peut y voir des danses folkloriques.

Les ateliers de tissage d'Easter School (Easter Road)

Cette école produit des tissus d'artisanat igorot depuis 1908. On y trouve même des étudiants occidentaux qui s'initient au tissage ancien. Une salle d'exposition et de vente se trouve sur place.

Saint-Louis Silver School

Encore une école, d'orfèvrerie celle-là, et dirigée par des soeurs belges (elle est située derrière la cathédrale).

Le musée tribal*

(9 h à 12 h et 13 h 30 à 17 h - Fermé lundi - Payant)
Situé à côté de l'Office de Tourisme, ce musée sera une assez bonne introduction aux tribus des montagnes du nord de Luzon.

Les mines

On peut enfin aller visiter des mines d'or, mais il y a longtemps qu'on n'y donne plus d'échantillons.

Les provinces de La Union et d'Ilocos
(De San Fernando à Vigan)

A une heure de voiture de Baguio se trouvent les plages de la province de La Union (1 500 km2 et 520 000 habitants). Ces plages sont parmi les plus appréciées des Philippins, qui ont construit autour de San Fernando (capitale de la province avec plus de 80 000 habitants, et terminus de la voie ferrée du nord) et de **Bauang** des hôtels confortables en bord de mer. Ces deux localités sont séparées de 23 kilomètres et Bauang se trouve à 47 kilomètres de Baguio. Si vous voulez vous rafraîchir, baignez-vous, mais, entre nous, vous aurez l'occasion de voir des plages plus belles ailleurs, car le sable ici est gris. Les seules belles plages se trouvent en fait près de Baloan, à 40 kilomètres au nord de Bauang, mais il n'y a pas de moyens d'hébergement.

Si vous êtes parti le matin de Baguio, vous avez le temps d'aller à Vigan et de revenir coucher dans un des hôtels de San Fernando ou de Bauang, ce qui sera peut-être mieux que les hôtels de Vigan, le plus souvent tristounets. Quant au Vigan "by night", mieux vaut ne pas en parler.

139 kilomètres d'une bonne route, bordée de bougainvilliers et de plantations de tabac et de canne à sucre, séparent San Fernando de

Vigan, soit deux heures de voiture, dans un des fiefs de la chrétienté du temps des Espagnols. Ce sera l'occasion de voir quelques églises mal restaurées, mais qui gardent encore un certain charme colonial :

Santa Lucia*

Ce sera tout d'abord l'église de Santa Lucia au Kilomètre 338 : A l'origine, cette église était la plus haute du pays, mais l'église actuelle a été reconstruite en 1808 et restaurée en 1936. Elle est curieuse, car on y trouve des influences pseudo-gothiques, vaguement romanes et même byzantines.

Candon*

Un peu plus loin au Kilomètre 347, l'église de Candon est, elle, franchement de style baroque. Fondée par les Augustins en 1591, elle conserve des chapiteaux corinthiens qui contrastent singulièrement avec la masse de l'ensemble. Elle fut le siège du gouvernement révolutionnaire d'Ilocos Sur pendant la lutte d'indépendance contre l'Espagne.

Santa Maria

Après San Esteban, l'ancienne route mène à Santa Maria (au kilomètre 369), dont l'église, assez austère, est entourée d'un mur de 500 mètres de long et de 8 mètres de haut. Bizarre. Quant au campanile hexagonal, il joue les tours de Pise, mais il risque de ne pas survivre aussi longtemps que sa concurrente.

Bantay*

Avant d'entrer à Vigan, vous pouvez encore voir, à 397 kilomètres de Manille, l'église de Bantay de style néo- gothique, et dont le "début" de cloître aurait pu être joli si... Vous verrez enfin plusieurs tours de guet espagnoles.

Vigan**
(408 km de Manille - 36 000 habitants)

J'aime beaucoup Vigan. C'est une ville coloniale, dont presque tous les bâtiments datent de l'époque espagnole. Vigan est même l'une des villes les plus anciennes, puisqu'elle fut développée sous le nom de Villa Fernandina par Juan de Salcedo, le petit-fils de Legazpi, à partir de 1572. C'est sur les ordres de ce même Legazpi, que Vigan devint la capitale de la province d'Ilocos. Depuis, la province a été divisée en deux et Vigan est devenue la capitale de la province d'Ilocos du Sud, grande de 2 580 km2 et peuplée de 500 000 habitants. Son nom est dérivé de son nom primitif, "Kabiga-An", nom donné à un légume local.

Le gouvernement a décidé de protéger ses vieux bâtiments, c'est pourquoi personne n'y touche. Même pas pour les empêcher de tomber. C'est très dommage, car classée et entretenue par une quelconque caisse des monuments historiques, cela serait la ville musée la plus intéressante des Philippines. Pour la visiter, louez une calèche et remontez le temps pendant deux ou trois heures.

Capitale de la province d'Ilocos Sur, Vigan est située sur les rives de la Mestizo à 4 kilomètres de la mer. Au XIXème siècle, l'élite bourgeoise de la ville était constituée essentiellement de métis chinois ; au milieu du XXème siècle, les temps avaient changé : on s'y entretuait allègrement dans les rues, avant la loi martiale décrétée par l'ex-président Marcos. Aujourd'hui, Vigan est devenue très sage, mais garde son riche héritage historique.

Le Musée Ayala**

(9 h à 12 h et 14 h à 17 h - Fermé lundi - Payant)

Nous verrons tout d'abord la **Villa Fernandina**, la maison natale du père José Burgos. Ce métis est devenu l'un des principaux héros de l'histoire des Philippines, pour avoir été le premier religieux espagnol à s'être dévoué pour l'émancipation des Philippines et pour avoir été l'un des premiers martyrs de l'Indépendance - Il fut éxécuté à Manille en 1872.

Cette maison s'appelle maintenant musée Ayala. Elle se trouve au nord de la place de la Cathédrale ou Plaza Burgos. Elle est à la fois intéressante et émouvante.

- Intéressante, car il y a une exposition sur l'artisanat des Tinguians qui peuplent la province d'Abra, toute proche de Vigan. Autrefois les Tinguians construisaient leurs maisons dans les arbres. Leurs femmes avaient les seins nus et les bras couverts de bracelets. Aujourd'hui, les maisons sont construites à même le sol et les traditions, comme ailleurs, se perdent, sauf aux confins des montagnes.

- Emouvant, ce musée l'est aussi par les reliques d'une Espagne coloniale où les belles dames (riches) avaient de beaux costumes et le goût du raffiné...

- Enfin des dioramas retracent la Révolte du Basi. Le *basi*, c'est le vin de canne à sucre que vous pourrez déguster un peu partout en saison (notamment à Narvacal). Lorsque les Espagnols ont voulu l'inclure dans le monopole d'Etat de l'alcool, en 1807, il y a eu une révolte qui s'est terminée dans le sang.

Syquia Mansion*

Autre maison-musée : Syquia Mansion, construite en 1830. Cette maison fut en 1921, celle de l'ancien président des Philippines de 1948 à 1953, Elpidio Quirino (mort en 1956), après avoir été celle d'un négociant métis d'Espagnol et de Chinois. Moins riche que le précédent, ce musée plaira cependant aux amateurs de "musées anecdotes" et de rétro.

La cathédrale Saint-Paul*

Une première église fut fondée ici par Salcedo en 1574. Une seconde, un peu plus solide, la remplaça en 1641, puis devint siège du diocèse de Nueva Segovia en 1758. L'église actuelle date de 1800.

Son extérieur a du charme, mais l'intérieur est bien nu.

Adjacent à la cathédrale, se trouve le palais de l'archevêché, fondé en 1783.

Le marché

Jetez-y un coup d'oeil, il ne manque pas de couleurs. Il est également possible de voir en saison le séchage du tabac et des fabriques de poteries assez grossières.

Si vous voulez vous baigner, la meilleure plage est à 29 kilomètres au nord, près de **Cabugao.**

Laoag*
(A 486 km de Manille)

Si on veut se rendre à Vigan par avion depuis Manille, Laoag, "la Lumière", sera le point de chute (votre point de chute, pas celui de l'avion bien sûr) le plus proche, car Laoag n'est qu'à 80 kilomètres plus au nord.

Capitale de la province d'Ilocos du Nord (3 400 km2 et 480 000 habitants) depuis 1818, année où la province d'Ilocos fut divisée en deux, Laoag est une ville paisible de 80 000 habitants, sur la rive nord de la Laoag.

Comme sa voisine Vigan, au siècle dernier, son activité agricole reposait essentiellement (et repose encore) sur la culture du tabac (aujourd'hui utilisé pour la fabrication de cigarettes de type "Virginie"). Ce tabac fut une importante source de recettes pour le gouvernement espagnol de 1872 jusqu'en 1882, période pendant laquelle les Ilocanos n'avaient le droit de cultiver que du tabac. En 1882, le Monopole du Tabac fut aboli, et le gouvernement espagnol, en remerciement, fit édifier un monument à ce Monopole...

Les curiosités principales de Laoag sont :

La cathédrale Saint-Guillaume*

La vieille cathédrale Saint Guillaume, dont la tour, élevée à une centaine de mètres, s'enfonce dangereusement d'avantage d'année en année, date de la fin du XVIIème siècle.

Le Musée des costumes traditionaux* (Ilocandia Museum of Traditional Costumes)

Il est installé dans l'ancienne halle au tabac et est surtout consacré aux costumes des ethnies des montagnes.

Le pélerinage Marcos

Cette province est l'ancien fief du président Marcos, dont la ville natale, **Sarrat**, se trouve à 7 kilomètres à l'est. On peut y visiter la maison où il naquit le 11 septembre 1917, et qui est transformée en musée Marcos (8 h à 12 h et 14 h à 17 h - Dimanche : Fermeture à 16 h).

L'autre ville des Marcos, c'est **Batac** (à 17 kilomètres au sud de Laoag), où se trouve la demeure ancestrale de la famille, elle aussi transformée en musée.

La tournée des églises*

- A 10 kilomètres au nord de Laoag, les amateurs de vieilles églises coloniales pourront aller visiter celle de **Bacarra***. L'église St André et St Joseph, restaurée au XXème siècle, conserve un beau cloître en forme de "L", dont l'étage supérieur est décoré de fresques du XVIIIème siècle.

Entre Laoag et Vigan, on pourra encore voir quelques vieilles églises mais peut-être en sera-t-on déjà saturé. Citons tout de même :
- L'église de **San Nicolas**. Située à 2 kilomètres au sud de Laoag, elle date de 1701.
- L'église fortifiée de **Paoay** (à 20 kilomètres au sud de Laoag) fut construite par les Augustins au début du XVIIIème siècle, mais terminée seulement à la fin du XIXème siècle. Son clocher séparé (de 35 mètres de haut) date de la fin du XVIIIème. Le corail a été largement utilisé pour sa construction.
- L'église de **Badoc**, de style forteresse, est située à 34 kilomètres au sud de Laoag. Elle abrite une statue de la Vierge Marie, découverte sur le rivage, et qui provient sans doute de Chine, où à cette époque les chrétiens étaient persécutés.
- Enfin, les églises de **Cabugao** et de **San Juan**.

De San Fernando aux Cent-Iles (120 km)

Dagupan

Notre route, la Romulo Highway, passe par Dagupan, fondée en 1590 et devenue la ville du bois. Nous sommes maintenant dans la province de Pangasinan (5 368 km2 et 1 800 000 habitants), un nom dont l'étymologie rappelle que cette province est une grosse productrice de sel marin.

Lingayen

A Dagupan, nous laisserons de côté la MacArthur Highway, la grande route pour Manille (à 211 km), pour continuer sur Lingayen (75 000 habitants - Fiesta le 6 janvier), la vieille capitale de la province et l'une des plages du débarquement des Japonais avant de devenir l'une des plages du débarquement de MacArthur. Voici une capitale, qui possède pour une fois un beau capitole de style colonial américain, une belle plage, mais aussi le dernier hôtel confortable avant les Cent-Iles.

Passée Lingayen, le paysage change ; vous traversez de nombreux marécages où les paysans pêchent avec de grands filets.

A **Alaminos**, à 38 kilomètres de Lingayen (et 237 km de Manille) vous quittez la nationale pour prendre la petite route qui mène à **Lu**

cap à 4 kilomètres de là (nombreuses jeepneys) ; de Lucap, des canots à moteurs, pouvant emmener six personnes et même plus, vous transporteront aux Cent-Iles pour un prix fixe imposé.

Les Cent-Iles** (Hundred Islands National Park)

Il s'agit d'un ensemble d'îlots de granit, répartis sur 1 800 hectares. Autrefois, on pensait qu'il y en avait 100 ; aujourd'hui on parle de 400. Comme il fait chaud, je suppose que vous n'aurez pas plus que moi le courage de vérifier.

Les fonds marins sont assez beaux, avec de nombreux coraux et poissons, et, à part certains endroits, on peut s'y baigner sans danger. Il y a de nombreuses mini-plages de sable blanc où l'on peut pique-niquer.

Les principales îles sont :
- **Quezon Island**, agréable pour la baignade mais aussi la plus fréquentée.
- **Governor's Island** : A son sommet, beau panorama sur les autres îles. On y trouvera aussi une vague resthouse avec deux pièces, et où il vaut mieux amener son sac de couchage (aucune possiblité de restauration).
- **Children's Island** : Un malin y a installé une vingtaine de tentes qu'il loue à un prix d'or, mais il peut aussi vous faire la cuisine. L'endroit est ravissant. Si vous êtes bon pêcheur vous pouvez ramener votre repas, vous mangerez des algues marines comme légume, c'est la principale production du parc.

Il est très agréable de se promener en bateau parmi ces îles au coucher du soleil. Raison de plus pour regretter de ne point y passer la nuit.

Bolinao*

Si vous recherchez un peu d'authenticité, vous pourrez pousser de l'avant jusqu'au cap de Bolinao (à 36 kilomètres au nord-ouest d'Alaminos), non pas tant pour les paysages marins (la plage n'a rien de génial, contrairement à ce qu'on peut lire dans certains guides), que pour cette charmante petite ville qui conserve une atmosphère rétro, ainsi qu'une belle église fortifiée de 1609 et dédiée à Saint Jacques. L'influence coloniale mexicaine est frappante.

Des Cent-Iles à Manille

Par la route MacArthur
Vous avez vu le plus beau, vous pouvez donc revenir en ligne droite par Alaminos et la province de Tarlac (3 053 km2 et 800 000 habitants)

LE SUD DE LUZON

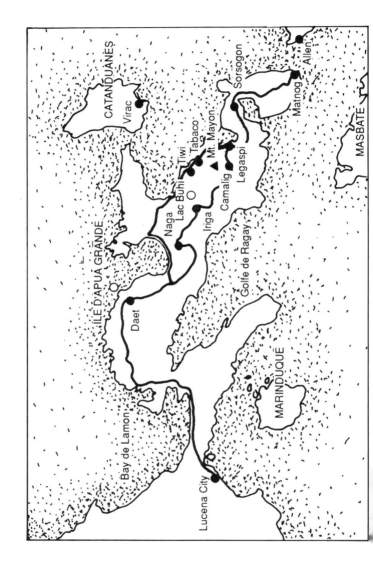

en suivant la Mac Arthur Highway (245 km). Cette route n'a cependant aucun intérêt touristique ; elle passe d'abord, à 125 kilomètres de Manille, par Tarlac, la capitale de la province (220 000 habitants) et la patrie de Cory Aquino. Vient ensuite Angeles (à 82 km de Manille), où se trouve la très importante base aérienne américaine de Clark (3 000 hectares et plus de 20 000 "marines"), puis San Fernando (capitale de la province de Pampanga, à 66 kilomètres de la capitale).

Par la côte

Si le temps ne vous est vraiment pas compté, vous pouvez aussi revenir à Manille en suivant la côte ouest de Luzon, mais il vous faudra compter une bonne journée de route, voire plus, si vous voulez aller au cap Bolinao à la pêche des galions engloutis).

- Au passage, vous pourrez faire le détour pour découvrir les **rochers parapluies d'Agno.**

- Vous passerez ensuite par les plages d'**Iba** (30 000 habitants et capitale de la province de Zambales), puis celles de **Subic Bay**, où il y a la possibilté de loger en bord de mer. Ici, vous vous croirez aux Etats-Unis : Vous êtes en effet à proximité de la principale base navale américaine où ancrent les navires de la VIIème flotte ; les plages regorgent de "marines" en goguette et de jeunes putes. Si vous parvenez à lever votre regard des hanches de ces demoiselles, vous réaliserez que la route est souvent très belle. Subic Bay est située à proximité de la ville d'**Olongapo** (200 000 habitants).

Les anciens combattants américains et japonais feront le détour par la province de Bataan. Dans cette région, ils ont laissé beaucoup des leurs, car des villes comme Mariveles et Bagac furent le lieu de départ de la triste Marche à la Mort, à laquelle participèrent 76 000 prisonniers philippins et américains..

BICOL, SUD-LUZON **
(Ou la région du Mont Mayon)

La région de Bicol englobe les provinces de Camarines Nord et Sud (capitales Daet et Naga), Albay (capitale Legaspi) et Sorsogon (capitale Sorsogon).

La ville touristique n°1, parce qu'au pied du fameux Mayon, c'est Legaspi, qui possède également quelques plages.

Le mont Mayon justifie en lui-même le voyage, d'autant plus qu'il se trouve sur la route de Cebu.

Pour se rendre à Legaspi, il y a 544 kilomètres depuis Manille, soit douze heures de route ou de train ; prenez plutôt l'avion, guère plus cher, si vous êtes pressés. A Legaspi, vous trouverez de nombreux hôtels de toutes catégories.

La route de Manille à Legaspi (554 km)

On peut faire d'une pierre plusieurs coups en prenant la route buissonnière qui permet de voir les environs sud de Manille : Taal, Pagsanjan, Batangas (voir plus haut) :

- 1er jour : Manille-Taal-Pagsanjan - 2ème jour : Pagsanjan- Batangas (ou Padre Burgos). Prévoir deux ou trois jours supplémentaires avec excursion à Mindoro - 3ème jour : Batangas-Legaspi.

Lucena City et le Parc National de Quezon*

De Pagsanjan, nous nous dirigerons vers Lucena City (à 137 km de Manille par la route directe), port d'embarquement vers l'île de Marinduque.

A une trentaine de kilomètres à l'est de Lucena City, la route traverse le joli parc national de Quezon, riche en possibilités de randonnées, puis longe la baie de Lamon, avec quelques assez belles plages.

Daet

(70 000 habitants)

Daet, à 351 kilomètres de Manille par la route directe, est la capitale de la province de Camarines Norte ; elle n'a pas d'intérêt en elle-même, mais peut servir d'étape.

A cinq petits kilomètres de Daet (10 minutes de jeepney), s'étend une belle plage, celle de **Bagasbas**, où l'on peut s'adonner au windsurf les jours où le vent souffle. Elle se trouve au-delà du **parc national de Bicol** qui est composé essentiellement d'une belle forêt.

Si l'on est matinal, on tentera de se rendre entre 6 et 8 heure du matin au pittoresque marché au poissons de **Mercedes***, un village de pêcheurs situé à une dizaine de kilomètres au nord-est de Daet.

Au large de Daet, plusieurs petites îles sont les endroits privélégiés pour la baignade et la plongée. Celle d'**Apua Grande** possède même un hôtel confortable et une belle plage de sable blanc.

Naga et Iriga City

En traversant la province de Camarines Sur (5 336 km2 et 1 200 000 habitants) nous traverserons deux villes sans grand intérêt, mais où l'on peut faire éventuellement étape : Naga (à 450 kilomètres de Manille) et surtout Iriga City.

Si, au pied du volcan Iriga (1 300 m), Iriga City n'est pas spécialement fascinante, le **lac Buhi****, à 15 kilomètres de là, a par contre beaucoup de charme, niché comme il l'est au pied du cratère d'Asog, à 100 mètres d'altitude. Dans ce lac de plus de 1 500 hectares, on trouve en particulier le plus petit poisson du monde, appelé ici tabio ou sinarapan (*Pandaca Pigmea*), qui ne mesure que 3 ou 4 milimètres ! Vous pourrez louer des bateaux pour des promenades sur le lac, mais soyez vigilants sur les prix.

D'Iriga à Legaspi, il n'y a pas plus de 60 kilomètres.

Legaspi et le mont Mayon ou Melle Mayon**

Le volcan au cône parfait est aux Philippines ce que Monsieur Fuji est au Japon. Son origine se trouve dans l'histoire des Roméo et Juliette philippins :

Il y a bien longtemps vivait à Rawi (aujourd'hui un quartier de Legaspi) le chef Makusog (le Puissant), qui avait une fille, Daragang Magayon (ce qui signifie la belle vierge). Elle était d'une grande beauté et tous les meilleurs guerriers des environs venaient lui faire la cour, mais elle restait insensible même à Pagtuga, le chasseur, qui couvrait d'or et de trophées le chef Makusog.

Un jour arriva Ulap (le Nuage), fils de chef. Il avait fait à pied le chemin des lointaines provinces tagalogs. Pendant quelques temps, il se contenta de regarder la jeune fille de loin, jusqu'au jour où, pendant qu'elle faisait trempette dans une rivière, elle glissa, tomba et fut entraînée par le courant.

Alors, tel Zorro, Ulap est arrivé et l'a sauvée. C'est ainsi que débuta leur grand amour. Après quelques jours, Ulap se décida à aller demander la main de sa bien-aimée, en plantant sa lance devant la hutte de Makusog, comme cela se faisait à l'époque ; la jeune fille étant sensée rougir et baisser les yeux. Sa demande fut acceptée et l'on annonça les noces. Pagtuga, le soupirant malchanceux accepta très mal la chose et (cela se faisait déjà ici aussi) prit le père Makusog en otage. Si Magayon l'épousait, il rendrait le père et éviterait la guerre : la jeune fille, le coeur brisé, céda pour sauver son papa...

Lorsque Ulap, qui était en train de préparer son trousseau, apprit le drame, il accourut avec ses braves guerriers. Dans la bataille, il tua Pagtuga, mais Magayon fut blessée à mort par une flèche perdue. Pendant qu'elle expirait dans les bras d'Ulap, un méchant vint frapper ce dernier dans le dos, le tuant net.

Rassurez-vous, le méchant fut aussitôt tué par le père de Magayon. Comme dans Roméo et Juliette, le combat cessa aussitôt, les combattants se repentirent et le chef Makusog, en larmes, enterra les deux amants dans les bras l'un de l'autre. Après quelques jours, la terre autour de la tombe trembla et commença à s'élever en formant le cône parfait du volcan. Certains jours, lorsque le sommet est couvert par les nuages, on dit que c'est Ulap qui vient embrasser Magayon ; lorsque la pluie s'échappe du nuage, c'est Ulap qui pleure sa bien-aimée, Magayon, devenue aujourd'hui Mayon.

Séchons nos larmes et approchons-nous. Un petit musée vulcanologique a été installé près du premier refuge qui se trouve à 830 mètres d'altitude et terminus de la route. Ce volcan est âgé de 10 000 ans, suivant les vulcanologues, 4 500 selon la légende. Sa hauteur a varié au cours de l'histoire en fonction des nombreuses éruptions qu'il a connues (plus d'une trentaine depuis l'arrivée des Espagnols).

Le 23 octobre 1766, il détruisit le village de Malinao et endommagea plusieurs villages. Le 1er février 1814 eut lieu la plus terrible éruption qui couvrit de cendres plusieurs villages, Cagsawa, en particulier, dont il ne reste aujourd'hui que les ruines de l'église. Cette éruption tua 1 200 personnes et raccourcit le volcan de 40 mètres. En 1897, une couche de 50 centimètres de cendre recouvrit les rues de Tobaco et tua 197 personnes. En 1968, eut lieu une éruption ne causant pas de victimes, mais faisant passer l'altitude du volcan de 2 518 à 2 462 mètres. Les plus récentes éruptions eurent lieu en 1978 et 1984 ; elles provoquèrent l'évacuation de dizaines de milliers d'habitants, mais ne causèrent pas de victimes.

L'ascension

Il est possible de faire l'ascension du volcan pour aller y voir de plus près. La promenade, assez sportive toutefois, prend deux jours au minimum, aller-retour. Auparavant, faites-vous enregistrer à l'Office du Tourisme de Legaspi et prenez-y un guide (c'est indispensable). De Legaspi, une jeepney vous conduira à Buyuhan où vous commencerez l'ascension. Vous atteindrez le Camp 1 ou Camp Amporo (Altitude 830 m) en deux heures et demie. On y trouve un refuge en dur. Le Camp 2 ou Camp Pepito se trouve quatre heures plus haut et à environ 1 800 mètres d'altitude. Mais ici, point de refuge, d'où la nécessité de planter sa tente. Il vous reste quatre heures d'ascension, mais les 250 derniers mètres sont pénibles, car il faut se frayer un chemin à travers les blocs de lave.

Attention, le sommet est souvent dans les nuages, ce qui nécessite un anorak bien chaud.

Le tour du volcan**

(promenade d'une journée en voiture)

Partons de **Legaspi** (ou Legazpi) : La capitale de la province d'Albay (2 556 km2 et 920 000 habitants - Albay fut aussi jusqu'en 1856 l'ancien nom de Legaspi) est une ville sans intérêt de 120 000 habitants, un port d'où l'on exporte le coprah, mais elle est surtout le centre de l'artisanat de l'abaca, un arbre qui ressemble fort au bananier, et avec lequel on fabrique aussi bien des chemises que des meubles. Les Bicoliens se flattent d'avoir fabriqué le rocking-chair de Kennedy. Faites donc un tour au marché et dans les boutiques avoisinantes. Dégustez aussi les délicieuses confiseries à base de noix de pili.

De l'autre côté du volcan, toujours sur la mer des Philippines, se trouvent Tabaco et Tiwi.

- Tabaco* : Ne manquez pas de voir le marché ; on trouve aussi ici un village de forgerons et des fabriques d'objets en sisal, une sorte d'agave.

De Tabaco, on peut s'embarquer tous les jours pour Virac sur l'île de Catanduanes. La traversée prend 3 heures et demie, mais qui sera attiré par "l'Ile des Vents Hurlants" ?

- Tiwi* : A 44 kilomètres au nord de Legaspi, Tiwi est célèbre pour ses sources chaudes sulfureuses volcaniques, très nombreuses ; une partie est protégée comme parc national ; une autre partie est englobée dans un important projet d'usine géothermique de 700 MW qui permettra de fournir de l'électricité à tout Bicol. La visite des chantiers, pas toujours permise, est assez impressionnante.

- **Cagsawa et Daraga**** : La route qui longe la mer vers Maynonong, est tracée en corniche et offre de belles vues. En revenant par l'ouest du volcan, vous retrouverez la route qui monte à la *rest-house*.

Un peu avant Daraga, prenez le chemin qui mène aux ruines de l'église de Cagsawa, d'où l'on peut faire de belles photos du volcan, puis allez voir la très belle façade de l'église de Daraga.

Après la destruction de l'église de Cagsawa en 1814, on décida de reconstruire la ville sur la petite colline de Daraga. Du style colonial baroque, l'église de Daraga est peut-être le plus bel exemple ; elle est même la seule église du pays à avoir conservé les colonnes salomoniques, distinctives du baroque hispano-américain. Le dimanche, vous pourrez assister à des combats de coqs dans ce village.

Les grottes

Inutile, après cela, d'aller voir, à 8 kilomètres au sud de Camalig, les **grottes d'Hoyop-Hoyopan**. Une riche dame, bien intentionnée, a trouvé que cela faisait plus propre ou moins obscène de faire couper la plupart des stalagtites et stalagmites... Les seules grottes à conserver de belles stalagtites sont les **grottes de Pariaan**, pas très loin de Camalig.

Le tour de la province de Sorsogon**
(250 km environ - une journée au départ de legaspi)

La province de Sorsogon (2 141 km2 et 600 000 habitants) se trouve à l'extrême pointe sud-est de Luzon, à quelque 600 kilomètres de Manille. Il n'y a pas d'attraction majeure dans cette province de 2 141 km2 et peuplée de 700 000 habitants, mais si vous voulez simplement vous promener, découvrir les Philippines rustiques, rencontrer des Philippins dans une région entièrement à l'écart du tourisme, et si vous aimez la nature, vous apprécierez cette promenade. Vous, Messieurs, on vous saluera partout du prénom de Joe, car ici les étrangers ne peuvent être qu'Américains, et vous les décevrez beaucoup si vous prétendez ne pas l'être.

Région de plantations de cocotiers et de rizières (on arrive à faire ici trois récoltes de riz par an), on y cultive aussi les racines d'"amores" (le vetiver) dont on fait des éventails que l'on glisse dans le linge pour le parfumer.

Un peu avant **Sorsogon** (capitale de la province avec 70 000 habitants à 50 kilomètres de Lagaspi), le long de la mer, de nombreux pièges à poissons annoncent les marchands de crabes que vous trouverez un peu plus loin ; malheureusement, comme les touristes sont rares, il n'est pas prévu de vous les faires cuire. Arrêtez-vous pour visiter une plantation d'abacas, où l'on fabrique sur place les premières fibres. Vous pourrez vous baigner dans les sources minérales de **Masacot** et déguster sur l'arbre les délicieuses noix de pili.

Lac Bulusan** (Parc National)

Le plus joli site de la province de Sorsogon est situé à une centaine de kilomètres de Legaspi : C'est le lac Bulusan, un lac ravissant d'une quinzaine d'hectares et de 2 kilomètres de circonférence, protégé dans un parc national de 3 672 hectares et perché à 600 mètres d'altitude, sur le flanc du volcan du même nom (1 558 m d'altitude - l'un des 23 volcans de la province, tous éteints). Au lac de Bulusan, vous êtes en pleine forêt vierge, avec des lianes, des fougères gigantesques et une variété infinie de plantes merveilleuses. Cette jungle est si impénétrable que des maquis communistes s'y étaient installés il y a quelques années, se faisant oublier en ce lieu. Ils sont partis, mais les touristes ne sont pas encore revenus.

C'est à **Matnog** que vous pourrez prendre le transbordeur (trois heures de traversée) pour aller sur les îles de Samar et de Leyte et, de là, à Mindanao, si vous choisissez la voie terrestre...

Vous pourrez enfin vous baigner vers Barcelona et **Gubat**. Dans cette dernière localité, la meilleure plage est celle de Rizal Beach.

MINDORO, LES ROMBLON ET MARINDUQUE

Cet ensemble d'îles sert de tampon entre Luzon et les Visayas. Si les Romblon et Marinduque sont généralement visitées par ceux qui connaissent déjà bien les Philippines, il n'en est pas de même de Mindoro, qui attire les amateurs de beaux paysages marins.

MINDORO

Cette grande île, au sud de Luzon, n'est pas encore très touchée par le tourisme. C'est pourquoi vous ne trouverez guère de renseignements sur elle. Il n'existe actuellement que des petits voyages pour amateurs de plongée dans la région de San José, mais les connaisseurs vont aussi se reposer dans le délicieux Puerto Galera...

Mindoro est la septième île des Philippines par la taille (10 245 km2), mais n'est peuplée que de 900 000 habitants, répartis inégalement entre deux provinces créées en 1950, celle de Mindoro Oriental (4 635 km2 et 600 000 habitants) et celle de Mindoro Occidental (5 880 km2 et 300 000 habitants).

L'origine du nom de Mindoro, vient de la contraction de l'espagnol "Minas de Oro", mais ces mines d'or semblent bien épuisées aujourd'hui.

Le paysage est essentiellement montagneux, avec une chaîne centrale qui isole les deux côtes, et où les sommets approchent ou atteignent parfois les 2 500 mètres (2 505 m au Mont Halcon).

Le pays Mangyan*

Pour l'amateur d'ethnologie, Mindoro c'est avant tout le pays des mystérieux Mangyans. Le nom même est peu imaginatif, puisqu'il signifie simplement "tribu". Le Gentil de la Galaisière, astronome français du XVIIème siècle, les découvrit avec une longue queue! Etre myope et astronome c'est assez gênant...

Autrefois vêtus d'un simple pagne (parfois même complètement nus), avec une besace, la lance, le bolo et la boîte à bétel, les Mangyans des basses terres étaient les seuls à avoir des contacts avec les commerçants chinois. Ce sont eux qui ensuite furent les premiers christianisés par les Espagnols.

Puis, au XVIIème siècle, les "pirates" musulmans s'installèrent le long des côtes, d'où ils lancèrent des raids contre les Espagnols ; d'autres expéditions dans les villages mangyans leur procuraient par la force,

MINDORO

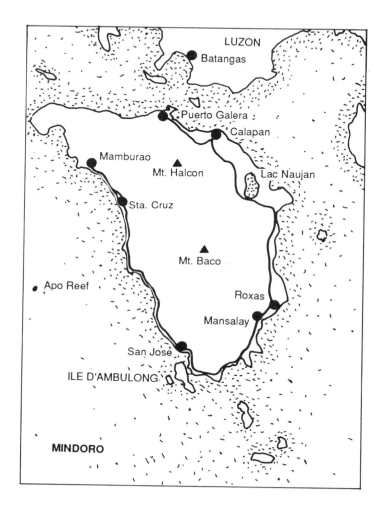

nourriture et femmes. Bref, comme bien des aborigènes, les Mangyans vécurent en esclavage économique des Chinois, des Espagnols, des musulmans, puis à nouveau des Espagnols.

Aujourd'hui, on distingue :

- Les Mangyans du Nord incluant les Irayas, les Alangans et les Tadyawans.

- Les Mangyans du Sud comprennent les Hanunoos, les Buhids et les Tawbuids, apparentés aux Malais.

Comme exemple de traditions préservées, prenons d'abord celui de la jeune fille alangan : Elle porte un léger pagne et un "soutien-gorge" en écorce. La femme iraya porte par contre une robe complète. Mais le plus intéressant est peut-être la coutume mortuaire de Kutkutan : Un an après la mort d'un individu, ses proches le déterrent et regroupent ses os dans deux couvertures, l'une contenant la tête. Cela marque la fin du deuil, et les restes seront conservés à la maison.

De petite stature, les Mangyans sont en voie d'être assimilés aux autres Philippins. En ce qui concerne les habitants des basses terres, cela est déjà fait. Il faut aller sur les versants de la chaîne montagneuse centrale au sud de Calapan pour trouver encore des indigènes vivant traditionnellement (les Irayas et les Alangans), mais cela tient de l'expédition. En fait, l'un des meilleurs points de départ pour explorer le pays Mangyan sera Mansalay au sud-est de l'île (à 110 kilomètres de Calapan). Du temps du président Marcos, la Panamin a en effet créé une réserve de Hanunoos à proximité.

Pour se rendre chez les montagnards, il est nécessaire de prendre des guides (se renseigner à votre hôtel de Calapan ou au Capitole). La nature est en effet assez impénétrable, et vous ne pouvez vous y aventurer seul. Vous risqueriez de rencontrer encore un de ces soldats japonais égarés depuis la Seconde Guerre, comme on en trouve de temps en temps dans ce pays toujours inexploré.

Puerto Galera

Tout bien réfléchi, je n'attribuerai pas d'étoiles à Puerto Galera, de peur d'une ruée touristique qui semble malheureusement démarrer. Mais, entre nous, "Puerto" en vaut au moins deux... Un petit paradis, avant qu'il ne devienne un nouvel Acapulco, et facilement accessible de Manille pour une escapade de trois ou quatre jours.

La promenade idéale consiste à se rendre à Calapan soit par avion, soit par le transbordeur de Batangas. De là, vous prendrez une jeepney jusqu'à Puerto Galera. C'est éprouvant car vous mettrez plus de deux heures d'un agréable tape-cul pour parcourir 50 kilomètres. Mais les 15 derniers kilomètres sont souvent magnifiques, avec de somptueuses échappées sur la mer et les îles. Si la perspective de ce voyage

PUERTO GALERA

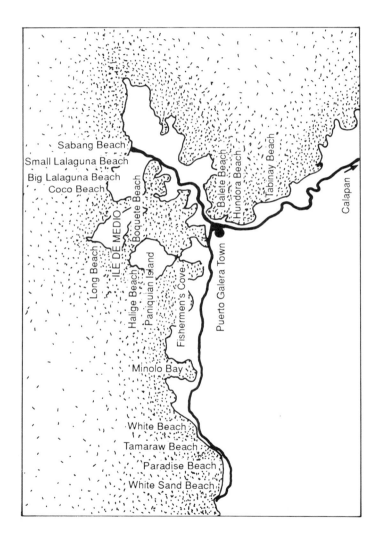

Sabang Beach
Small Lalaguna Beach
Big Lalaguna Beach
Coco Beach
Long Beach
ILE DE MEDIO
Boquete Beach
Halige Beach
Paniquian Island
Fishermen's Cove
Minolo Bay
White Beach
Tamaraw Beach
Paradise Beach
White Sand Beach
Balete Beach
Hundora Beach
Tabinay Beach
Puerto Galera Town
Calapan

fatigant vous rebute, sachez qu'il existe des transbordeurs directs depuis Batangas (voir guide pratique);

Le nom de Puerto Galera ("Le Port de la Galère") nous rappelle que ce merveilleux hâvre naturel servait d'abri aux galions espagnols et fut même la capitale de l'île aux XVIème et au XVIIème siècles. Aujourd'hui pourtant, ce n'est qu'une petite bourgade, mais dont le site est de toute beauté : Une baie quasiment fermée, de nombreuses petites îles et criques, quelques petites plages de sable (cependant loin d'être les plus belles du pays) et des fonds coraliens (malheureusement en partie abîmés par la pêche à la dynamite).

En 1934, l'Université des Philippines choisit Puerto Galera pour y établir le premier Jardin Zoologique sous-marin et laboratoire biologique. A la fin des années 70, les Nations Unies l'inclurent dans le programme de conservation de la Biosphère.

On peut louer des bancas à la journée pour visiter les fonds les plus intéressants : Coral Garden (au large de Lalaguna Beach où se trouve un centre de plongée), Long Beach et Hilcon Beach...

Depuis les années 70, Puerto Galera est devenue, comme Boracay, l'une des étapes obligées des routards occidentaux, qui y trouvent des bungalows abordables, des filles (ou des gars), mais aussi de la drogue et des champignons hallucinogènes ("magic mushrooms")...

Les plages

Les plages proches de Puerto sont peu attractives. Cela vaut la peine de faire deux ou trois kilomètres pour découvrir des plages beaucoup plus séduisantes. Du reste, de plus en plus nombreux sont les bungalows que l'on construit sur ces plages (voir guide pratique).

- La plage la plus développée est celle de **Sabang**, où l'on trouve bungalows, centres de plongée, restaurants, bars et discos. A proximité, les deux plages de **Lalaguna Beach** (la Grande et la Petite) se trouvent face à de jolies barrières coraliennnes. La petite est la plus tranquille, mais on y trouve aussi un centre de plongée.

- Sur la presqu'île de Paniquian, **Boquete Beach** a du charme, mais on se méfiera des courants dangereux. Par contre, à l'opposé de l'île, **Halige Beach** plaira aux plongeurs et même à ceux qui plongent en apnée.

- En face de la presqu'île de Paniquian, sur l'île de Medio, la plage de **Long Beach** possède également de beaux fonds, mais on est tributaire des bancas pour s'y rendre.

- Plus éloignées, complètement à l'ouest de Puerto et accessibles par jeepneys, se trouvent les plus belles plages pour la baignade, mais les fonds y sont beaucoup moins intéressants que sur les plages précédentes. Ce sont de la plus proche à la plus éloignée : **White Beach, Tamaraw Beach, Mountain Beach, Paradise Beach** et **White Sand Beach.**

Calapan

Capitale de la province de Mindoro Oriental, avec 90 000 habitants, et le seul aéroport de Mindoro Oriental, Calapan est l'un des ports d'accès à Puerto Galera, mais aussi du pays Mangyan.

On peut, si l'on est passionné par les oiseaux, aller visiter la réserve naturelle du **Lac Naujan** à une quarantaine de kilomètres au sud (le lac est à 16 kilomètres au sud du village de Naujan). Autrefois sanctuaire de crocodiles, ce lac, de 14 kilomètres sur 8, regorge aujourd'hui d'oiseaux et de poissons. Ne pas s'y baigner toutefois, because bilharziose.

San José et la réserve nationale des Tamaraos*

San José, la ville la plus industrielle de Mindoro, n'a d'intérêt que par son aéroport, qui permet d'accéder au sud de la province de Mindoro Occidental.

- Aux environs, **White Island**** (une demi-heure de banca) a de fort jolies plages et des coraux.

- C'est encore à Mindoro, et seulement à Mindoro, que l'on trouve le tamaraw ou tamarao, espèce de buffle sauvage, croisement de vache, de carabao et de daim.

Avis aux courageux! Pour visiter cette réserve, il faut se rendre à San José. De là, entreprendre un trajet de deux heures en jeep jusqu'à Barrio Poy Poy, puis cinq à six heures de marche sur des pistes de montagne, sur les flancs du Mont Iglit (emportez un sac de couchage). La chasse au tamarao est interdite et la meilleure saison pour avoir une chance de l'apercevoir va de mars à juin.

Mamburao

Mamburao est un autre aéroport de Mindoro Occidental et la capitale de cette province. Ville de 20 000 habitants, elle permet l'accès à la plage de **Calawagan** près de Palauan, au nord de Mindoro Occidental. On y touve de plus en plus de bungalows pour y séjourner et très peu de touristes.

Plongée à Mindoro**

L'une des grandes attractions de Mindoro est constituée par ses fonds marins parmi les plus beaux des Philippines. Mais c'est une expédition que d'y aller. Certaines agences de Manille en organisent lorsqu'elles peuvent réunir un petit groupe de plongeurs. Comme il n'y a aucune possibilité d'hébergement, il faut prévoir de bivouaquer. Les plus beaux fonds sont :

L'île d'Apo**

Très au large de San José, c'est une petite île de 1,500 km sur 1 km environ. La côte est a une plage de sable ; l'île est entourée d'une barrière de corail à 150 mètres de la plage, on y trouve une très vaste variété de coraux (noirs, éventails, etc.) et de poissons, les plus beaux étant au sud de l'île.

Ilin Point

Moins impressionnant.

Ambulong

Jolis fonds, mais courants souvent forts.

L'île de Seminara

Au sud de Mindoro et au nord d'Antique, cette île offre de très beaux fonds et une excellente visibilité jusqu'à 30 mètres.

L'île de Sibay*

La plongée ici est très impressionnante, car la profondeur est grande. On trouve, outre les coraux, des tortues géantes.

LES ILES DE ROMBLON

L'archipel des Romblon consiste en trois îles principales (et une vingtaine d'autres, beaucoup plus petites) au large de Mindoro. Ces îles totalisent 10 000 km2 et quelque 220 000 habitants. Les Romblon sont célèbres pour leur marbre que l'on trouve ici en immense quantité.

Romblon*

Romblon est en outre le nom de l'une de ces îles (la troisième par la taille), et de la capitale de la province (30 000 habitants), dont l'excellent port naturel a servi pendant des siècles, et sert encore d'abri aux bateaux pendant les typhons. Les Espagnols y construisirent deux forts au XVIIème siècle, dont celui de San Andres, accessible par un escalier de 250 marches environ. De ces forts, on peut découvrir la belle cathédrale Saint Joseph de 1726. Cette cathédrale conserve un bel autel byzantin et quelques sculptures.

En fait, ce sont cependant surtout la jolie plage de **Bonbon** et celle de **Tiamban** (toutes deux à un quart d'heure de tricycle de Romblon), qui pourront justifier un séjour.

L'île de Romblon est l'objet d'une fiesta importante lors de la deuxième semaine de janvier, fiesta pendant laquelle on vénère une statue de l'Enfant Jésus datant des premiers Espagnols.

Tablas

La plus grande île de l'archipel est **Tablas**. Il y a peu de choses à voir, hormis les plages qui sont assez belles, particulièrement sur la côte orientale, et les **Chutes de Dudduban-Bitac***, situées à un quart d'heure de jeepney de San Agustin.

Sibuyan*

On pourra également se rendre en "pumpboat" à la seconde île de l'archipel par la superficie, celle de **Sibuyan**, à la végétation dense et aux nombreuses chutes d'eau photogéniques. Ses plus belles plages sont situées à proximité de **San Fernando.**

MARINDUQUE*

Voilà encore une île peu visitée, car on n'y trouve que des beautés naturelles. Recouvrant un peu moins de 1 000 km2 et peuplée de 210 000 habitants, Marinduque a pour capitale Boac (45 000 habitants) et pour ville la plus peuplée, Santa Cruz.

Boac

Boac est située sur la côte ouest de l'île, et est accessible par transbordeur depuis Lucena City (province de Quezon), ou par avion ou bateau depuis Manille.

Le seul intérêt de Boac est son église-citadelle de 1792, dont la Vierge de la Miséricorde Soudaine est créditée de dons surnaturels.

Les plages

Les belles plages ne manquent pas tout autour de l'île ; c'est le cas particulièrement autour de Torrijos sur la côte sud, où White Beach, la plage du village de **Poctoy**, est la meilleure plage de l'île. Elle est également propice à la plongée en apnée.

C'est cependant surtout sur les petites îles avoisinantes que les eaux sont les plus belles :
- La petite **île de Maniwaya**, accessible depuis Santa Cruz en trois quarts d'heure de banca, offre 10 kilomètres de bonnes plages et de récifs coraliens.
- **L'île de Salamague**, à une heure de plongée de Torrijos est idéale pour la plongée.
- Les **îles de Tres Reyes (Baltazar, Melchor et Gaspar)**, à une demi-heure de banca de Buenavista, sont également charmantes et propices à la plongée en apnée. C'est près de ces îles qu'en 1981, fut dé-

couvert, par 130 mètres de fond, un galion supposé avoir appartenu au pirate chinois Limahong. La vaisselle et la poterie trouvées à son bord sont désormais exposées au Musée National de Manille.

Cela dit, compte tenu des problèmes de transport et d'hébergement, on se contentera peut-être de se baigner dans les environs de Boac.

Le festival des Moriones

En fait, la principale raison de venir à Marinduque sera d'assister aux fêtes de la Semaine Sainte, au cours de laquelle à lieu (le Vendredi Saint) le **festival des Moriones**, qui reconstitue, avec force masques, la Passion du Christ à travers les mésaventures du centurion Longinus qui terminera sa vie décapité (difficile de survivre à cet incident). Bien fait pour lui, puisque c'est Longinus qui, selon la tradition, avait percé les flancs du Christ de sa lance.

On dit que ce festival est l'un des plus anciens des Philippines, puisque il remonterait à 1580. Plusieurs localités le célèbrent, en particulier Boac, Mogpog et Gasan (cette dernière située à 13 kilomètres de Boac).

CEBU

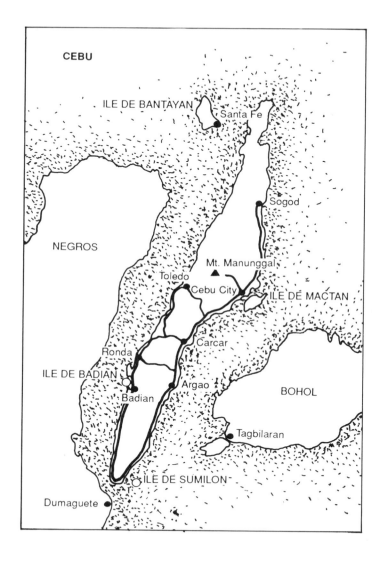

CEBU

ILE DE BANTAYAN

Santa Fe

NEGROS

Sogod

Mt. Manunggal

Toledo

Cebu City

ILE DE MACTAN

Carcar

Ronda

ILE DE BADIAN

Badian

Argao

BOHOL

Tagbilaran

ILE DE SUMILON

Dumaguete

LES VISAYAS

Il s'agit de l'archipel situé entre Luzon et Mindanao. Pour les Philippins, c'est la deuxième région touristique . Pour un Français, les Visayas viendront en intérêt cependant après Luzon et Mindanao, mais il est vrai que l'île de Cebu est la mieux équipée en bons hôtels de plage, ce qui explique que les Japonais aient ouvert des lignes de charters entre le Japon et Cebu.

Iles chrétiennes, l'intérêt y est principalement historique. Les paysages sont souvent fort beaux, mais toutefois loin d'être aussi spectaculaires qu'à Luzon. Le folklore est moins présent qu'à Mindanao. Par contre, les amateurs de plages y trouveront des plages magnifiques, et les plongeurs quelques- uns des plus beaux fonds.

Les quatre îles les plus intéressantes sont Cebu, Panay (particulièrement pour l'île de Boracay), Negros et Bohol. Samar et Leyte offrent un intérêt plus restreint : Une semaine suffira pour voir les principaux centres, Cebu, Iloilo, et les Collines de Chocolat de Bohol. Semaine à laquelle il conviendra d'ajouter un séjour de plage.

CEBU*

Cebu est la plus célèbre des îles des Visayas. A près de 600 kilomètres au sud-ouest de Manille, cette île est tout en longueur : 4 865 kilomètres carrés, 200 kilomètres de long et seulement 40 kilomètres pour la largeur maximum. La province même de Cebu, grande de 5 088 km2 et peuplée de plus de 2,5 millions Cebuanos, comprend aussi 166 petites îles et îlots. Cebu, l'île principale, quoique volcanique, est relativement peu montagneuse (le plus haut sommet, le Mont Manunggal, atteint péniblement 870 mètres) et se prête fort bien à la culture du sucre, la principale production avec le maïs. Les fruits sont également cultivés en quantité ; c'est le cas des mangues, les plus fameuses de l'archipel (la pleine saison est le mois d'avril). L'île possède enfin l'une des plus grandes mines de cuivre de l'Asie du Sud-est, celle de l'*Atlas Mining*.

Nous visiterons essentiellement la capitale et ses environs, qui regroupent les trois quarts de la population de l'île, les Cebuanos, dont la langue (le cebuano) emprunte énormément au castillan.

Le dimanche 7 avril 1521, Magellan "découvrit" officiellement les Philippines, en débarquant à Cebu. La croix qu'il planta quelques jours plus tard est toujours au même endroit, à quelques pas de l'actuelle cathédrale.

Lorsque Magellan posa le pied sur Cebu, précédé par une salve de ses canons, il fit grande impression. L'étalage de la force espagnole fit comprendre au chef du lieu, Raja Humabon, que le mieux était de faire ami-ami. Les prêtres, menés par Pedro de Valderrama, débarquèrent derrière Magellan et baptisèrent à tour de bras : le dieu d'un peuple si fort ne pouvait qu'être le dieu sauveur. Comme le raconte Antonio de Pigafetta, un officier qui tenait le journal de Magellan, "au bout d'une semaine on avait baptisé tout le monde", soit dans les faits quelque cinq cents Pintados, les "hommes peints" comme les Espagnols surnommaient ces indigènes au corps recouvert de peinture multicolore. On avait juste brûlé un petit hameau, qui avait émis des doutes sur la bonté de notre dieu.

Non seulement les Philippins devaient se convertir, mais aussi payer tribut. Humabon lui-même avait été rebaptisé Carlos, tandis que Pigafetta offrait à sa femme, Juana, la statue de l'Enfant-Jésus débarquée avec l'expédition.

C'est le 27 avril 1521, qu'eut lieu la mort de Magellan. Sur l'île de Mactan, face à Cebu, se trouvait un chef du nom de Lapu Lapu, qui ne voulait pas se soumettre. Aussi Magellan se résolut à aller lui porter la bonne parole avec ses soldats (au nombre d'une soixantaine). Bien qu'équipés de corselets de fer, les Espagnols s'étaient mis pieds nus pour aller des bateaux à la terre ferme. C'est là que les Philippins visèrent avec leurs flèches et leurs javelots. Magellan fut parmi les premiers blessés. Aussitôt, ses hommes firent demi- tour vers les bateaux, le laissant avec quelques hommes. La légende veut que ce soit Lapu Lapu qui tua lui-même Magellan. Mais, pour les Espagnols, il est mort des coups de plusieurs de ses ennemis. Ce combat est un peu le symbole de l'ambiguïté philippine. D'un côté l'Espagne oppressive, mais aussi l'Espagne de la foi chrétienne, face au nationalisme philippin du premier héros national Lapu Lapu .

Quelques jours plus tard, le chef chrétien Humabon invitait les Espagnols survivants et faisait tuer ceux qui avaient montré qu'ils n'étaient plus invulnérables. Seuls les soldats qui étaient restés à bord des bateaux échappèrent au désastre. Humabon avait toutes les raisons de renoncer au christianisme.

Lorsque la "flotte espagnole" rentra à Sanlucar de Barrameda (le port de Séville), il ne restait que 26 hommes sur les 237 initiaux, et un seul bateau sur les cinq.

La ville de Cebu* (Cebu City)
(Voir plan de Cebu ville pages 264-265)

Autrefois surnommée, la "Reine du Sud", Cebu est la plus vieille ville des Philippines, mais ce titre pompeux ne lui convient pas plus qu'un smoking à Tarzan. Fondée par Miguel de Legazpi en 1565, elle prit le statut de ville en 1594. Elle est aussi le berceau du christianisme aux Philippines, comme en témoigne encore aujourd'hui la croix plantée par Magellan.

Avec quelque 600 000 habitants (900 000 pour le "Grand Cebu"), Cebu est la troisième ville des Philippines pour la superficie, derrière Manille et Davao, mais peut-être la seconde par la population, et en tous cas sans conteste la seconde pour l'activité économique. Elle doit sa croissance et sa (très) relative opulence à une forte proportion de Chinois, qui, comme ailleurs, ont su faire montre de leurs qualités industrieuses.

Pour nous, l'intérêt touristique de Cebu City, ville polluée, bruyante, mal entretenue et sans grand charme, résidera essentiellement dans un pèlerinage historique.

Orientation

Les Cebuanos distinguent deux grands quartiers dans leur cité :

- **Downtown** : Elle correspond au Cebu des Espagnols, là où l'on trouve la majorité des monuments historiques, comme le Fort San Pedro, la Croix de Magellan ou la Basilique du Santo Nino, mais aussi le fascinant **marché de Carbon**. L'artère principale y est **Colon Street** (Rue Colomb).

Downtown est à ce point congestionnée, que l'on s'efforce de gagner constamment des terres sur la mer. Vers le milieu des années 90, devait être ouverte enfin une voie rapide entre Downtown et l'île de Mactan, justement tracée sur ces nouveaux terrains.

- **Uptown**, au nord-ouest de Downtown, correspond au Cebu de la période américaine et contemporaine. L'axe principal en est Osmena Boulevard (appelé autrefois Jones Boulevard), qui relie Downtown au Capitole, en passant par la **Fontaine Osmena**, la place la plus populaire de Cebu. Osmena est le nom de la grande famille politique de Cebu. Elle a fourni dans le passé un président de la république, Sergio Osmena. Ancien Vice-Président de Manuel Quezon, il devint, à la mort de celui-ci, président en exil, puis revint aux Philippines en même temps que le général MacArthur. Aujourd'hui, le maire de Cebu City est son petit-fils, de même que le gouverneur de la province. Pas étonnant dans ces circonstances, que l'on ait transformé la maison de l'ancien président en mémorial (à côté de la Fontaine ... Osmena).

L'ancien faubourg de **Lahug** doit être rattaché à Uptown. C'est un quartier plus aéré, où l'on trouve la plupart des bons restaurants de la ville.

- Plus au nord-ouest, **Beverly Hills** est le quartier des riches bourgeois.

Le Fort de San Pedro*

C'est l'ancien fort espagnol dont l'édification en bord de mer fut entreprise en 1565 par Miguel de Legazpi, mais qui ne fut achevé qu'en 1738. Il fut baptisé du nom du bateau du navigateur. Après avoir servi successivement au Espagnols, aux révolutionnaires philippins, puis aux Américains, il fut capturé par les Japonais, qui en firent un camp d'internement. Il ressemble au Fort Santiago de Manille, mais avec moins d'intérêt, quoique on y ait aménagé un jardin agréable, qui permet d'oublier un instant la pollution des quartiers environnants. Aujourd'hui, l'Office du Tourisme y a ses bureaux, aussi, dites que vous venez pour vous renseigner et vous ne paierez pas l'entrée au fort (Ach Franzose, pétites filous!).

La Croix de Magellan*

Du Fort San Pedro, on traversera à l'ouest la Plaza Indepencia, pour continuer dans la même direction le long de la rue Magallanes (le nom de Magellan en "V.O."). C'est sur la place de l'Hôtel de Ville (ou Place de Santa Cruz), que nous allons trouver la Croix de Magellan, abritée dans un kiosque.

Elle nous rappelle que la première messe fut célébrée à Cebu le 14 avril 1521 devant quelque 800 indigènes. La croix est enfermée dans une deuxième croix de tindalo. Au plafond, des peintures retracent l'événement.

L'église San Agustin*

Un passage couvert, au nord du kiosque de la Croix de Magellan, donne accès à l'église San Agustin.

Appelée aussi Basilique Mineure del Santo Nino, elle est la seule église d'Extrême-Orient élevée à cet honneur (elle le fut par une décision du pape en 1965). C'est de plus l'église la plus intéressante de Cebu. Fondée à l'origine par Miguel de Legazpi en 1565, cette église est en fait la troisième à avoir été construite sur ce site, et date en réalité de 1735. C'est un des exemples de l'influence musulmane dans l'architecture coloniale.

La basilique a réussi à préserver sa belle façace de pierre et possède un retable d'entrée baroque. Sa célébrité vient d'une statuette de l'Enfant Jesus, qui aurait été donnée par Magellan à la femme d'Humabon, lors de sa conversion. Rien n'est moins sûr. Abritée dans une cage dorée, elle est l'objet de dévotions de la part des fidèles qui, tous les jours, font la queue pour aller se recueillir devant elle. La fête principale tombe le troisième dimanche de janvier. Comme un roi, l'Enfant Jesus, patron des Cebuanos, possède une garde-robe ornée de diamants conservée à part.

Colon Street

La vie, la foule et le bruit, vous les trouverez dans le quartier qui s'étend autour de Colon Street, la plus vieille rue des Philippines (1565) et autrefois coeur du quartier chinois (**Parian**). C'est aujourd'hui le centre commercial de Cebu, mais lorsqu'on consulte les photos de cette rue au début du siècle, on constate qu'elle avait énormément de charme avec ses maisons à deux niveaux, mais qu'elle l'a entièrement perdu.

Pas très loin de là, le **Carbon Market**** est le marché central, le plus vivant et le plus passionnant de la ville. Il est ouvert toute la journée, sept jours sur sept.

Casa Gorordo**

(9 h à 12 h et 14 h à 18 h - Fermé dimanche - Payant)

Située elle aussi dans l'ancien quartier chinois de Parian, voici la plus jolie demeure-musée de Cebu. Elle fut dans les années 1860 la résidence de l'archevêque des Philippines, Juan Gorordo, un métis d'Espagnol et de Chinois. Aujourd'hui, elle est propriété de la famille Aboitiz (de la compagnie de bateaux et de transports du même nom). On y verra un très beau mobilier colonial.

L'université de San Carlos

Fondée par les Jésuites en 1595, c'est l'une des plus anciennes universités du pays et aussi l'une des meilleures.

On peut visiter son petit musée aux collections variées (ethnologie, archéologie, art religieux, sciences naturelles).

Beverly Hills

Cebu est avant tout une ville vivante, intellectuelle et industrieuse. Les Chinois, qui représentent le tiers de la population de la ville, sont un peu responsables de cette dernière caractéristique. Si vous vous rendez dans la ville haute à Beverly Hills, un peu en dehors de la ville, vous constaterez qu'ici le rôle des stars est tenu principalement par les businessmen chinois qui se sont construit des maisons luxueuses et des temples, comme le **temple taoiste** (de 1972) assez photogénique (de loin), mais assez laid quand on le visite, ou le **Temple Céleste de la Charité**.

Les collections

On trouve à Cebu quelques collections privées intéressantes. Pour obtenir le droit de les visiter, on s'adressera à l'Office de Tourisme.

- **La Collection Binamira** est la collection de mobilier colonial et d'objets décoratifs la plus intéressante.

- La **Collection Arcenas** est également une intéressante collection de meubles coloniaux.

- **La Collection d'Asela B. Franco** plaira aux amateurs de coquillages.

L'île de Mactan

La statue de Lapu Lapu et le monument à la mort de Magellan, deux attractions sans intérêt réel, se trouvent tous deux sur l'île de Mactan, à une dizaine de kilomètres de Cebu. Cette grande île sans charme, et peuplée de plus de 100 000 habitants, est aujourd'hui reliée par un pont de 864 mètres à l'île de Cebu. En fait l'intérêt de Mactan vient plutôt de ses plages et de ses fabriques de guitares.

La statue de Lapu Lapu

Elle s'élève au milieu de la ville principale de l'île, une ville fondée sous le nom d'Opon en 1735 par les Augustins, mais qui a pris plus tard le nom de **Lapu Lapu City**.

ILE DE MACTAN

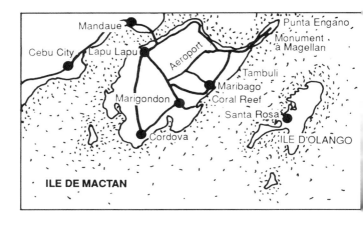

Le monument à la mort de Magellan

Il a été érigé en 1886 au bord de la grève de Punta Engano, sur laquelle fut tué l'explorateur.

Les fabriques de guitares

Cebu est la capitale de la guitare en Asie. La plupart des fabriques se trouve sur l'île de Mactan, à **Maribago** ; parfois, il s'agit d'ateliers familiaux, parfois de véritables usines. La plus importante fabrique est celle de *Lilang*.

On trouve différentes qualités de guitares ; les moins chères ne supporteront pas les différences de climat, et le bois craquera. Les meilleures guitares sont les guitares classiques en camagon, ou les guitares flamenco en sapin. Pour une bonne guitare, il faut compter au moins 200 $ US. Attention cependant, les guitares ne sont pas acceptées en cabine sur les avions de PAL, il faudra donc prévoir un emballage costaud.

Les plages**

Elles feront surtout l'affaire des plongeurs, car les immenses barrières de corail abritent une flore et une faune très variées, encore qu'ici aussi la pêche à la dynamite ait fait des ravages..

Plusieurs hôtels confortables (et souvent relativement chers) ont été construits à proximité de lieux de plongée, comme sur l'île de Mactan.

Maribago*

A 25 kilomètres de Cebu, c'est la plage principale de l'île de Mactan.

On n'y trouve presque que des hôtels de haut de gamme (en tous cas quant aux prix). Assez bonnes possibilités de plongée.

Au large, l'**île d'Olango** est le meilleur endroit pour la plongée.

Talisay

La plage populaire est celle de Talisay, où des échoppes vendent des brochettes de poisson et de viande. Pour nous, cependant, il existe des plages beaucoup plus séduisantes, et surtout moins polluées.

Argao*

A environ 80 kilomètres au sud de Cebu, cette plage est surtout connue pour son bon ensemble hôtelier, mais la campagne aux alentours est également des plus charmantes.

Sogod*

A 65 kilomètres au nord de Cebu, c'est la plage où se trouve le célèbre *Club Pacific*. C'est l'une des bonnes plages de l'île. Ici, viennent pondre les tortues géantes.

Moalboal*

A plus de trois heures de route de Cebu (environ 95 kilomètres), de l'autre côté de l'île, la plage de ce village est bonne sans plus, mais au large se trouvent les charmantes îles de Pescador et de Badian. Sur cette dernière se trouve un excellent ensemble hôtelier (voir guide pratique).

L'île de Bantayan*

Au nord-ouest de l'île de Cebu, à trois heures de voiture de sa capitale, et une demi-heure de traversée, cette île est réputée pour la beauté de ses fonds marins. On y trouve quelques bungalows, le *Kota Beach*, situé sur une plage agréable.

L'île de Sumilon**

C'est un petit paradis pour plongeurs. L'île se trouve au sud-est de l'île de Cebu et on y accède par bateau depuis Mainit. Malheureusement, bien que protégée comme parc marin, elle fait l'objet d'une exploitation anarchique par les pêcheurs locaux, et ses fonds sont bien menacés. Comme l'île dépend administrativement de l'université Sumilon de Dumaguete, nous aurons l'occasion d'en reparler plus loin.

PANAY

"Ile de nacre", Panay n'est pas comme on pourrait le croire célèbre pour ses escalopes, mais plutôt pour ses fonds marins merveilleux, ses plantations de sucre, de coprah ou de café et quelques belles églises coloniales, mais surtout pour ses festivals, dont celui d'Ati-Atihan à Kalibo est le plus spectaculaire (voir notre première partie).

PANAY

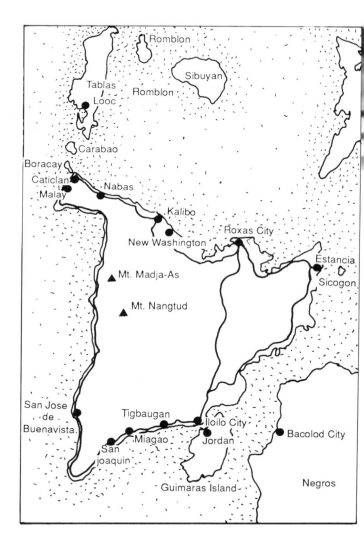

Ile de 12 054 kilomètres carrés, elle est divisée en quatre provinces (cinq, si l'on compte la sous-province de l'île de Guimaras) et peuplée de trois millions d'habitants (les Ilongos). Si la côte est est relativement peu accidentée, la côte ouest (correspondant à la province d'Antique) est longée par une chaîne montagneuse où le sommet principal est le Mont Nangtud (2 049 m).

Les deux régions les plus visitées sont celles d'Iloilo et de Kalibo. Les amateurs de plages de rêve, quant à eux, se rueront pour leur part vers les petites îles voisines de Sicogon et surtout de Boracay.

Iloilo*

Capitale de la province du même nom (5 324 km2), avec environ 300 000 habitants, Iloilo doit son nom à la forme des méandres de la rivière Iloilo et du confluent de celle-ci avec la Batiano, qui évoquent un nez *(Ilong-Ilong)*. Bien que peuplée dès le XIIIème siècle par des musulmans malais, la région est devenue chrétienne, dès la fin du XVIème siècle, tout comme Cebu. L'ilongot, le dialecte local est assez proche du cebuano.

L'artisanat d'Iloilo se compose essentiellement du travail du jusi, de la pina (deux fibres locales) et du capiz, un coquillage dont on fait de jolies lampes, des abats-jour, des boîtes, etc. Les barongs tagalogs d'Iloilo sont également les plus fameux.

Il y a par contre peu de choses à voir en ville si ce n'est son bon petit musée et l'inévitable (mais pas franchement incontournable) fort espagnol (San Pedro).

Window of the Past*
(8 h à 12 h et 13 h à 17 h - Payant)
Le musée d'Iloilo est consacré essentiellement à la civilisation préhispanique de l'île, avec notamment des objets chinois (céramiques, masques, etc), mais aussi quelques pièces d'art religieux colonial.

L'île de Guimaras**

Face à la ville d'Iloilo, à environ un quart d'heure de traversée, se trouve l'**île de Guimaras**, dont la superficie est de 604 km2 et la poulation d'environ 80 000 habitants.

La capitale est Jordan (50 000 habitants).

L'intérêt de venir à Guimaras sera de découvrir de jolis lieux de baignades, tels Igang Point, Romagangran, la baie d'Alubihod ou Calabagnan, ces deux dernières plages, situées de l'autre côté de l'île sur la côte méridionale.

Mieux encore, l'**île Naburot*** est un îlot de 2,5 hectares, entouré de récifs coralliens, ou celle de Taklong, au sud de Guimaras, qui a des plages de sable blanc et des récifs coralliens..

L'île de Guimaras s'anime le Vendredi Saint, lorsque les indigènes reconstituent la crucifixion du Christ.

C'est sur Guimaras enfin, que s'élève le seul monastère trappiste philippin. Il est situé sur la commune de San Miguel, à trois quarts d'heure de jeepney de Jordan.

L'île des Siete Pecados*

L'île avoisinante des Siete Pecados (les Sept Péchés), ne tient pas ses promesses : Vous pourrez certes y pratiquer la plongée, mais n'espérez pas y trouver Sodome et Gomorrhe.

Le circuit des églises coloniales**

Les Espagnols de Legazpi s'installèrent à Arevalo, à six kilomètres de l'actuelle Iloilo, en 1569, soit cinq années après avoir fondée Cebu. Ce sont les Augustins qui, ici aussi, allaient construire des missions à tour de bras : En à peine plus d'un demi siècle, ils allaient en fonder vingt- cinq. Nous ne décrirons que celles qui ont pu se conserver de manière à peu près satisfaisante.

Miago*

(40 km au sud-est de Iloilo)

L'église de Miago est sans doute la plus curieuse des Philippines. Construite entre 1787 et 1798, c'est un composé des styles médiéval et baroque, agrémenté d'éléments plateresques locaux. La restauration n'a malheureusement pas été réussie et l'église a perdu de sa grâce, mais elle mérite toujours une visite pour sa forme inspirée des forteresses médiévales et surtout pour la décoration de sa façade. Celle- ci fait appel à des éléments décoratifs tirés de la flore locale, notamment un grand cocotier encadré de papayers qui décore toute la partie haute.

San Joaquin

A 12 kilomètres au sud-ouest de Miago (52 km d'Iloilo), l'église "militaire" de San Joaquin a été construite en corail blanc entre 1859 et 1869. Elle est d'un intérêt secondaire, mais on remarquera le fronton recouvert d'une sculpture représentant une scène de bataille (la chute de Tétouan aux mains des Espagnols en 1859). On pense que les artistes, auteurs de cette fresque, sont les mêmes que ceux qui ont décoré la façade de l'église de Miago.

Le deuxième samedi de janvier a lieu un combat de buffles.

Tigbauan

En revenant de Miago vers Iloilo, vous pourrez vous arrêter pour jeter un coup d'oeil à l'église de Tigbauan (à 22 km d'Iloilo) qui possède, elle, une façade d'un goût beaucoup plus discret, mais aussi plus raffiné, dans le meilleur style mexicain churriguresque.

San Jose de Buenavista

San Jose de Buenavista, plus connue ici sous le nom de San Jose Antique, est située au sud-ouest de l'île. Elle est justement la capitale de la province d'Antique (2 422 km2) et compte 40 000 habitants.

Il est surtout intéressant de se rendre en cette ville du 28 au 30 décembre, pour le **festival du Binirayan**, semblable à celui de Kalibo, et au cours duquel a lieu (en principe) une parade colorée de plus de cent bateaux. En dehors de cette période, on pourra visiter les îles avoisinantes comme celle de Nogras, où l'on peut pratiquer la plongée, et l'archipel de Culayo, où les habitants vous hébergeront gentiment : ils voient fort peu d'étrangers.

L'île de Sicogon*

A 137 kilomètres au nord d'Iloilo (quatre heures de bus et trois quarts d'heure de banca), se trouve l'île de Sicogon. Ce n'est qu'un îlot de forêt vierge de 1 400 hectares, peuplé de 3 000 habitants répartis en trois villages, mais on y a construit un centre de vacances d'une soixantaine de bungalows très confortables. Cela attire de nombreux touristes, particulièrement allemands ou japonais, qui peuvent y pratiquer tous les sports nautiques ; de nombreuses excursions vers d'autres îles sont organisées ; il y a deux plages principales, distantes l'une de l'autre de 3 kilomètres, et où l'on trouve des bancs de coraux.

Kalibo
(50 000 habitants)

Capitale et la plus vieille ville de la province d'Aklan (1 818 km2), Kalibo est célèbre pour son **festival d'Ati Atihan**** (troisième dimanche de janvier), sorte de carnaval extrêmement pittoresque, et qui attire des milliers de spectateurs. Comme cette ville n'a rien pour attirer les visiteurs en dehors de cette période, elle n'est pas en mesure de faire face à l'afflux de la foule ; l'hébergement est à ce moment un problème insoluble et cette situation se répercute aussi loin qu'à Boracay. Cela dit, les connaisseurs préfèreront assister le week-end précédent au **carnaval d'Ibajay****, une localité située à mi-chemin entre Kalibo et Caticlan. Il est certes moins important, mais il est par contre moins commercial, plus authentique, et attire moins de touristes. C'est le dimanche qui est le jour le plus intéressant.

L'île de Boracay**

Accessible en vingt petites minutes de banca (1,5 kilomètre) depuis le village de Caticlan (à 68 kilomètres au nord-ouest de Kalibo), Boracay est devenue en une dizaine d'années, la destination de plage numéro 1 des Philippines pour les routards, mais aussi désormais pour les touristes plus exigeants quant au confort, depuis qu'à la fin des années 80, se sont ouverts des hôtels de grand confort. Boracay est aux Philippines ce qu'était Kuta Beach à Bali ou Patong à la Thaïlande. A la fin des années 70 et au début des années 80, c'était encore un réel paradis. Le long d'une plage de sable blanc et fin de 3,5 kilomètres, on ne trouvait que quelques dizaines de bungalows cachés dans une végétation luxuriante. Puis, hélas, le bouche à oreille a fait son oeuvre. De plus en plus nombreux furent ceux qui rêvaient de découvrir cette île sans voitures, sans électricité, sans téléphone, où l'eau est aussi limpide que les plus belles eaux des Caraïbes. C'est vrai que les plages de Boracay sont merveilleuses, tout particulièrement sur la côte ouest, où la mer est d'un calme olympien d'octobre à juin, et le sable d'une blancheur éclatante. Un tel trésor ne pouvait rester méconnu bien longtemps. Aujourd'hui, pour les amoureux de la Boracay d'autrefois, c'est la catastrophe : Pour accueillir les quelque 60 000 touristes qui débarquent désormais sur l'île chaque année, de nouveaux bungalows s'ouvrent tous les jours et jouent du coude à coude, le long de la plage principale, détruisant peu à peu la végétation et apportant les nuisances inhérentes à ce type de développement, bruit des discothèques, petite criminalité (encore que la police soit efficace), plage de moins en moins propre, etc. On parle même d'installer l'électricité sur l'île. Pour d'autres voyageurs, au contraire, l'animation grandissante serait plutôt une qualité, et dire que Boracay "c'est fini", serait aller vite en besogne. Ce sera à vous de juger.

Boracay est une île de 967 hectares, qui s'étend sur 7 kilomètres du nord au sud, et de 1 à 3 kilomètres d'est en ouest. Le relief est peu accidenté, puisque la colline la plus élevée atteint à peine la centaine de mètres. Elle est traversée du nord au sud d'une seule petite route non goudronnée, et passant à 3 ou 400 mètres de la côte ouest. Il y a trois villages de quelque importance, **Manoc-Manoc** au sud, **Balabag** au centre et **Yapak** au nord. La population totale est de l'ordre de 3 500 habitants permanents.

La côte est est bordée de plusieurs belles plages, mais ici la mer est presque constamment agitée. La meilleure plage est sur la côte ouest, c'est **White Beach****, longue de 3,5 kilomètres. C'est ici qu'est concentrée 90 % de l'activité touristique de l'île.

L'île en bateau*

La promenade classique consiste à louer une banca pour faire le tour de l'île. Cela n'a rien d'inoubliable, mais ce sera l'occasion au moins de se faire saucer copieusement par les eaux agitées de la côte est. Généralement, les bateaux partent de White Beach pour contourner l'île par le sud. Cela permet de découvrir successivement les plages suivantes :

- **Cagban Beach,** au sud, où se trouve un seul petit ensemble de bungalows isolés.

- **La plage de Manoc-Manoc**, au sud également, adorable avec son petit hâvre pour bancas.

- Sur la côte est les plages sont désertes ; après la plage de Bulabog, vient celle de **Ilig-Iligan** où vos bateliers vous auront fait miroiter la passionnante découverte de la **Grotte de Crystal**, hélas, ce n'est qu'un attrappe-touriste.

- Au nord, se trouve la **Plage de Puka Shell**, longue de 800 mètres et célèbre pour ses petits coquillages (Puka Shells), utilisés pour faire des colliers fantaisie.

- A l'ouest, la première plage que nous rencontrons est celle de **Puntabonga**, accaparée par un luxueux hôtel, le Club Panoly.

- La **Plage de Balinghai** sert enfin de prélude avant de retrouver White Beach.

Boracay à pied

Longer la plage est l'occupation favorite des vacanciers, mais ce serait un tort que de se limiter à cette promenade relativement fatigante (puisqu'il faut marcher dans le sable), la route et les pistes de l'intérieur vous procureront au moins autant de joie, car elles vous permettront de retrouver un paysage plus traditionnel et des plus charmants.

NEGROS

Negros tire sans aucun doute son nom de sa population indigène, les Négritos, dont les survivants non métissés se sont réfugiés dans les montagnes. C'est une île de 13 675 km2 (donc la quatrième par la taille de l'archipel philippin) et peuplée de 4 millions d'habitants, parlant pour la plupart le cébuano, et répartis en deux provinces, le Negros occidental (7 926 km2 et 3 millions d'habitants - Capitale Bacolod) et le Negros Oriental (5 749 km2 et 1 million d'habitants - Capitale Dumaguete). Le relief de cette île de près de 400 kilomètres de longueur est montagneux au centre, beaucoup plus plat sur la côte ouest. Les montagnes les plus élevées sont, dans le centre de l'île, le Mont Kanlaon, un volcan de 2 438 mètres, et dans le sud de l'île, le Cuernos de Negros (1 904 mètres).

De Negros, où le sucre est la principale culture depuis la fin du XVIème siècle (les trois quarts de la production nationale actuelle), on visitera surtout la région de Dumaguete. La nature est belle et paisible. Les touristes étrangers sont plus que rares. Les fonds marins ? Quel nouveau superlatif trouver pour eux ?

Dumaguete*

Ville de près de 80 000 habitants, fondée en 1620, Dumaguete est célèbre pour son université de Silliman, qui attire non seulement les

NEGROS

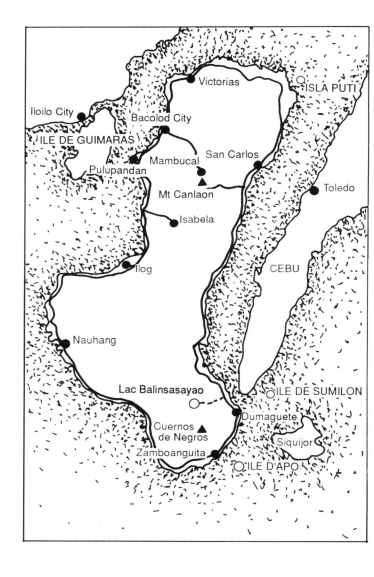

Victorias

ISLA PUTI

Iloilo City

Bacolod City

ILE DE GUIMARAS

Mambucal   San Carlos

Pulupandan

Mt Canlaon

Toledo

Isabela

Ilog

CEBU

Nauhang

Lac Balinsasayao

ILE DE SUMILON

Dumaguete

Cuernos
de Negros

Siquijor

Zamboanguita

ILE D'APO

étudiants philippins mais aussi étrangers. On trouve ainsi à Dumaguete l'ambiance d'une ville paisible de province mêlée à une vie culturelle relativement importante. Les attractions principales de la région sont ses paysages et ses fonds marins, dont les plus beaux sont situés sur les petites îles de Sumilon et d'Apo.

L'université de Silliman*

Fondée en 1910, par Horace Sillimann, qui portait fort mal son nom, cette université présente l'originalité d'avoir le seul campus de trente-trois hectares décrété "réserve d'oiseaux".

On pourra visiter son musée anthropologique et archéologique assez intéressant.

Les beautés de la nature dans le Négros oriental

On pourra voir à moins d'une journée de voiture :

- Les **lacs jumeaux de Balinsasayo** et de **Danao***. Il s'agit de cratères de volcans formant un "8" ; le paysage est ravissant et offre de belles vues sur la mer. Ces lacs se trouvent à environ 25 kilomètres à l'ouest de Dumaguete.

- Le **Marché de Malatapay***. Si l'on se trouve à Dumaguete un mercredi, on essaiera de ne pas manquer ce marché, qui se trouve à une heure de jeepney du centre ; c'est l'un des plus jolis de l'archipel.

Les Plages

Outre celle de Silliman, on citera encore :

- Maluay (ou Malatapay) et Zamboanguita : Ce sont les meilleures plages de la région de Dumaguete. A Maluay, on pourra visiter un marché pittoresque.
- El Oriente Beach
- Melrose (à Banilad à 3 kilomètres).
- Kawayan à 8,500 kilomètres au sud.
- Prieto Beach à 21 kilomètres au nord. Ces plages ont des bungalows très sommaires à louer.

L'île de Sumilon*

Facilement accessible en une heure de banca depuis le *South Sea Resort* et la plage de Silliman (qui est également le nom de l'université), l'île de Sumilon était, jusque dans les années 70, l'un des endroits les plus réputés des Philippines pour la richesse de ses fonds marins ; elle servait en même temps de laboratoire de recherche pour l'université de Silliman. Point n'était besoin de bouteilles, un simple masque permettait aux nageurs de se rendre compte des richesses de l'endroit. Malheureusement, l'université est partie et les pêcheurs ont repris leurs pêches anarchiques, avec force dynamite. Les fonds sont en passe d'être détruits rapidement. Alerte!

On peut aussi se rendre sur l'île de Sumilon depuis l'île de Cebu.

L'île d'Apo**

A près de deux heures de banca de Dumaguete, mais à seulement 8 kilomètres au large de Zamboanguita, l'île d'Apo est également un endroit aux magnifiques fonds marins, mais elle possède également une jolie lagune. C'est une promenade à ne pas manquer (on peut dormir dans les huttes de l'université de Silliman).

Bacolod

Ville de plus de 300 000 habitants, Bacolod est la capitale de la province de Negros Occidental, mais aussi du "Sugarland" : Nous sommes en effet au royaume de la canne à sucre.

Vega Antique Collection*

Bacolod, dont l'activité artisanale principale est la céramique, n'a aucun charme particulier, et ce ne sont pas ses musées qui vous entraîneront à y faire un détour ; si jamais cependant vous y restez coincé en route vers Sicogon, vous pouvez essayer de visiter la collection d'antiquités Vega, au 13 de la 19ème Rue. Elle conserve de nombreuses statues d'art religieux, du mobilier colonial, ainsi que des poteries d'Indochine et de Chine.

Les sucreries

A 36 kilomètres au nord de Bacalod, à Victorias se trouve la **Vicmico** (Victorias Milling Company), la plus grande raffinerie de sucre de canne du monde après celle de Biscom située elle aussi sur Negros (près de Binalbagan).

On ne manquera pas de vous y montrer, à proximité, la chapelle Saint-Joseph Ouvrier, orgueil de l'architecture moderne philippine, et également célèbre pour sa fresque de mosaïque du "Christ en colère", réalisée avec des débris de bouteille. Cette chapelle fut édifiée en 1948 par Ossorio.

Mambucal et le Parc national du Mont Kanlaon**

Mambucal est située à une heure de voiture de Bacalod. C'est un endroit charmant avec des chutes d'eau et des piscines naturelles d'eau chaude. C'est aussi le point de départ d'une exploration du parc national du Mont Kanlaon (ou Canlaon), situé à 5 kilomètres. Cette montagne de 2 438 mètres est en fait un volcan recouvert d'une végétation luxuriante et composé de deux cratères ; l'un est en sommeil, l'autre toujours en activité. Il est nécessaire de prendre un guide et il faut prévoir quatre jours de marche pour cette randonnée.

BOHOL

L'île de Bohol, dixième île philippine par la taille (4 117 km2 et 1 million de Boholanos), est entourée de 72 îles et îlots satellites, mais elle est surtout célèbre par ses Collines de Chocolat, curiosité mystérieuse. Ces collines sont situées au centre de l'île, et c'est heureux, car cela nous permettra de découvrir une île à la beauté enchanteresse (une de plus). Bohol, enfin, possède de belles plages et quelques vieilles églises coloniales, atouts qui peuvent justifier globalement un séjour d'une petite semaine.

Tagbilaran

La capitale de la province de Bohol est une petite ville tranquille de 50 000 habitants. Comme c'est l'aéroport et le port principal de Bohol, il faudra bien y passer, mais nous préférerons loger sur l'île toute proche de Panglao, l'une des 72 îles et îlots qui composent la province.

L'île de Panglao*

Grande de 4 000 hectares, Panglao n'est en fait plus une île, car elle est rattachée à Bohol par deux ponts. On y vient pour ses jolies plages, comme celle d'**Alona** (à une vingtaine de kilomètres de Tagbilaran), qui doit son nom à une ancienne star du cinéma philippin, ou celle de Doljo. Des hôtels simples ou presque luxueux ont poussé sur cette île, qui satisferont toutes les bourses.

L'île de Balicasag**
Panglao est la base de départ vers plusieurs îlots réputés pour la qualité de leurs fonds marins. C'est le cas particulièrement de l'île de Balicasag, située à une bonne demi-heure de bateau d'Alona Beach. Le récif de corail s'étend de 3 mètres à 60 mètres de fond.

L'île de Pamilacan*
Elle est située à trois quarts d'heure de bateau d'Alona Beach sur l'île de Panglao. ici, la barrière se trouve entre 40 et 60 mètres de fond.

Cervera Shoal
A 25 minutes de Panglao, entre l'île de Pamilacan et Alona Beach, il s'agit d'un haut-fond composé de coraux brisés à une douzaine de mètres de fond. Ce terrain est la résidence de serpents de mer, appelés ici *walo walo*, mais heureusement plus impressionnants que dangereux. Certains sont vénimeux, mais s'ils montrent parfois une curiosité intéressée envers les plongeurs, il est rarissime qu'ils les attaquent...

BOHOL

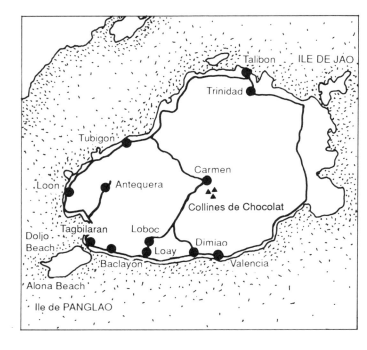

De Tagbilaran à Carmen**

La route qui mène aux Collines de Chocolat n'est certes pas en bon état, elle tiendrait même plutôt du calvaire, mais elle présente l'intérêt de nous faire d'abord découvrir quelques églises coloniales, puis des paysages magnifiques.

La route commence par suivre la côte.

Baclayon*

(7 km de Tagbilaran)

A mi-chemin entre Tagbilaran et Baclayon, une plaque commémore un événement célèbre de l'histoire coloniale des Philippines. C'est en effet ici qu'eut lieu, en 1565, le "Pacte de sang" entre Miguel de Legazpi et un chef local, Datu Sikatuna. Les deux hommes s'entaillèrent légèrement le poignet, mélangèrent leur sang dans un bol (non, ce n'est pas l'origine du nom de Bohol), puis en burent la moitié chacun. Pas de quoi s'éterniser.

Les Jésuites sont les principaux constructeurs d'églises à Bohol. Celle de Baclayon est une de leurs oeuvres. Elle passe ici pour la plus ancienne église de pierre construite aux Philippines (Tiens! Me direz-vous, vous avez déjà dit cela pour l'église d'Intramuros à Manille). Elle fut élevée en effet en 1595 avec un beau clocher de 21 mètres, dans le style église forteresse, mais où l'on retrouve un certain caractère musulman, qui se manifeste notamment dans la présence de disques solaires. On pourra demander à voir son intéressant trésor, l'un des plus riches du pays.

Loay

(18 km de Tagbilaran)

Située à l'embouchure de la rivière du même nom, Loay conserve également une église ancienne, mais d'un intérêt plus restreint. On devrait quitter maintenant la côte pour remonter le cours de la Loay, mais les amateurs d'églises pourront encore faire le détour par **Dimiao**, sur la route de Valencia. Cette église semble très musulmane avec ses deux campaniles hexagonaux.

Loboc

(24 km de Tagbilaran)

L'église de Loboc, construite en 1602 et dédiée à San Pedro, est plus austère, mais de plus, elle est menacée par la construction d'un pont.

C'est de Loboc, que l'on pourra louer une embarcation pour une promenade des plus charmantes sur la rivière, bordée d'une végétation luxuriante. A 2 kilomètres en amont, se trouvent les Chutes de Tontonan, formées par un petit barrage hydro-électrique.

Au-delà de Loboc, nous allons traverser des forêts d'acajou, où vit l'un des plus petits singes du monde, le tarsier (*Tarsius Philipinensis*). De la taille d'un rat, ce mignon petit bonhomme se nourrit essentiellement d'insectes.

Les Collines de Chocolat***

Ces dizaines, ces centaines de mamelons karstiques d'une trentaine à une cinquantaine de mètres de hauteur, sont situés à une cinquantaine de kilomètres de Tagbilaran, entre Batuan et Carmen (cette dernière agglomération, située à 59 km de Tagbilaran et 4 heures d'autocar).

A 55 kilomètres de Tagbilaran, se trouve le **Monument national des Collines de Chocolat**, situé sur l'une des collines les plus hautes. Le gouvernement provincial a tracé une route qui mène presque au sommet, construit une auberge modeste et un restaurant. D'ici le point de vue est sensationnel et permet d'apprécier pleinement ce paysage réellement unique : Des grosses meules de foin de terre, presque à perte de vue. Combien y en a-t-il ? Le dernier chiffre officiel est de 1268, mais il suffit d'une taupe mégalo et...

Ces collines sont recouvertes de grandes herbes, qui, à la saison sèche (avril et mai), revêtent une couleur chocolat.

Les géologues sont loin de s'accorder sur l'origine de leur formation, mais heureusement, les légendes sont là, qui vont nous donner les explications les plus satisfaisantes :

Selon la légende la plus virile, elles seraient le résultat d'un combat de titans, qui se bombardèrent pendant des jours à coup de grosses mottes de terre. Epuisés, ils finirent par se réconcilier.

Plus romantique maintenant, ces collines ne seraient en fait que les larmes du jeune géant Arogo après la mort de sa belle Aloya, une simple mortelle.

Pour en revenir aux explications scientifiques, il y a deux millions d'années, l'île de Bohol était recouverte d'une mer peu profonde. L'élévation progressive des terres, puis l'érosion façonnèrent les sédiments de coraux et de coquillages, composés essentiellement de carbone de calcium. Ce carbone de calcium sera détruit par l'acidité des pluies. Cela dit, cela ne nous explique pas le pourquoi de la forme des collines, justement dans cette région.

Loon et Antequera*

Au nord-ouest de Tagbilaran, deux villes présentent quelque intérêt :

Antequera
(19 km de Tagbilaran)
Cette petite ville est célèbre pour son marché du dimanche, dont la spécialité est la vannerie. Ici, on se met à cet artisanat dès l'âge de quatre ans.

A trois kilomètres environ d'Antequera, on pourra aller se rafraîchir au charmantes **Chutes de Mag-aso***.

Loon*
(27 km de Tagbilaran)
L'église de **Loon** est le couronnement du style colonial aux Philippines, mais elle est un peu triste.

De Loon, on peut trouver un petit tranbordeur vers Argao, sur l'île de Cebu.

On peut ainsi construire un itinéraire empruntant les jeepneys et bus locaux, partant de Tagbilaran, passant à Baclayon, puis Loay. De Loay, on prendra un nouveau bus jusqu'à Loboc, puis Carmen. Des Collines de Chocolat, on pourra rentrer par Tubigon (à 54 km de Tagbilaran) sur la côte occidentale. Cela représente environ 140 kilomètres pour le circuit complet, mais aussi deux jours au minimum et énormément de tape-fesse ; c'est la raison pour laquelle la plupart des voyageurs se contentent de faire l'aller-retour direct aux Collines de Chocolat.

SAMAR ET LEYTE

Ces îles forment la région des Visayas orientales, mais la situation politique y est si instable, que nous n'en dirons que quelques mots.

Samar*

Troisième île de l'archipel par la taille (13 429 km2), mais peuplée de seulement 1,5 millions d'habitants, Samar est divisée en trois provinces et compte 180 petites îles satellites. Ses trois capitales, sont Catbalogan (80 000 habitants et capitale de Samar Occidentale), Catarman (80 000 habitants également et capitale de la Samar du Nord) et Borongan (55 000 habitants, capitale de la Samar orientale).

Pourtant, contrairement à la publicité, le voyageur ne trouvera pas tout à la Samar. Les attractions sont peu nombreuses, les paysages sont souvent charmants, mais loin d'être aussi spectaculaires que dans Luzon, Mindanao, Palawan ou Bohol par exemple. Terre vallonnée, mais sans vraiment de montagnes, Samar, comme sa voisine Leyte est fort appréciée par les typhons, qui aiment s'y attarder.

Historiquement parlant, Samar a de l'importance, puisque c'est sur l'île de Homonhon (qui dépend administrativement de la province de Samar Orientale), que Magellan eut son premier contact avec les Philippines (et non Cebu). C'est en effet le 16 mars 1521, qu'il posa son petit pied fragile en terre philippine, avant de se diriger vers Leyte.

Le seul point de quelque intérêt de l'île, c'est la jolie route, qui longe la côte entre Allen, port de débarquement des transbordeurs venant de la province de Sorsogon (sur Luzon) et Calbayog (à mi-chemin entre Allen et Catbalogan).

Leyte*

Leyte est reliée à l'île de Samar par un pont de 2 162 mètres au-dessus du détroit de San Juanico (Le pont Marcos, rebaptisé récemment Pont San Juanico). Ile de 6 268 km2, Leyte est plus peuplée que Samar : 2 millions d'habitants, sans compter les 50 000 habitants de l'île de Biliran toute proche, et qui constitue une province à part entière. Elle est divisée en deux provinces, celle de Leyte (capitale Tacloban) et celle de Leyte méridionale (capitale Maasin). Son relief est plus accidenté que celui de Samar, mais ses montagnes n'atteignent même pas 1 400 mètres ; sa production principale est celle du coprah (30 % des terres exploitées), mais Leyte produit également en quantité du maïs, du riz de l'abaca et de la canne à sucre.

Historiquement, Leyte fut la deuxième étape de Magellan aux Philippines, puisque c'est sur l'îlot de Limasawa (au débouché de la baie de Sogod, au sud de l'île), que fut célébrée la première messe chrétienne en sol philippin.

C'est également à Leyte que naquit le nom de Philippines, puisque elle fut d'abord baptisée Felipina en 1543 en l'honneur de Philippe II d'Espagne. Plus tard, ce nom sera étendu à l'archipel.

Beaucoup plus tard, c'est à Palo (au sud de Tacloban), que MacArthur et le président Osmena débarquèrent officiellement pour la libération des Philippines (20 octobre 1944 - Leurs soldats avaient commencé à débarquer la veille).

Tacloban

Tacloban, ville natale, d'Imelda Marcos, née Romualdez (d'où le nom de l'aéroport de Tacloban), est la principale ville de Leyte, avec 150 000 habitants. Devant son Capitole, un grand relief perpétue le débarquement des Américains lors de la Seconde Guerre mondiale. C'est ce capitole, qui abrita le siège du gouvernement provisoire du président Osmena, dans l'attente de la libération de Manille (octobre 44 à février 45).

Palo*

A 10 kilomètres au sud de Tacloban, on verra sur la plage de **Red Beach** un intéressant ensemble de statues commémorant le débarquement de Mac Arthur. Dans un bassin, MacArthur, Osmena et cinq militaires américains et philippins s'avancent vers la supposée plage du débarquement. Les statues dépassent de 50 % la grandeur nature.

Palo conserve également une vieille cathédrale, fondée à l'origine en 1596 par les Jésuites, mais elle a été plusieurs fois modifiée. Pendant la guerre, elle servit même d'hôpital militaire.

PALAWAN

Palawan, Dernière Frontière

"Terre promise" pour Pigafetta, l'historien de l'expédition de Magellan, "Terre de l'Asile sûr et beau" (Palao-Yu) pour les Chinois, Palawan est située à quelque 700 kilomètres au sud-ouest de Manille. C'est une île tout en longueur (400 kilomètres sur à peine 40 pour sa plus grande largeur), qui sépare la mer des Sulu de la mer de Chine. Palawan est l'île principale d'un archipel de près de 1 800 îles et îlots, soit 15 000 km2, ce qui fait de la province de Palawan, la plus grande des Philippines.

Ce long massif montagneux s'élève doucement vers le sud où le sommet le plus haut est le Mont Matalingahan avec 2 086 mètres. La végétation est souvent dense, et l'île est très peu pénétrée par les voies de communication. Quasiment unique, une route de 500 kilomètres, goudronnée seulement à moitié, ne parcourt que la partie centrale de l'île. Malgré une population de 500 000 habitants, Palawan est ainsi demeurée à l'écart de l'animation commerciale et industrielle, et n'a pas encore été touchée par le tourisme, elle demeure un peu le Far West des Philippines.

Pourtant elle est potentiellement très riche, que ce soit au niveau économique (elle a de grosses ressources forestières - déjà bien entamées - la moitié de la pêche des poissons philippins en provient et ses côtes seraient riches en pétrole), ethnologique, ou par la qualité de ses paysages (la Rivière souterraine, les régions d'El Nido et de Busuanga, ou les grottes de Tabon), ou encore la beauté de ses fonds marins. Palawan renferme enfin la plus grande réserve naturelle d'animaux marins et terrestres des Philippines.

Palawan, Terre des hommes

Palawan est aussi l'un des derniers sanctuaires de la vie primitive. Ici, nous rencontrons :

- Les Bataks, cousins des Bataks de Sumatra, et proches physiquement des Négritos. Ils vivent de cueillette et de chasse dans les collines du nord-est, à une cinquantaine de kilomètres de Puerto Princesa (les rencontrer signifie en outre quatre heures de marche dans une région infestée de malaria). Leurs costumes sont très pittoresques, avec une ample coiffe et des pantalons s'arrêtant mi-jambe.

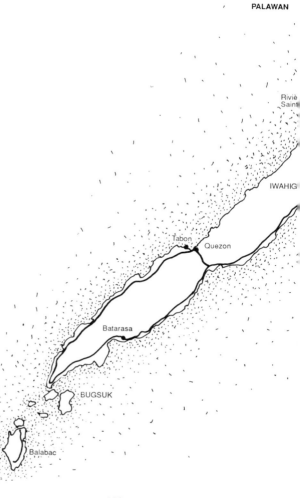

PALAWAN

Riviè
Saint

IWAHIG

Tabon
Quezon

Batarasa

BUGSUK

Balabac

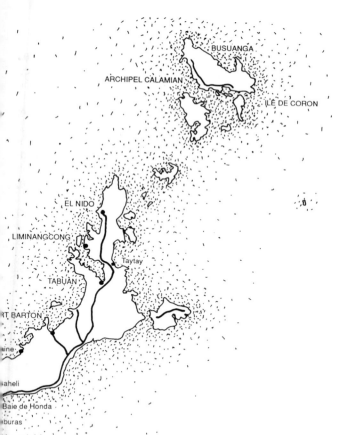

BUSUANGA

ARCHIPEL CALAMIAN

ÎLE DE CORON

EL NIDO

LIMINANGCONG

Taytay

TABUAN

RT BARTON

aine

saheli

Baie de Honda

buras

RT PRINCESA

- Pas très loin non plus de la capitale (79 kilomètres, soit trois heures de jeep), on trouve les Tagbanuas, dont le nom signifie "le Peuple du Pays". Ils vivent à demi-nu, mais ont dû abandonner les rivages, afin de pouvoir conserver leurs traditions.

- Près de Quezon, à 5 heures de jeep, puis une heure de marche et encore quelques minutes de bateau, vivent les Taot-Batos. Découverts en 1978, ce sont les plus primitifs des aborigènes de Palawan et ils sont aussi primitifs que les Tasadays de Mindanao. Ce sont des pygmées, blancs de peau, qui vivent réfugiés près des sommets des collines, dans les cavernes du volcan Ransang. Ils vivent de cueillette, mais mangent aussi des insectes et de petits mammifères.

Leurs voisins sont les Taot-Adrans, qui chassent encore avec des sarbacanes empoisonnées.

- Tout au sud de l'île, les Palawanis, sont, comme les précédents des animistes.

- Enfin, sur l'île de Balabac vit une minorité musulmane, les Mol-Bogs.

Pour visiter correctement Palawan, il faut au moins une semaine, car les sites les plus intéressants sont loin de la capitale de Puerto Princesa, les moyens de communication inexistants, et l'on devra souvent se déplacer dans de petites embarcations. On ne s'aventurera pas sans guide dans la jungle et l'on aura intérêt à prendre des précautions sanitaires, car c'est la seule île des Philippines où subsistent largement des foyers de malaria.

PUERTO PRINCESA

Puerto Princesa est l'aéroport d'accès et la capitale de l'île (depuis 1872). Son nom, elle le doit à l'infante d'Espagne, fille de la reine Isabelle ; Puerto Princesa n'est pourtant qu'un grand village de près de 100 000 habitants, dont les rues ne furent goudronnées qu'en 1985, et qui ne justifie pas en elle-même un voyage à Palawan.

On peut quand même jeter un coup d'oeil au marché aux poissons, au port et aux maisons des pêcheurs.

Les environs présentent déjà plus d'intérêt :

Honda Bay*

on pourra faire de la plongée dans **Honda Bay***, située près de Tagburos, à une dizaine de kilomètres de Puerto. Cette baie est peuplée de nombreux îlots, entourés de barrière de corail : Superbe ! Mais ce n'est qu'un avant goût de ce qui vous attend...

A une heure de bateau de Puerto Princesa, l'**île de Pandan** possède quelques bungalows. La plage est belle et l'eau y est claire.

Iwahig*

Aux environs de Puerto Princesa, on vous conseillera de voir l'un des bagnes, ou plutôt l'une des colonies pénitentières de l'île, la principale étant celle d'Iwahig, établie en 1904 à une quinzaine de kilomètres au sud de la capitale. Sur cette colonie de 37 000 hectares, vivent en semi-liberté quelque 2 000 à 4 000 prisonniers, condamnés à plus de cinq ans de détention, certains pour des crimes de sang. On distingue les prisonniers dits de confiance au pantalon blanc, et ceux qui ne sont pas encore "mûrs" en orange. Ceux qui sont dignes de confiance peuvent faire venir leur famille, et leur rôle est de surveiller les "oranges". Rarissimes, sont ceux qui tentent de fuir. La vie n'est certes pas pénible ici. Les prisonniers vivent dans une véritable communauté avec église, compexe sportif, tennis, vidéo, etc. Mais surtout, la plupart craignent des réprésailles s'ils retournaient dans leur village avant d'avoir purgé leur peine.

Les prisonniers fabriquent des produits d'artisanat, en travaillant le *kamagong*, un bois ressemblant à l'acajou, et qu'ils incrustent de nacre.

La colonie de Santa Lucia, accessible par banca, vit dans des conditions plus précaires.

En route pour Iwahig, à 12 kilomètres de Puerto Princesa, on pourra visiter (en semaine seulement) l'**Institut Philippino- japonais du crocodile**, un élevage destiné à la production de peaux.

Le camp de réfugiés vietnamiens

Ce n'est pas vraiment une curiosité touristique (mais la colonie pénitencière en est-elle une ?). A 3 kilomètres du centre, ce centre de tri des refugiés, créé en 1982, est le plus important des Philippines (le nombre de réfugiés tourne autour de dix mille). Il est sous le contrôle des Nations- Unies. Les visiteurs français sont bienvenus, mais qu'ils s'abstiennent de prendre des photos à l'intérieur.

LE CIRCUIT NORD***

Ce circuit est réservé à ceux qui privilégient la découverte de beautés naturelles non polluées, et qui sont prêts à se passer de confort et d'animation. Ils devront en outre accepter de longs parcours en jeep et en bancas. Il n'existe pas toujours de services réguliers de bancas, aussi faudra-t- il prévoir un budget suffisant pour être en mesure d'affrêter une banca pour le cas où vous ne trouveriez personne pour partager les frais.

La rivière souterraine**

On peut y accéder depuis deux petits ports : **Bahile** (ou Baheli) à une cinquantaine de kilomètres au nord de Puerto Princesa (deux petites heures de route), ou **Port Barton**, à 141 kilomètres de Puerto Princesa (5 heures pénibles de jeepneys sur route non revêtue. De ces deux ports, il faut s'embarquer pour une traversée de 3 heures sur des pumpboats inconfortables, afin d'accéder à la rivière (Il faudra prévoir autant de temps pour le retour). De Bahile, la mer est souvent très agitée, mais si nous choisirons Port Barton (la mer est calme jusqu'à midi) - c'est surtout pour nous avancer pour la suite de notre périple.

La rivière souterraine, de son nom officiel de **Parc National de la rivière souterraine de Saint-Paul** (créé en 1971) est l'une des grandes beautés naturelle des Philippines. Imaginez une grande plage de beau sable, une courte marche dans une forêt aux arbres gigantesques, puis l'arrivée à un tout petit lagon aux eaux d'émeraude. Là s'ouvre un tunnel de marbre de 8,2 kilomètres de long, dont 2,5 seulement sont navigables. A l'intérieur, pour l'instant aucune lumière ne met en relief la beauté de ce long tunnel (si beau disent certains, que l'on se croirait dans le métro), mais votre batelier emportera une lampe au kérosène (merci pour la donation).

Port Barton*

Le cadre de ce petit village au bord d'une longue baie arrondie est ravissant. Aux alentours plusieurs plages et îlots permettent de s'adonner aux joies de la baignade ou de la plongée. D'ici, nous pourrons nous embarquer pour une croisière de six heures de pumpboat (toujours inconfortable) à destination d'El Nido, mais il faudra partir aux aurores, si nous ne souhaitons pas rencontrer une mer trop agitée.

El Nido***

El Nido n'est qu'un petit village, mais il est devenu célèbre depuis qu'une société japonaise a ouvert sur la petite île de Miniloc un centre de vacances paradisiaque, à l'intention des plongeurs du monde entier.

L'intérêt d'El Nido est en fait double.

- D'une part le paysage : Au large l'**archipel de Bacuit** est composé de pains de marbre noir qui saupoudrent la mer. Mais pas n'importe quelle mer. Ici les fonds sont encore intacts et conservent de merveilleux coraux, tandis que la limpidité de l'eau permet de les admirer sans avoir à descendre avec des bouteilles.

- D'autre part, les falaises de marbre noir, réputées pour leurs nids d'hirondelles, auxquels on doit le nom d'El Nido. Le site est beau, bien sûr, mais peut-être quand même moins impressionnant que celui des grottes de Niah à Bornéo.

D'El Nido à Puerto Princesa par Taytay**

Pour revenir à Puerto Princesa par une autre route qu'à l'aller, nous avons le choix entre trois itinéraires :

- Nous pouvons rejoindre Taytay, à une cinquantaine de kilomètres au sud d'El Nido, par la route, mais son état excécrable en fera la moins bonne des solutions.

- Si l'on choisi de rejoindre Taytay, le plus agréable est de prendre un pumpboat. Une traversée de deux à trois heures nous mènera d'abord à **Liminangcong**, important centre de pêche, puis nous fera pénétrer dans le superbe **fjord de Malampaya** jusqu'à **Embarcadero**, hameau de pêcheur dans un paysage de mangrove. Embarcadero n'est qu'à six kilomètres de Taytay.

De Taytay à Puerto Princesa, il y a 318 kilomètres de route non goudronnée, soit une journée entière de jeepney (la joie - Roxas est à 182 km, soit 5 heures de bus). Il ne faut pas s'attendre que la route soit terminée d'être goudronnée avant le tournant du XXIème siècle.

- La dernière possibilité est d'éviter Taytay en continuant au-delà de Embarcadero jusqu'à **Tabuan** et **Abongan**, ce qui permet de remonter quelque temps la rivière Abongan, promenade qui sera un véritable enchantement, par la beauté des paysages et la luxuriance de la mangrove. En saison sèche, les bateaux ne peuvent remonter jusqu'à Abongan, ce qui oblige à faire le chemin à pied (une demi-heure environ)

D'Abongan, on pourra rejoindre Roxas en trois heures et demie de tape-fesses. Votre souffrance n'est pourtant pas terminée.

De Roxas, il vous reste 136 kilomètres (4 heures de jeepney) jusqu'à Puerto Princesa.

Taytay*

Taytay est l'ancienne capitale de Palawan. Jusqu'au XVIIIème siècle, en effet, le centre de Palawan était sous le contrôle du sultan de Bornéo. En 1622, Les Espagnols avaient donc construit un fort à Taytay, dont les ruines ont survécu, ainsi qu'une église coloniale. Les environs sont ravissants, et l'on visitera tout particulièrement :

- **L'île de Paly*** : Elle est fréquentée en novembre et décembre par les grandes tortues marines.

- **Le Lac Danao*** : Ce lac de 64 hectares est parsemé d'îlots, et niché dans un cadre de forêt vierge. Il est situé au sud de Taytay.

LE SUD DE PALAWAN

Les grottes de Tabon*

Les archéologues courageux pourront aller visiter les grottes de Tabon, qui passent pour l'un des endroits où l'homme se manifesta il y a le plus longtemps.

Au sud de Puerto Princesa, nous avons au moins la chance de trouver une route goudronnée, depuis la fin des années 80, ce qui va rendre les déplacements moins fatigants. Cela représente tout de même 157 kilomètres dans chaque sens, soit une dizaine d'heures d'autocar aller-retour jusqu'au petit village de pêcheurs de **Quezon**, suivi de près d'une demi- heure de bateau dans chaque sens à travers la baie de Malanut. Toutefois, si vous avez les moyens de louer une jeep, le trajet routier pourra être ramené à 8 heures.

Les fossiles humains découverts à Tabon ont été datés au carbone comme vieux de 16 000 à 24 000 ans, mais inutile d'amener votre chien, les os ont été déménagés (au Musée National de Manille).

Tabon fait partie d'un ensemble de quelque 200 grottes, dont seulement une trentaine ont été explorées à ce jour. C'est la plus importante en taille (90 mètres de profondeur), mais sa voisine, **Diwata** est la plus haute (30 mètres) et la plus belle.

Cela dit, à part la promenade en bateau, il n'y a pas grand- chose à voir. Consolez vous en allant faire trempette sur l'une des jolies îles au large de Quezon, telles Mansaruyan, Tataran ou Sidanao. Quelques Européens s'y sont établis et y louent des bungalows sommaires.

Les îles de Bugsuk et d'Ursula**

Ces îles sont situées à l'extrême sud de Palawan. La dernière d'entre elles était, jusque dans les années 70, une très riche réserve d'oiseaux, mais pour être capable de les admirer il fallait y passer la nuit, soit pour les voir circuler le soir, soit pour les voir partir le matin. Environ deux heures avant le coucher du soleil, des milliers de pigeons musqués impériaux, appelés ici "camasos" envahissaient l'île dans un immense charivari. Cela dit, depuis quelques années, la population ailée d'Ursula a grandement diminué, car elle sert de pâture à des rats fraîchement débarqués sur l'île....

On accède à ces îles par bateau depuis Batarasa, situé à 236 kilomètres de Puerto Princesa (soit à huit heures de route)... Il faut également ment prévoir de bivouaquer sur l'île. Comme il s'agit presque d'une expédition, des agences de Manille organisent cette balade pour de petits groupes.

Voici un programme de cinq jours que certains voyagistes peuvent proposer à des petits groupes (6 à 8 personnes) :
- 1er jour : Manille-Puerto Princesa, puis petit avion affrété pour l'île de Bugsuk ; visite de l'île Ursula ; la nuit se passe à Bugsuk où se trouvent quelques tentes équipées.
- 2ème jour : Pêche autour de l'île d'Ursula ou observation d'oiseaux.
- 3ème jour : Excursion à l'île de Balabac, célèbre pour ses coquillages coniques ; possibilité de pêche sous-marine ou de surface, ou de plongée.
- 4ème jour : Visite d'autres îles des environs (comme Matangule), possiblité de plongées.

- 5ème jour : Retour à Puerto Princesa.

LES ILES CALAMIAN***

Tout à fait au nord de Palawan, l'archipel des Calamian s'éveille seulement au tourisme. Ce sera sans doute le grand choc de la fin de ce siècle, car les paysages sont d'une beauté inouïe. Déjà, de petits avions relient Manille à Coron sur l'île de Busuanga, et quelques bungalows sympathiques font leur apparition. Pour apprécier pleinement la splendeur de cet archipel, vous ne pourrez échapper à une croisière, qui vous fera découvrir une infinité de pains de sucre saupoudrant la **Baie de Gutob***.

Busuanga*

Les Calamian sont composées d'une myriade d'îlots et de trois îles dignes de ce nom. La plus importante, c'est Busuanga, qui a pour ville principale **Coron** peuplée d'une vingtaine de milliers d'habitants.

L'île de Calauit*

Au nord-ouest de Busuanga, l'île de Calauit n'est séparée que par un étroit bras de mer. Après un voyage en Afrique dans les années 70, le président Marcos décida d'y créer une importante réserve animalière, afin de préserver les différentes espèces de la faune philippine, y compris les plus rares, mais pour faire bonne mesure, il y introduisit également plusieurs centaines d'animaux d'Afrique. On ne visite que sur autorisation, accordée dans le cas d'études ou de reportage. S'adresser à Conservation and Resource Management Foundation, G/f IRC Bldg, 82 EDSA, Mandaluyong, Metro Manille, T : 785.081 à 89, poste 263 ou 264.

L'île de Coron**

A une demi-heure de bateau seulement de la ville de Coron, l'île de Coron est la troisième île de l'archipel par la taille. On y vient pour admirer ses merveilleuses falaises calcaires truffées de grottes, ainsi que son **Lac Cabogao** dont l'écrin est rehaussé de deux petites îles.

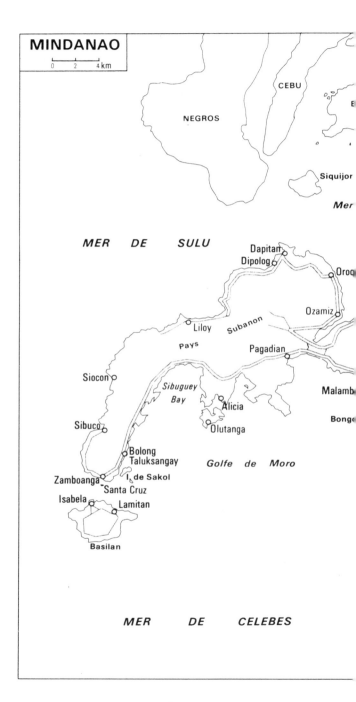

MINDANAO

0   2   4 km

CEBU

NEGROS

Siquijor

Mer

MER   DE   SULU

Dapitan
Dipolog
Oroq

Ozamiz

Liloy
Subanon

Pays
Pagadian

Siocon

_Sibuguey
Bay_
Alicia
Malamb

Olutanga
Bongo

Sibuco

Bolong
Taluksangay
Golfe   de   Moro

Zamboanga
I. de Sakol
Santa Cruz
Isabela
Lamitan

Basilan

MER   DE   CELEBES

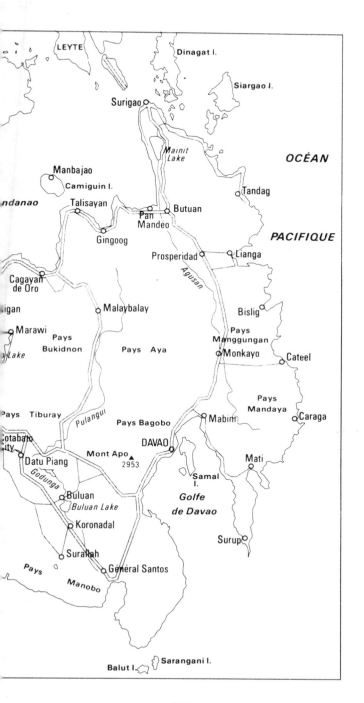

MINDANAO

Deuxième île des Philippines après Luzon, par la taille (95 000 km2) et la population (13 millions d'habitants), on peut affirmer que l'île de Mindanao est la seconde principale attraction touristique des Philippines. On ne peut pas pour autant dire que ces deux grandes îles se ressemblent, car l'une est essentiellement chrétienne et l'autre essentiellement musulmane, et cela se perçoit aussi bien dans l'artisanat que dans certaines coutumes.

Mindanao est la région des Philippines la plus riche en minerais : On y trouve près de 80 % des réserves de fer, de l'or, de l'argent et la totalité des ressources en nickel du pays. Mindanao est également riche du point de vue de l'agriculture : On y récolte 70 % des ananas philippins, plus de la moitié de la production de café, un peu moins de celle de cacao, 50 % de la production de coprah, 40 % de celle d'abaca et 60 % de celle du blé.

Principales distances dans Mindanao (en kilomètres)

	Butuan	Cagayan	Cotabato	Davao	Marawi	Surigao	Zamboanga
Butuan	—	189	452	548	312	123	663
Cagayan	189	—	263	387	123	312	474
Cotabato	452	263	—	215	143	575	439
Datu Piang	479	299	60	201	179	602	475
Davao	548	387	215	—	334	671	630
Malaybalay	264	103	229	284	226	387	577
Marawi	312	123	143	334	—	435	412
Oroquieta	481	292	257	448	230	604	400
Ozamiz	438	249	214	405	187	561	357
Pagadian	404	215	180	371	153	527	259
Santa Cruz	510	349	177	78	296	633	592
Surigao	123	312	575	671	435	—	786
Zamboanga	663	474	439	630	412	786	—

Mais Mindanao est surtout la région la plus riche du point de vue ethnologique, puisque on y rencontre plus de vingt minorités : Négritos, tribus animistes, musulmans y coexistent (voir Première Partie). Mindanao pourrait donc être en soi l'objet d'un voyage de plusieurs semaines. Malheureusement, à l'époque où nous écrivons ce livre, **certaines régions posent des problèmes sérieux de sécurité, du fait de l'activité de maquis musulmans**, animés essentiellement par le Front National de Libération Moro (M.N.L.F.). Les projets de solutions pacifiques, qui se succèdent d'années en années laissent cependant entrevoir périodiquement un apaisement dans les régions critiques.

Renseignez-vous donc au moment de votre départ.

Actuellement, les provinces théoriquement sans problèmes pour le tourisme sont celles de Davao, Sud-Cotabato, Surigao del Norte, Misamis Oriental, Agusan del Norte et Zamboanga del Norte.

On pourra passer à Mindanao de huit à quinze jours, selon son attrait pour l'ethnologie, les plages et...la marche à pied.

Il n'y a pas vraiment de mauvaise saison pour visiter Mindanao.

ZAMBOANGA***

Située à l'extrême pointe sud-ouest de Mindanao, Zamboanga est peut-être la ville la plus sympathique des Philippines, mais elle est en tout cas la plus colorée.

Zamboanga, "la ville des fleurs", est aussi la porte des Philippines musulmanes, celles des Tausugs, Badjaos, Samals, Subanons et Yakans.

Ville la plus importante de la province de Zamboanga del Sur (9 922 km2), avec près du quart des 1 500 000 habitants de la province, elle n'en est pourtant pas la capitale, rôle joué par Pagadian, ville de 100 000 habitants seulement.

Port d'exportation du coprah, du bois et du contreplaqué, la cité a une activité animée, avec de nombreux bateaux étrangers qui s'y arrêtent. Un port franc y est installé, où l'on trouve, hors taxe, des produits de consommation courante (les Philippins y font collection de parapluies et de tabac).

La ville**

Vous pourrez passer à Zamboanga quatre jours à une semaine sans vous ennuyer, l'hôtel le mieux situé étant le *Lantaka Hotel*, au bord du port, et où les Badajaos viennent vendre coquillages et coraux sur de petites vintas.

Le marché aux poissons**

Il se tient en plein air à côté du marché couvert et est des plus pittoresques, que ce soit tôt le matin ou en fin d'après-midi. Outre le fameux lapu-lapu rouge, on y trouvera également des poissons tropicaux multicolores. Dans le marché couvert, vous pourrez acheter de nombreux objets d'artisanat musulman, tissages et cuivres. Marchandez ferme.

La Plaza Pershing*

Elle porte le nom du célèbre général américain de la Première Guerre mondiale, gouverneur pendant un temps des provinces maures. C'est une place charmante, très espagnole, qui sert de centre pour la ville de Zamboanga. L'Espagne est très présente ici : dans la langue d'abord,

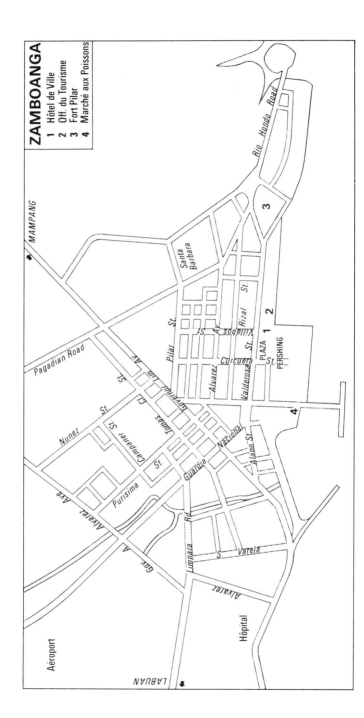

ZAMBOANGA

1 Hôtel de Ville
2 Off. du Tourisme
3 Fort Pilar
4 Marché aux Poissons

MAMPANG

Rio Hondo Road

Santa Barbara

Pagadian Road

Pilar St.

Rizal St.

Villalobos Av. St.

Curcuera St.

PLAZA

PERSHING

Alvarez St.

Valderosa St.

Tumm Av.

Nunez St.

Campaner St.

Governor St.

Tomas St.

St.

Nacional

Guardia Rd.

Alano St.

Purisima

Alvarez Ave.

Gov. A.

Limpara Rd.

Varela

Alvarez

Hôpital

Aéroport

LABUAN

248

le chabacano, le dialecte parlé dans la région est un patois espagnol ; dans le système de vie ensuite : la siesta est d'usage.

Le Capitole

S'élevant sur un côté de la place Pershing, il a une architecture coloniale originale. Il fut construit en 1905 et restauré après la dernière guerre.

Les fabriques de coquillages

Ne manquez pas (si vous n'en avez pas déjà vu à Cebu) une de ces "fabriques". On y trouve de magnifiques collections de coquillages à l'état nature, à côté d'objets divers, à base de coquillages. "Rocan" est la principale fabrique (San José Gusu Road).

Le port*

Le charme du port de Zamboanga vient avant tout du spectacle des *besnigs* et des *vintas*. Le besnig est l'équivalent du chalutier européen, le gros bateau de pêche, qui a ici une forme très particulière et des couleurs vives. La vinta est un canot à balancier, avec une voile unique, autrefois très colorée, mais qui, aujourd'hui, est souvent d'une seule couleur, du fait (encore une fois) du prix élevé qu'atteignent les voiles multicolores. L'un des meilleurs endroits pour observer ces deux sortes de bateaux est la terrasse du Lantaka Hotel.

Les Badjaos

Les gitans de la mer vivent ici comme dans les îles Sulu, sur de petites vintas où ils s'entassent avec toute la famille, s'y sentant aussi à l'aise que les poissons dans l'eau. Les enfants s'y meuvent avec une facilité inouïe, aussi bien en plongeant pour récupérer les pièces que les croisiéristes leur jettent que pour manier leur mini-vintas avec lesquelles ils viennent vous vendre colliers et coquillages. Leur peau est presque noire car ils vivent à demi-nus (voir aussi Première Partie).

Fort Pilar*

A l'est du centre de la ville, ce fort fut fondé en 1635 par Miguel de Legazpi. Comme il fut d'abord dirigé par les Jésuites, il porta d'abord le nom de Real Fuerza de San Pilar de Zaragoza, puis enfin, en 1899, tout simplement Fort Pilar, nom qui lui fut donné par les Américains, ennemis de toute complication. Reconstruit en 1718, il demeure aujourd'hui étrange dans son austérité par rapport à la riante Zamboanga.

Rénové en 1986, il abrite désormais un **musée***, consacré à la vie marine, à l'ethnologie et à l'histoire locale.

Rio Hondo** (ou Campo Islam)

Il ne faut pas manquer de visiter ce village sur pilotis. Il est situé juste au-delà du Fort Pilar. Ici, vivent plusieurs centaines de familles de pêcheurs samals. Comme les Badjaos, la terre d'élection des Samals se situe plutôt dans l'archipel des Sulu, mais on trouve quelques-uns de leurs villages vers Zamboanga. Celui-ci est l'un des deux plus importants ; une partie de ce village a été reconstruit avec l'aide du gouvernement, ce qui lui a enlevé d'année en année beaucoup de son pittoresque. Rio Hondo tire son nom des eaux profondes sur lesquelles il a été bâti. (Les indigènes l'appelaient Cagang Cagang du nom du crabe de vase qu'on y trouve).

Promenez-vous sans crainte (si ce n'est de tomber) sur les passerelles qui relient les rangées de maisons en bois et sur lesquelles s'ébattent, aussi joyeux que dans les quartiers chrétiens, les petits musulmans. Pendant que les hommes pêchent, les femmes font de la vannerie.

La maison dans les arbres

Signalons aux jeunes mariés qu'ils pourront coucher une nuit gratuitement dans une maison perchée dans un arbre du **Pasonanca Park**, un parc agréable situé à 7 kilomètres du centre ville. Avis donc aux grands romantiques.

L'île de Santa Cruz*

Il s'agit d'un îlot coralien situé à un quart d'heure de vinta à moteur de Zamboanga : On peut louer ce bateau (prix fixe) au Lantaka Hotel. Le sable de cette île est légèrement rosé par les poussières de corail que la mer y dépose ; un projet de construction de bungalows en fera peut-être un jour un centre de plongée.

Les villages de la côte est**

Cette excursion d'une demi-journée (80 kilomètres) permet de voir les très intéressants villages musulmans de Taluksangay et de Sangali, ainsi que la plage de Bolong.

Tout au long de cette excursion, le paysage est très beau car, une fois de plus, on traverse une nature somptueuse.

Taluksangay

A 20 kilomètres au nord-est de Zamboanga, Taluksangay est un village musulman, fondé en 1855. Il est situé sur une petite île au milieu des marécages, et relié à la terre par une route. Les habitants sont des Samals, très hospitaliers. La couleur ocre du sol est due aux écorces du bois ramassées pour faire du charbon de bois, activité principale (avec la pêche) du village. Munissez-vous d'une cargaison de bonbons, non pas que les enfants en réclament, mais vous les mettrez encore plus en joie (et vous obtiendrez la reconnaissance de leur dentiste).

Sangali

Situé à 31 kilomètres de Zamboanga, Sangali est un village à deux visages, chrétien et musulman. Les musulmans habitent en bord de mer dans un site ravissant. Ici, les touristes sont si rares que vous n'avez même pas besoin de bonbons pour déchaîner l'enthousiasme assourdissant des enfants. Vous aurez autant de succès que la présidente des Philippines elle-même.

Bolong

A 35 kilomètres de Zamboanga, Bolong est un port de pêche chrétien situé dans une jolie baie, où s'étend une longue plage de sable fin.

Les plages de la côte ouest*

La côte ouest possède de nombreuses plages qui sont :
- **Cawa Cawa** à 2 kilomètres de Zamboanga, mais elle est un peu polluée.
- **Archillas** (ou Arciles) à 5 kilomètres, mais son sable est gris.
- **Caragason** à 12 kilomètres, **Ayala** à 16,5 kilomètres, son sable est gris, mais on s'y baigne agréablement.
- **Talisayan** à 20 kilomètres. Sable gris et bonne baignade.
- **San Ramon** à 22 kilomètres. Mêmes qualités que la précédente. Cette dernière plage conserve une colonie pénitentiaire fondée au XIXème siècle par les Espagnols, et où les détenus continuent à produire des objets d'artisanat vendus aux touristes.

L'île de Basilan* (Voir chapitre suivant)

DIPOLOG

Capitale de la province de Zamboanga del Norte (6 075 km2 et 700 000 habitants), avec près de 80 000 habitants, Dipolog est au centre d'une région agricole très riche. La raison du réveil récent de son aéroport est l'ouverture, à la fin des années 80, d'un excellent hôtel de plage dans la superbe **baie de Dapitan**** (voir guide pratique). Entre deux coups de soleil, vous pourrez jeter un rapide coup d'oeil à Dapitan.

Dapitan*

(60 000 habitants)
A 15 kilomètres à l'est de Dipolog, Dapitan fut la ville d'exil de José Rizal de 1892 à 1896. Sa résidence forcée a été transformée en monument national. On découvrira qu'il s'agissait en fait d'un exil plutôt doré, puisqu'on a reconstruit sa demeure dans le parc original.

Tanguilon*

Les hôtes du *Dakak Beach Resort*, situé à 10 kilomètres de Dapitan, ont la possibilité de visiter à pied ou en bateau le ravissant golfe de Tanguilon, presque entièrement fermé.

MARAWI**

On accède à Marawi par une route de 37 kilomètres depuis la ville industrielle d'**Iligan**, elle-même située à 90 kilomètres de Cagayan de Oro.

Avec plus de 70 000 habitants, la vieille cité musulmane de Marawi, aujourd'hui capitale de la province de Lanao del Sur (3 873 km2 et plus de 500 000 habitants), serait une ville pleine de charme s'il n'y avait les problèmes actuels de sécurité, qui nous obligent à vous inviter à la plus grande prudence. Ce charme vient en grande partie du beau **Lac Lanao****, perché à 700 mètres d'altitude.

On flânera dans son marché, particulièrement coloré le dimanche et le jeudi, et on verra aux alentours le quartier des artisans qui travaillent surtout le bronze (les gongs et les tambours de bronze sont des souvenirs typiques, sinon légers). Il y a enfin un musée intéressant situé sur le campus de l'université, le **musée Aga Khan***, consacré à la culture islamique.

Cette région est peuplée de Maranaos ("le peuple du Lac"), des musulmans qui ont conservé leur sultanat. Très islamisés, pour ne pas dire intégristes, ils ont fait de la vendetta un de leurs grands principes, mais ce sont aussi d'habiles artisans, dont les cuivres sont merveilleusement travaillés ; le *Dansalan Handicraft Building* est un bon endroit pour admirer quelques belles pièces d'artisanat. Quant aux Maranaos, on reconnaît leurs femmes à leurs jolis *malongs* colorés, les saris locaux, longs d'une douzaine de mètres, tandis que les hommes portent le *kepiah*, un calot rond de tissu ou de fourrure.

CAGAYAN DE ORO

Cagayan de Oro, capitale de la province de Misamis Oriental (3 570 km2 et 500 000 habitants) est également la principale ville du nord de Mindanao (350 000 habitants). C'est une ville agréable, mais sans attractions inoubliables.

Célèbre pour ses plantations d'ananas Del Monte (à 34 km), Cagayan de Oro offre des excursions possibles chez les Bukidnons. Par contre, les plages vous décevront.

L'ILE DE CAMIGUIN**

Province autonome depuis 1966, Caminguin est accessible en bateau de Balingoan ou en avion de Cagayan de Oro ou de Cebu. Cette

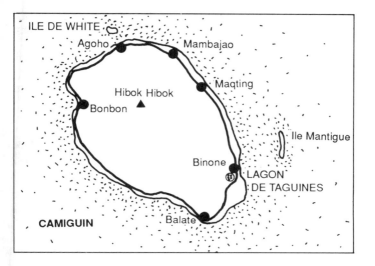

île volcanique de 230 km2 et de 65 000 habitants, est jugée paradisiaque par les amateurs de plages et surtout de plongée, mais les moyens
d'hébergement sont encore rustiques. Les seules agglomérations de
quelque importance sont **Mambajao**, la capitale de la province (où l'on
trouve un curieux cimetière englouti), **Bonbon**, l'ancienne capitale et
Mahinog, le port d'embarquement pour Mindanao.

Il n'est pas compliqué de faire le tour de l'île. Une route suit ses 65 kilomètres de côtes, et cela représente environ trois heures de jeepney
ou de moto (on parvient à louer des motos à Mambajao).

Attention, la saison sèche n'obéit pas à la règle générale : Elle est limitée aux trois mois d'avril, mai et juin !

Les plages**

Les plages, comme celles de Sabay, Balimay, Magsaysay ou Turtle
Nest, près de Mambajao, sont merveilleuses.

- Une autre excursion populaire est la promenade en bateau jusqu'à
l'**îlot de White****, situé à environ trois kilomètres au large du village d'A-
goho. Ce n'est qu'un banc de sable sans ombre, mais c'est la plus belle
plage de Camiguin et les fonds sont très beaux.

Les volcans*

Vous aurez peut-être la chance (ou la malchance) d'assister à une
éruption du volcan **Hibok Hibok**, le plus actif des sept volcans de l'île,
et qui, en 1871, engloutît une bonne partie d'un village. Haut de

1 320 mètres, sa plus récente éruption, celle de 1951, causa la mort de plus de 2 000 personnes. Il est parfois possible d'entreprendre l'ascension de ce volcan (guide indispensable).

Il y a aussi une station sismologique à 400 mètres d'altitude et à environ une heure et demie de marche de Mambajao.

Les chutes de Katibawasan*

A deux kilomètres de Pandan, sur les flancs du volcan Hibok Hibok, ces chutes tombent d'une cinquantaine de mètres, et donnent l'opportunité d'une baignade.

Le Lagon de Tanguine*

Ce charmant lac artificiel se trouve entre Binone (le port de Caminguin) et Maac. C'est un lieu populaire de pique-nique.

Le festival des Lanzones

C'est autour du 25 octobre qu'a lieu le principal festival des lanzones, ces fruits tropicaux, dont Caminguin est l'un des principaux centres de production.

SURIGAO*

L'intérêt principal de Surigao, c'est de pouvoir partir à la découverte d'îles paradisiaques où les voyageurs étrangers sont rares.

L'île de Siargao**

La plus belle de ces îles est peut-être celle de Siargao, à six heures de traversée inconfortable. Sur Siargao, une seule route de 8 kilomètres relie les deux bourgades les plus importantes, Dapa et General Luna, équipées de quelques "lodges" pour routards. Tout autour de l'île, s'étendent de merveilleuses plages de sable blanc.

DAVAO*

Les Philippins considèrent Davao comme la plus grande ville du monde. C'est peut-être vrai, en tous cas pour ce qui concerne la superficie (2 211 km2), mais leur conception d'une ville est néanmoins assez différente de la nôtre. Avec plus d'un million d'habitants pour le grand Davao, elle est la troisième ville du pays, talonnant Cebu de près. Elle est de plus la capitale de la province de Davao del Sur (6 677 km2 et plus d'un million et demi d'habitants).

Davao est le centre d'une région agricole très riche, plantations de coprah, de bananes, d'hévéas (plantations Firestone), de café et de cacao, se succèdent et s'entremêlent dans une profusion de verts de toutes nuances. Le dourian, le fruit qui sent comme l'enfer mais a le goût de paradis, le fruit favori des Chinois, pousse en quantité à Davao, ainsi que les ramboutans, les oranges, les pomelos ou les marangs.

Mais Davao est aussi un creuset où se mélangent toutes les ethnies et religions des Philippines. L'arrivée massive des Philippins du Nord dans le passé a fait de Davao une ville essentiellement chrétienne, par opposition à la ville musulmane qu'est Marawi par exemple.

Davao, qui dispose de bons hôtels, peut être le point de départ de nombreuses excursions dans la région. Malheureusement, le meilleur hôtel (le *Davao Insular*) a été construit au bord d'une des rares plages où il n'est pas agréable de se baigner ! Ce qui oblige à louer un bateau pour se rendre sur une autre plage.

En montant au Sanctuaire de l'Enfant-Jésus, en taxi, vous aurez une vue générale de la ville, mais rien d'inoubliable.

La ville elle-même est très animée ; on flânera avec plaisir le soir le long du front de mer vers **Magsaysay Park**, le Rizal Park de Davao, des petites échoppes vendent d'appétissantes brochettes de fruits de mer (poissons, calamars, etc.).

Le quartier du port est celui des classes les plus défavorisées et aussi le plus sympathique. La ville chinoise en fait partie ; le grand marché de Davao (**Bankerohan Market**), à voir le matin, est très coloré. Ne le manquez pas.

Au hasard de vos promenades, vous verrez dans Claveria (le quartier bourgeois), le Bazar Aldevinco où l'on trouve des objets d'artisanat musulman en cuivre. Sur San Pedro, s'élève la nouvelle cathédrale d'un goût très spécial. La rue San Pedro elle-même est une importante artère commerçante pour les classes moyennes. Enfin, au-delà de la Davao River, le long de la mer, sont installés de nombreux restaurants populaires et boîtes de nuit.

En fait, le plus intéressant est pourtant en dehors de la ville.

L'île de Samal et la ferme perlière d'Aguinaldo*

Située à trois quarts d'heure de bateau de Davao, l'île de Samal est une promenade agréable, que je vous recommande de faire en une journée complète, si vous aimez les bains de mer.

Cette grande île de près de 20 kilomètres de long est entièrement couverte de cocotiers. C'est en soi un beau spectacle. Tout autour de cette île, s'étendent des fonds, parfois peu profonds, recouverts de coraux variés, et au large, des îlots tropicaux paradisiaques : Du sable blanc, quelques cocotiers, de l'eau claire et non polluée (pourvu que ça dure !). Vous pouvez louer un bateau (banca) près de Magsaysay Park ou au Davao Insular Hotel, pour vous rendre sur la **Paradise Island Beach**, la plage la plus fréquentée.

Il y a encore peu de temps, on pouvait visiter la ferme perlière du Senor Aguinaldo, qui se trouve sur une plage de l'île de Samal. Cependant cette entreprise a connu des difficultés avec la concurrence japonaise et n'est plus exploitée commercialement. On continue néanmoins à élever les petites perles et peut-être arriverez vous en une période plus faste, ce qui vous permettra d'assister à des démonstrations de culture. Un petit musée perlier y est installé. Pour information, une grosse perle blanche se vend au moins 1 000 $ U.S., une perle noire peut atteindre 3 000 $ U.S.).

Les ethnies voisines

Les villages musulmans tausugs*

Aux alentours de Davao, se trouvent quelques villages musulmans sur pilotis ; il s'agit de Tausugs (le "peuple du courant"), réfugiés des îles Sulu ; ils sont accueillants dans l'ensemble, mais vous verrez des villages encore plus colorés à Zamboanga.

Les villages bagobos

A 30 kilomètres au nord de Davao, près de Calinan, se trouvent quelques villages bagobos. Cette minorité est en voie de disparition par assimilation (il en reste à peine 2 000). Autrefois peuple belliqueux, ils sont devenus bien sages. Si vous voulez aller les voir, renseignez-vous à l'Office de Tourisme, qui organise des visites. Je vais tout vous dire : si vous ne passez pas par l'Office de Tourisme, vous trouverez les Bagobos habillés à l'occidental ; c'est le D.O.T. qui leur donne des subventions pour qu'ils revêtent les habits traditionnels à l'arrivée des touristes. Il faut les comprendre : l'artisanat traditionnel, le tissage des sarongs multicolores coûtent bien plus cher aujourd'hui que les chemisettes en nylon ; aussi, les anciens habits sont conservés pour les grandes occasions, cela de plus en plus et à travers tout le Tiers-Monde (plus ou moins suivant la volonté d'adaptation au monde extérieur). Ah ! si vous étiez venu avant la Seconde Guerre mondiale !... Les Bagobos sont également habiles dans le travail du métal. On remarquera particulièrement leurs armes damasquinées

Les Manobos

Par contre, vous trouverez souvent dans les faubourgs de Davao des femmes manobos portant encore le sarong multicolore orné de perles fantaisie, de bracelets et de babioles.

Le mont Apo** (2 954 m)

L'ascension du mont Apo, la plus haute montagne du pays, est une promenade splendide, qui prend trois à quatre jours. Elle est réservée aux sportifs, mais il n'est pas nécessaire d'être alpiniste.

La meilleure saison pour faire l'ascension va de janvier à mai, époque la plus sèche ; il faut s'équiper de chaussures genre "pataugas", sac de couchage et petit matériel de camping, car il n'y a pas de problème pour trouver des porteurs. Il faut également prévoir d'acheter la nourriture à Davao.

Par contre, une excursion d'une journée ou deux est possible, qui ne demande pas d'effort ni d'équipements importants, si vous êtes en bonne santé : C'est l'excursion au **lac Agko**, première étape de l'ascension. Même cette seule première étape vaut la peine, car le paysage est somptueux.

Si vous faites l'excursion d'une journée au lac Agko, il vous suffit d'une paire d'espadrilles.

L'ascension

- Premier jour : De Davao, rendez-vous d'abord par bus à Kidapawan (107 km, soit environ deux heures). Là, vous devez vous faire enregistrer à la mairie et demander un guide (le prix inclut le certificat de bon ascensionniste...). Prenez ensuite une jeepney jusqu'à Ilomavis, village manobo à seulement une douzaine de kilomètres, mais à une heure de piste, qui vous rompra déjà les os. A Ilomavis (altitude 300 m), vous trouverez porteurs et guides si vous n'en avez pas trouvés à Kidapawan. La première étape d'Ilomavis au lac Agko prend environ deux heures et demie pour les marcheurs moyens (un peu moins de deux heures pour revenir) ; la piste monte graduellement et est facile. Au lac Agko (altitude approximative de 1 200 m), vous trouverez un refuge où l'on peut dormir à une cinquantaine de personnes.

Vous pourrez vous baigner dans les piscines du lac, des sources chaudes, qui rejoignent des sources froides. C'est joli, et, surtout, "que c'est bon" !

- Deuxième jour : A partir du lac Agko, commencent les difficultés, la grimpette à travers une forêt merveilleuse, aux arbres parasités par les orchidées, en s'accrochant aux racines pour ne pas glisser. Très joli point de vue en atteignant le haut des gorges de la rivière Marbel (altitude 1 800 m environ), rivière qu'il faudra traverser à plusieurs reprises, parfois sans même un tronc d'arbre.

Après les chutes de la rivière Marbel, l'escalade commence. Attention aux racines casse-figure.

Le lac Venado (altitude 2 400 m) est l'endroit où vous établirez votre deuxième camp.

- Troisième jour : Si vous avez encore des forces, vous pouvez atteindre le sommet le deuxième jour (en une heure et demie) et redescendre coucher à Venado, mais généralement, les randonneurs choisissent de faire l'aller-retour jusqu'au sommet lors du troisième jour.

Du sommet, le panorama est bien sûr splendide et les couchers de soleil parfois féériques ; puis la descente au cratère actif prend une demi-heure ; de là, vous rejoignez facilement le lac Venado (en une heure environ).

La descente de Venado à Kidapawan se fait facilement dans une journée. Pendant la saison des pluies (juillet-octobre) vous serez harcelés par les sangsues et les moustiques ; alors si vous pouvez choisir...

Peut-être enfin aurez-vous la chance (ou la malchance ?) d'apercevoir le plus grand des aigles, l'aigle mangeur de singes, qui hante les hauteurs du mont Apo.

A noter qu'il existe des tours organisés de l'ascension du mont Apo au départ de Davao.

LES PROVINCES DE DAVAO DEL NORTE ET DE DAVAO ORIENTAL

La province de Davao del Norte s'étend sur 8 129 km2 et compte un million d'habitants environ ; elle a pour capitale Tagum (120 000 habitants). Celle de Davao Oriental à une superficie de 5 164 km2 et une population de 450 000 habitants. Sa capitale est Mati (110 000 habitants).

Ces deux provinces attireront surtout les ethnologues, car de nombreux groupes ethniques originaux y vivent, comme les Atas, les Mandayas et les Mansakas, spécialistes du travail de l'argent, dont ils font des bijoux que les hommes portent aussi bien que les femmes. Animistes, ils sculptent de nombreuses idoles dans le bois.

LES PROVINCES DE COTABATO

Ces deux provinces totalisent 13 500 km2 et 1,8 millions d'habitants. Comme les deux provinces précédentes, elles seront le terrain d'étude des ethnologues.

Les tribus de Cotabato Nord*

La capitale de cette province est **Kidapawan** (80 000 habitants), une ville sans intérêt particulier.

Dans le district de Dinaig, vivent les Tirurays, de souche malaise. Ceux de la montagne sont encore animistes, tandis que ceux des côtes sont devenus musulmans et ont adopté les coutumes des musulmans. Leur artisanat typique est celui de la vannerie (ils confectionnent de beaux paniers de deux couleurs).

Dans le sud de la province, on rencontre de nombreux Manobos (ou Kulamans), mais ils se sont pour la plupart assimilés aux autres Philippins.

Les tribus de Catabato Sud**

La province de Cotabato-Sud, a pour capitale **Koronadal** (30 000 habitants) et pour ville principale **General Santos City** (250 000 habitants). Cette province, abrite les fameux Tasadays, ces aborigènes "découverts" en 1971 seulement, et dont nous parlons dans notre Première Partie. Depuis, le gouvernement a déclaré "réserve" une zone de 19 000 hectares, où vivent les Tasadays et une autre minorité, les Manubos Blits, à l'ouest du lac Sebu, dans une région montagneuse très difficilement accessible.

La Panamin était l'organisation mise en place par Ferdinand Marcos, et chargée non pas d'assimiler, mais de "donner la possibilité aux minorités, si elles le souhaitaient, de s'intégrer à la civilisation, en cultivant et conservant certaines traditions"...

Cette zone est protégée, et on ne peut s'y rendre sans autorisation. Les Tasadays sont trop peu nombreux et trop fragiles pour les laisser d'emblée au contact du monde moderne. Une plateforme pour débarquer les passagers d'hélicoptère a été aménagée au sommet d'arbres, car la forêt est trop dense pour atterrir ou pour y accéder en voiture.

Par contre, on peut visiter au moins des villages tibolis et ubos, qui reçoivent actuellement une assistance médicale et scolaire de la Panamin. Les Tibolis du lac Cibu ont un artisanat du tissage très original à base de chanvre. Pour aller les rencontrer, il vaut mieux demander à une agence de voyages spécialisée de vous organiser les transports (avion jusqu'à Allah Valley, puis jeep avec guide, cela peut se faire en une journée). Si vous voulez vous y rendre sans aide, il faut vous préparer à marcher et dormir dans des conditions très sommaires.

L'un des plus importants villages tibolis est Kematu, appelé aujourd'hui **Barrio Tiboli**, au sud-est de Surallah, vers les sources de la rivière Allah ; quelque 300 familles y vivent (environ 1 500 personnes). Il s'agit d'un village récent, construit pour fixer les Tibolis ; l'architecture y est traditionnelle avec les toits à deux pointes caractéristiques. Si de plus en plus les Tibolis adoptent les costumes modernes, beaucoup conservent encore les habits colorés... et les bracelets.

Entre Kematu et Surallah, on peut aussi voir des villages ubos, qui, eux aussi, reçoivent une aide du gouvernement. Ces villages sont souvent situés au sommet de collines. Leurs coutumes sont assez différentes de celles des précédents. Leur artisanat du cuivre est remarquable.

Pour revenir à Davao, on peut continuer sur General Santos, et, de là, prendre l'avion.

LES ILES SULU

L'archipel des Sulu est constitué de quelque 450 îles (dont plus de la moitié ne sont que des îlots), qui semblent former une chaîne liant la pointe ouest de Mindanao (Zamboanga), à Bornéo (les Sulu s'épuisent à une trentaine de kilomètres des côtes de Bornéo). Il s'agit ici aussi d'une chaîne à la fois volcanique et coralienne. Il paraîtrait même que l'île de Tawi Tawi flotte !

Leur superficie totale (l'archipel de Tawi Tawi inclus) est de l'ordre de 4 059 km2 et leur population de l'ordre de 950 000 âmes, dont trente pour cent seulement de chrétiens. On classe les Sulu en plusieurs groupes ; Sibutu à l'extémité sud, puis Tawi Tawi, Tapul, Jolo, Pearl Bank (ou Laparan), Pangutaron, Samal, Cagayan de Sulu et Basilan.

En fait, administrativement, on ne distingue que trois groupes :
- L'île de Basilan : 1 372 km2 et 250 000 habitants.
- Les Sulu proprement dites : 1 600 km2 et 450 000 habitants.
- L'archipel de Tawi Tawi : 1 087 km2 et 250 000 habitants.

Le climat n'accuse pas de grandes différences au cours de l'année et les mois les plus secs vont de janvier à mars. L'agriculture est assez variée : sucre, bois d'essences rares, coprah, riz, tapioca, fruits (mangues, lanzones, goyaves, papayes, bananes, ananas).

La fabrique de charbon de bois et la pêche aux poissons et aux perles sont les principales activités, encore que la pêche aux perles soit en net recul.

Les Sulu sont la patrie des quatre grandes ethnies islamiques : les Tausugs (à Jolo), les Samals (à Tawi Tawi), les Yakans (à Basilan), les Badjaos (à Laparan).

A l'origine habitées, selon la légende, par les Buranums de Bornéo, les îles Sulu ont connu au XIVème siècle d'importantes migrations de Samals et de Badjaos de Bornéo et de Malaisie, ainsi que des Moros de Mindanao. Ces nouveaux arrivants se heurtèrent fréquemment aux habitants des collines de Buranum appelées aussi Sulu.

En 1380, l'islam fut introduit ici par un juge arabe, Makdum ; en 1578 commença une guerre de trois siècles avec les Espagnols qui ne s'achèvera que pour reprendre avec les Américains puis, aujourd'hui, avec l'armée régulière philippine ; ce n'est donc pas une histoire nouvelle.

Guerriers, les habitants de Jolo l'ont toujours été, et l'islam leur fournissait l'aide qui leur était nécessaire pour se battre. Les pirates des Sulu sont de longtemps redoutés des navigateurs, mais aujourd'hui encore, nous sommes dans l'une des régions du monde où il existe toujours un risque non négligeable de se faire attaquer par les pirates.

Les risques n'existent pourtant pas uniquement sur l'eau ; jusqu'au début des années 80, il n'était pas permis de visiter les Sulu pour cause de sécurité. Aujourd'hui, il est permis de s'y rendre, mais il faut savoir que les risques d'enlèvements sont loin d'être nuls. On consultera les autorités touristiques du pays avant de s'embarquer pour les Sulu...

BASILAN*

Bien qu'appartenant à l'archipel des Sulu, Basilan, dépend administrativement de la région de Zamboanga, dont elle n'est qu'à deux heures de transbordeur (environ 25 kilomètres). Depuis 1973, elle est devenue une province à part entière. Découverte en 1637 par les Espagnols à une époque où les musulmans étaient déjà installés, elle fut évangélisée par les Jésuites, ce qui explique qu'aujourd'hui, près de la moitié de la population soient des chrétiens.

Ses ressources principales sont un excellent caoutchouc (Basilan est le premier producteur de caoutchouc des Philippines), le café, le cacao, le coprah, le poivre, les dattes et l'abaca.

Cette île est peut-être l'excursion la plus intéressante, à effectuer depuis Zamboanga, à condition toutefois que les conditions de sécurité le permettent. On y trouve deux principaux centres d'intérêt : les Yakans et les plages.

Les Yakans

Au nombre de près de 100 000, les Yakans, dont l'origine est en partie polynésienne, sont pour la plupart devenus musulmans, et vivent essentiellement de l'agriculture ; ils ont gardé leurs coutumes et se reconnaissent à l'ample pantalon des femmes, à leurs costumes colorés et à leur artisanat raffiné. La maison yakan (*lumag*), construite sur pilotis, se repère par sa forme rectangulaire avec la cuisine extérieure et rattachée à la maison par une plateforme, ce qui peut éviter à la fois l'incendie de toute la maison et la fumée. Le plancher est troué à un ou deux endroits pour cracher le bétel.

La meilleure façon de se rendre en pays yakan est de prendre d'abord le transbordeur jusqu'à **Isabela**, la petite capitale de l'île (60 000 habitants), puis, de cette dernière, un autocar jusqu'à **Lamitan** (à 28 kilomètres d'Isabela soit environ trois quarts d'heure de bus normal ou une vingtaine de minutes de bus express). Tout autour de cette dernière localité, vous trouverez plusieurs villages yakans, mais prenez un guide.

Signalons au passage, le pittoresque marché de Lamitan qui a lieu les jeudis et dimanches de 6 h à 11 h, et attire de nombreux Yakans.

Depuis les années 1980, le festival de Lami-Lamihan, qui a lieu fin mars ou début avril est la plus importante célébration folklorique yakan.

Les plages

Parmi les belles plages de Basilan, la plus célèbre est celle de **Sumugdan***. Sable blanc, jolis fonds et solitude.

A quelques minutes de bateau d'Isabela, l'**île de Malamaui** possède également une très jolie plage : **White Beach**.

L'ILE DE JOLO*

C'est la plus grande île après Basilan. La petite ville fortifiée de **Jolo** (65 000 habitants) est la capitale de la province de Sulu.

Lorsqu'on arrive à Jolo en venant des Philippines chrétiennes, on change de monde, car l'islam est présent à chaque instant. Même le Capitole a la forme d'une mosquée ; mais ce qui vous intéressera avant tout, c'est la civilisation des Tausugs, l'ethnie dominante. Tausug signifie "homme des courants". Cet homme de la mer se déplace comme chez lui à travers les courants marins assez forts qui circulent entre les îles Sulu.

Le quartier populaire musulman de Jolo est **Tulay**, dont la mosquée est la plus importante. Mais le voyageur ira surtout voir les quartiers de **Takut Takut** et de **Chinese Pier**, avec leurs maisons sur pilotis en bord de mer. Voyez encore le musée de Sulu.
Si la situation politique le permet, on pourra aller voir, en dehors de la ville, de nombreux villages flottants de Moros et Badjaos, et, à l'intérieur, des villages tausugs.

Les meilleures plages à proximité de la capitale sont celles de **Quezon Beach** à 3 kilomètres, ainsi que **Taglibi**, un peu plus éloignée.

TAWI TAWI**

Plus au sud, à 26 heures de bateau de Zamboanga et également accessible par avion, les quelque 300 îles de l'archipel de Tawi Tawi sont encore plus pittoresques que Jolo, avec leurs contrebandiers qui viennent de Bornéo et leurs nombreux villages flottants. La capitale et ville principale est **Balimbing** (27 000 habitants).

A Tawi Tawi, c'est l'ethnie samal qui domine. Autrefois, elle fournissait les meilleurs pirates de la région. Aujourd'hui, la première occupation est la pêche et le commerce.
Vous aurez quelques difficultés à vous déplacer car le réseau routier est quasiment inexistant. Le bateau est le meilleur moyen de transport autour de l'île principale.

Au-delà de Tawi Tawi se trouvent les îles aux Tortues (**Taganak Island**) où, en été, les tortues géantes viennent pondre.
Il est parfois plus facile d'y accéder par le Sabah (Bornéo, voir notre guide "Malaisie-Bornéo-Singapour").

LES SIBUTUS*

La localité la plus pittoresque de cet archipel, c'est **Sitangkai****, énorme village flottant, hébergeant peut-être 6 000 Badjaos.

Et encore 7 000 îles...

Des îles avec encore de beaux paysages et encore de belles plages : il nous restera toujours beaucoup à découvrir aux Philippines...

Cher lecteur,

Aidez-nous à améliorer ce guide en nous faisant part de ses erreurs, lacunes et des découvertes que vous avez faites. Ces renseignements serviront aux futurs lecteurs.

Si vous nous conseillez des adresses, ne manquez pas de nous les indiquer avec précision.

Nous serions heureux de vous envoyer un exemplaire gratuit d'un titre au choix de notre collection si votre courrier est retenu pour la mise à jour d'une nouvelle édition (indiquez-nous le titre choisi).

Merci de nous envoyer vos remarques à :

EDITIONS JIKA
30, rue Liancourt
75014 PARIS

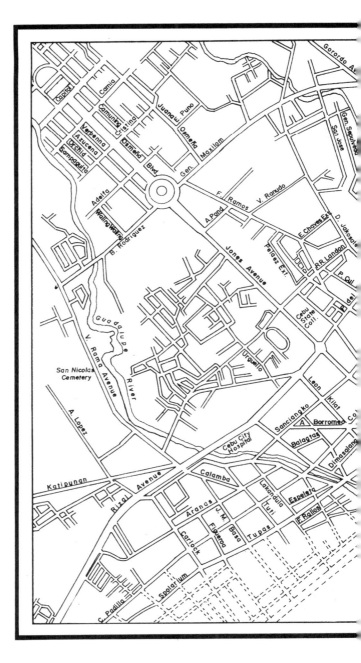

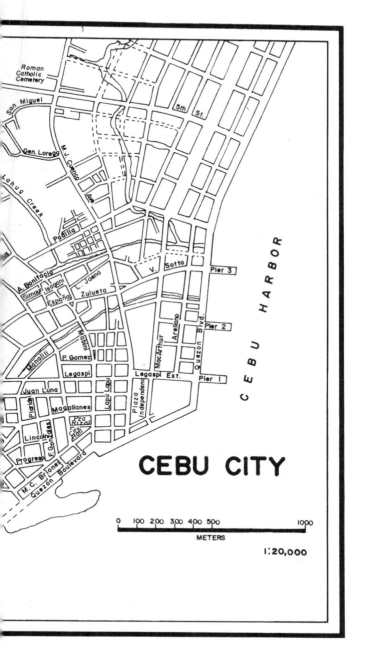

CEBU CITY

0 100 200 300 400 500   1000

METERS

1:20,000

INDEX des noms cités en 3ᵉ partie

CARTOGRAPHIE

L'ASIE PRATIQUE

c'est :

- Tous les vols à prix réduits*

BANGKOK	3 980 FF A/R
BALI	4 780 FF A/R
MANILLE	5 350 FF A/R
DEHLI	3 550 FF A/R
HONG-KONG	5 350 FF A/R
VIETNAM	5 600 FF A/R

(* : prix à partir du 01/03/94 - révisables sans préavis)

- Des circuits à la carte et en individuel à travers l'Asie.

Exemples :
VIETNAM : 1 à 4 semaines en voiture avec chauffeur
BIRMANIE : 2 semaines à la routard
CAMBODGE : 4 à 15 jours

- Trekkings et expéditions

- Réservation d'hôtels et de voiture (avec ou sans chauffeur)

- Des renseignements pratiques

- Des grands voyageurs pour vous conseiller

BACK ROADS
Le Club du Grand Voyageur
LIC 175743
14 Place Denfert-Rochereau
75014 PARIS
Tél. : 43 22 65 65